Español lengua viva

Libro del alumno

español
Santillana
Universidad de Salamanca

C1

MARCO DE
REFERENCIA
EUROPEO

Autora de la programación: **Nuria Vaquero**

Relación de autores: **Elena Natal, M.ª Carmen Díez, Francisco Alberto Buitrago, M.ª Soledad Martín, Juan Miguel Prieto, Jesús Fernández, Milagros del Castillo, Inmaculada Borrego** y **Begoña Núñez**

Dirección editorial: **Aurora Martín de Santa Olalla**

Edición: **Mercedes Fontecha, Susana Gómez** y **M.ª Antonia Oliva**

Dirección de arte: **José Crespo**

Proyecto gráfico:
        Portada: **Celda y asociados**
        Interiores: **Isabel Beruti**
Ilustración de interiores: **Pablo Velarde**

Jefa de proyecto: **Rosa Marín**

Coordinación de ilustración: **Carlos Aguilera**

Coordinación de desarrollo gráfico: **Javier Tejeda**

Desarrollo gráfico: **Raúl de Andrés** y **José Luis García**

Dirección técnica: **Ángel García Encinar**

Coordinación técnica: **Fernando Carmona** y **Lourdes Román**

Confección y montaje: **Marisa Valbuena** y **Leticia Fernández**

Corrección: **Gerardo Z. García** y **José Ramón Díaz**

Documentación y selección de fotografías: **Mercedes Barcenilla**

Fotografías: A. Toimil; A. Toril; Algar; E. Bajo; F. de Madariaga; F. Ontañón; G. Agirre; GARCÍA-PELAYO/Juancho/CENTRO COMERCIAL SUPERDIPLO; GOYENECHEA; J. C. Muñoz; J. Jaime; J. M.ª Escudero; Krauel; M.ª A. Ferrándiz; ORONOZ; Prats i Camps; R. Manent; R. Quintero; S. Enríquez; A. G. E. FOTOSTOCK/Jordi Camí, Luis Alberto Aldonza; A.S.A./Peter Menzel; AGENCIA ESTUDIO SAN SIMÓN/A. Prieto; ALBUM/Enrique Cerezo Producciones; COMSTOCK; CORDON PRESS/REUTERS/Jorge Adorno; COVER/CORBIS SYGMA/M. Rougemont; COVER/Valentín Moro/Sofía Gamazo; COVER/CORBIS/Mark Savage, Kim Kulish; DIGITALVISION; EFE/MINISTERIO DE MEDIO AMBIENTE, AFP PHOTO/Matías Recart, Syed Jan Sabawoon, José Manuel Vidal, EPA/Gero Breloer, Cristóbal García, Julián Martín, Juanjo Martín, Jaume Sellart, Lavandeira, Mondelo, A. Estévez, G. Cuevas, J. Martínez, Hector Mata; EFE/SIPA-PRESS/Pinson, Pitchal, PRESSENS BILD/SIPA/Kary H. Lash; FOTONONSTOP/Michel Bussy, Mauritius; GALICIA EDITORIAL/Víctor Mejuto; GETTY IMAGES SALES SPAIN/Stone/Ghislain&Marie David de Lossy, Johner Images/Anna Huerta, Taxi/Edgardo Contreras, Stone/Trujillo-Paumier, AFP PHOTO/Juan Barreto, Taxi/Tony Anderson, Taxi/Siri Stafford; HIGHRES PRESS STOCK/AbleStock.com; I. Preysler; IBIZA FOTOESTUDIO/R. Martínez; INDEX/Private DACS/Photo/Christie's Images/The Bridgeman Art Library; ISTOCKPHOTO; JOHN FOXX IMAGES; LOBO PRODUCCIONES/C. Sanz; MUSEUM ICONOGRAFÍA/J. Martin; PHOTODISC; SCALA GROUP/2007 Digital image, The Museum of Modern Art, New York/Scala, Florence; STOCKBYTE; AMNISTÍA INTERNACIONAL; European Community; EXPOSICIÓN ANTOLÓGICA DE CRISTÓBAL TORAL EN EL CENTRO CULTURAL VILLA DE MADRID; Federación Argentina de Pato/Roberto Sabatier; FUJITSU/SIEMENS; MATTON-BILD; Museo Casa de Cervantes, Valladolid; MUSEO NACIONAL CENTRO DE ARTE REINA SOFÍA; S. Jiménez; S. Matellano; SERIDEC PHOTOIMAGENES CD; ARCHIVO SANTILLANA

Grabaciones: **Textodirecto** y **Cadena SER**

Música: **Paco Arribas Producciones Musicales**

Agradecimientos: A los profesores, alumnos y personal de administración y servicios de los Cursos Internacionales de la Universidad de Salamanca, al Departamento de Documentación de la Cadena SER y a Cadenaser.com.

Santillana agradece a los autores citados en este libro la oportunidad que sus textos nos han brindado para ejemplificar el uso de nuestra lengua. Los materiales de terceras personas han sido siempre utilizados por Santillana con una intención educativa y en la medida estrictamente indispensable para cumplir con esa finalidad, de manera que no se perjudique la explotación normal de las obras.

© 2008 Santillana Educación, S. L.
Torrelaguna, 60. 28043 Madrid
En coedición con Ediciones de la Universidad de Salamanca
PRINTED IN SPAIN

ISBN: 978-84-9713-054-7
CP: 892986
Depósito legal: M-40735-2011

Presentación

Español lengua viva 4 es un manual de **español lengua extranjera** destinado a **estudiantes jóvenes y adultos**. Recoge contenidos del nivel C1 del *Plan curricular del Instituto Cervantes: niveles de referencia para el español* y cubre entre 150 y 180 horas de clase.

El manual sigue las orientaciones del *Marco común europeo de referencia* en su concepción del alumno como agente social capaz de ejecutar actividades o tareas propias de un estudiante de este nivel que requieran el uso de la lengua española. La ejecución de estas tareas supondrá el desarrollo de las **competencias comunicativas** y las **generales** y conllevarán la interpretación y producción de **textos** relacionados con los cuatro **ámbitos** en los que se organiza la vida social (personal, público, educativo y profesional).

Español lengua viva está basado en el modelo de lengua peninsular, pero, en sus grabaciones, se recogen acentos pertenecientes a las cinco variedades dialectales del español. Además, los temas culturales y socioculturales tienen como referente todo el ámbito hispanohablante.

ASÍ ES LENGUA VIVA

Nuestro objetivo ha sido hacer un manual **fácil de usar**, que se adapta a diferentes tipos de alumnos, necesidades y contextos de aprendizaje.

Este cuarto nivel está dividido en cuatro bloques de tres unidades. Cada bloque termina con un proyecto en el que se repasan los contenidos adquiridos. Este repaso supondrá la realización de una actividad en común que, en muchos casos, tendrá como objetivo final la elaboración de un proyecto.

Las unidades comienzan con una **portada** en la que se anuncian los contenidos que se van a tratar. A lo largo de las doce páginas que componen una unidad, se utilizan dos elementos gráficos principales: el primero son los **iconos** que preceden a los enunciados e indican el objetivo principal de la actividad: lo que se va a hacer –en términos de actividades de la lengua– y/o el tipo de competencia que se va a desarrollar –en términos de competencias generales y competencias comunicativas de la lengua.

Actividades de la lengua:

- expresión oral `BLA`;
- expresión escrita ◁;
- comprensión auditiva (14);
- comprensión de lectura 📖;
- interacción oral `BLA BLA BLA`.

Competencias generales:

- el conocimiento cultural y sociocultural y la consciencia intercultural `Cs`;
- la capacidad de aprender `E`.

Competencias comunicativas:

- funcional y discursiva `C`;
- gramatical `G`;
- léxica y semántica `V`;
- fonológica `P`;
- ortográfica `O`.

El segundo elemento gráfico son los **cuadros** que recogen de forma esquemática los contenidos tratados y proporcionan una ayuda para la realización de las actividades.

COMUNICACIÓN `C`

Preguntar y expresar gustos personales

- ◆ *¿Te agrada/Te gusta…?*
- ◆ *¿Te llama la atención?*
- ◆ *Me agrada/Me llama la atención…*

GRAMÁTICA `G`

El modo en las oraciones subordinadas sustantivas: con verbos de ruego y petición

En las oraciones subordinadas sustantivas en las que el verbo principal indica ruego o petición (*pedir, rogar, suplicar, ordenar,* etc.) el verbo de la subordinada suele ir en subjuntivo: *Te pido que me **dejes** hablar.*

VOCABULARIO `V`

Verbos relacionados con la comida

Saborear, paladear, apreciar una comida/un plato…

ESTRATEGIAS `E`

Es importante que aprendas no una palabra aislada, sino un grupo de palabras que normalmente se utilizan unidas, se combinan: *cambio climático, efecto invernadero, concentración de gases,* etc.

La complejidad de los temas de gramática y comunicación de este nivel nos ha obligado a replantear la concepción de estos cuadros que, en este caso, se limitan a presentar los puntos principales de manera esquemática. El tratamiento más extenso de los temas se recoge en un apéndice final de gramática.

LIBRO DEL ALUMNO

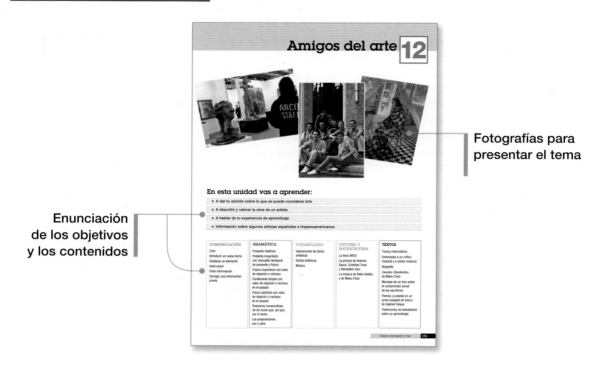

Fotografías para presentar el tema

Enunciación de los objetivos y los contenidos

Actividades para trabajar las competencias generales y comunicativas y las diferentes actividades de la lengua

Iconos que señalan el foco o focos de la actividad

Cuadros que sistematizan los principales contenidos

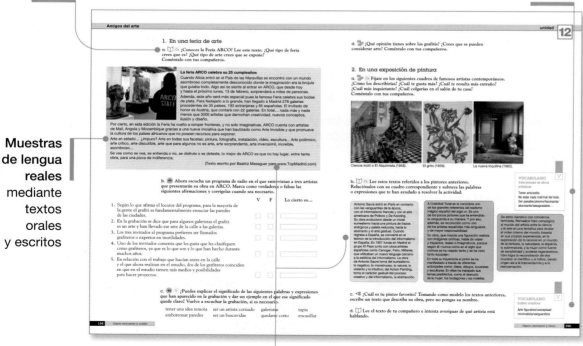

Muestras de lengua reales mediante textos orales y escritos

Información sobre la realidad cultural y sociocultural española e hispanoamericana

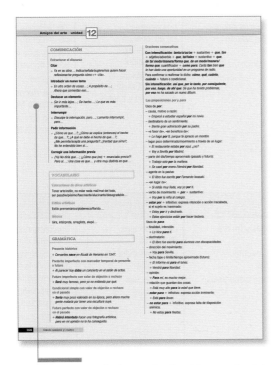

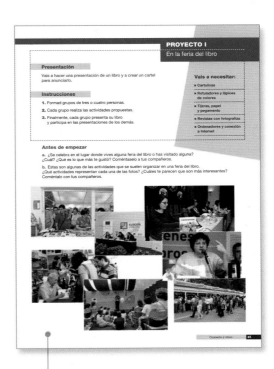

Resumen de los principales contenidos gramaticales, comunicativos y léxicos **al final de la unidad**

Proyectos para repasar los contenidos trabajados **cada 3 unidades**

COMUNICACIÓN	GRAMÁTICA	VOCABULARIO	CULTURA Y SOCIOCULTURA	TEXTOS
Unidad 5. Consumidores compulsivos				**pág. 61**
Preguntar por deseos y expresarlos Pedir objetos Pedir ayuda Preguntar y expresar preferencias o indiferencia	Uso de los pronombres personales en función de sujeto y de objeto directo e indirecto La incorrección del laísmo, leísmo y loísmo Usos del pronombre *se*	Consumo, comercio y compras Aprender una lengua: competencias y contenidos	La Procuraduría Federal del Consumidor de México: los derechos del consumidor La publicidad en España Hábitos de consumo en el mundo	Tertulias radiofónicas sobre consumo y publicidad Cuestionario sobre hábitos de compra Artículos sobre consumo Declaración de derechos Conversaciones cara a cara: en una tienda Mensaje por megafonía Publicidad de un supermercado Gráfico sobre el consumo de publicidad en España Texto sobre Peter Menzel
Unidad 6. Animales sociales				**pág. 73**
Expresar diversión y aburrimiento Expresar vergüenza Expresar enfado e indignación Invitar a formular una hipótesis Agradecer Responder a un agradecimiento Disculparse Responder a una disculpa	Oraciones condicionales: *si* + indicativo, indicativo; *si* + imperfecto de subjuntivo, condicional simple; *si* + pluscuamperfecto de subjuntivo, pluscuamperfecto de subjuntivo/condicional Nexos y conectores condicionales: *con tal (de) que, mientras, como…*	Los medios de comunicación: la prensa escrita, la radio y la televisión Expresiones y frases hechas Relaciones sociales	Cadenas de radio y televisión en España Periódicos de Hispanoamérica La influencia de los medios de comunicación en las relaciones personales Malentendidos culturales	Textos divulgativos sobre los medios de comunicación Texto narrativo: Juan José Millás Entrevista radiofónica sobre cómo las nuevas tecnologías están cambiando las relaciones personales Foro de debate sobre el sentido de pertenencia Cuestionario para comprobar si eres sociable Programa de radio sobre relaciones personales Testimonios de varias personas sobre malentendidos culturales
Proyecto II. Come con cabeza				**pág. 85**
Unidad 7. Propuestas de ocio				**pág. 89**
Preguntar y hablar de la habilidad para hacer algo Ofrecer, invitar, proponer y sugerir una actividad Aceptar una propuesta, un ofrecimiento o una invitación Rechazar una propuesta, un ofrecimiento o una invitación	Presente de subjuntivo para proponer planes y hacer sugerencias Pretérito imperfecto de subjuntivo en oraciones subordinadas que expresan deseos Perífrasis verbales de infinitivo, gerundio y participio Oraciones temporales: *antes de (que), nada más, mientras…* El modo en las oraciones temporales	Actividades de ocio Juegos de mesa Deportes Heridas y traumatismos	Opciones para disfrutar del tiempo libre Deportes tradicionales en algunos países hispanoamericanos Los hábitos de viaje de los españoles	Tertulias radiofónicas sobre ocio y viajes Textos informativos Información sobre espectáculos Conversación telefónica para quedar Crítica de un espectáculo Diario de un viaje Conversación cara a cara sobre un viaje
Unidad 8. De casa				**pág. 101**
Pedir permiso Dar y denegar permiso Prohibir Rechazar una prohibición Advertir Amenazar Expresar alivio Quejarse del funcionamiento de un servicio Reclamar	Usos del subjuntivo Oraciones concesivas: *aunque, a pesar de (que), por mucho que…* El modo en las oraciones concesivas Cuantificadores: *la mitad, todo, cuanto…*	Tareas domésticas Expresiones y frases hechas Compra y alquiler de una vivienda	Costumbres y comportamientos cuando te invitan a una casa Comportamientos y convenciones relacionados con el hecho de compartir casa La vivienda en España Casas de personajes famosos españoles e hispanoamericanos	Textos informativos Conversaciones cara a cara Programa de radio sobre el acceso a la vivienda Normas de convivencia Noticias relacionadas con los planes de vivienda Foro de Internet sobre los servicios de atención al cliente Conversación telefónica con un servicio de atención al cliente Carta de reclamación

Con ganas de aprender

En esta unidad vas a aprender:

- A saludar de manera informal
- A establecer tus objetivos para este curso
- A preguntar si alguien tiene información sobre un tema determinado
- A preguntar si se recuerda algo
- A contar anécdotas

COMUNICACIÓN	GRAMÁTICA	VOCABULARIO	CULTURA Y SOCIOCULTURA	TEXTOS
Saludar y responder al saludo de manera informal	Repaso del uso de los tiempos de pasado en la narración	Palabras y expresiones propias del ámbito educativo	Los centros de enseñanza universitarios: organización	Texto informativo de un centro de estudios
Expresar deseos e intenciones	Repaso de algunos usos de los verbos *ser* y *estar*	Motes y apodos	Antonio Machado y Gabriela Mistral: profesores y poetas	Un mensaje en un *blog* sobre recuerdos del colegio
Preguntar si se sabe o se tiene conocimiento de algo y responder	Verbos de cambio: *volverse, convertirse…*			Biografías
Preguntar si se recuerda o se ha olvidado algo	Perífrasis de infinitivo: *llegar a, echar(se) a, romper a…*			Poema *Recuerdo infantil*, de Antonio Machado
Expresar qué se recuerda o se ha olvidado	Perífrasis de gerundio: *ir, venir, andar, terminar…*			Poema *La maestra rural*, de Gabriela Mistral
Contar una anécdota y reaccionar al relato	Perífrasis de participio: *tener, llevar, dejar*			

1. Punto de partida

a.  Saluda a tu compañero y completa los cuadros con la información correspondiente.

Datos personales de mi compañero
Nombre: _____
Residencia actual: _____
Profesión/ocupación actual: _____
Profesión que le gustaría tener: _____
Aficiones: _____
_____

Para él es fácil en español: _____
_____
Para él es difícil en español: _____
_____

CON GANAS DE APRENDER

Motivos por los que mi compañero estudia español:

A mi compañero le gusta aprender español (hablando, leyendo, con vídeos, canciones…): _____
_____
_____
_____

Ahora se siente con respecto a su aprendizaje del español (pesimista, optimista):
_____
_____

b. Presentad a vuestros compañeros.

c. En parejas, escribid algunas preguntas para vuestro profesor. Después, hacédselas.

– Tiempo que lleva en la enseñanza de español.
– Lo que le resulta más fácil, difícil, aburrido, divertido de su trabajo.
– Sus aficiones.
– …

d. **E** En parejas, pensad qué esperáis conseguir en este curso y cómo os gustaría aprender. Esta tabla puede ayudaros a tomar notas.

GRAMÁTICA	Nos encantaría que…
	Pedimos que…
VOCABULARIO	Sería conveniente que…
	Necesitamos que…
COMUNICACIÓN	Queremos que…
	Haría falta que…
TEXTOS	Desearíamos que…
	Es bueno que…
CULTURA Y SOCIOCULTURA	Sería interesante que…
	Esperamos que…

e. **E** Comparad vuestras propuestas con las de toda la clase y llegad a un acuerdo sobre cómo os gustaría que fuera este curso.

2. ¿Qué es de tu vida?

a. Vas a escuchar varios diálogos en los que varias personas se saludan. Relaciona cada diálogo con su situación correspondiente.

b. [C] Intenta completar las palabras que faltan en los anteriores diálogos. Después, vuelve a escuchar los diálogos y comprueba los resultados.

◆ *Hola, chicos, ¿qué_____?*
◆ *Hola, Teresa… ¡_____! Pues, nada; aquí, matriculándonos.*

◆ *Hombre, Ernesto… ¿_____? ¿_____ tú por aquí?*
◆ *Pues nada, que tengo una reunión… ¿_____ _____ andas?*

◆ *Hola, Lucía. Perdona el retraso. ¿Qué tal?, ¿_____ _____?*
◆ *Pues nada; tirando, ya sabes. Y a ti, ¿cómo te _____?*

◆ *¡Mis queridos alumnos! ¡Qué emoción! ¡Qué _____ volver a veros _____ de tanto tiempo!*

◆ *Bueno, cuéntame, que hace siglos que no hablamos. ¿Qué es de tu_____?*
◆ *Bueno, pues ahora por fin todo va mejor. Parece que ha pasado la mala racha. Y tú, ¿_____ me _____?*

◆ *Hombre, Carmen, ¡qué alegría! Que hace un montón que no nos vemos. ¿Qué _____ _____?*
◆ *Pues ahora no estoy en mi mejor momento, la verdad…Ya sabes, la primavera, la alergia… Para qué seguir… ¿Y tú? ¿_____ _____ de tu vida?*

c. [C] Lee de nuevo los diálogos. ¿Crees que se conocían previamente todas las personas que se saludan? ¿En qué diálogos alguna de las personas es pesimista o no se encuentra muy bien? ¿Con qué expresiones lo muestran?

d. [C] Elige con tu compañero una de estas situaciones y escribid el diálogo empleando las expresiones que habéis aprendido. Después, representadlo. Buscad la entonación y los gestos adecuados.

1. Pablo habla con Carmen en la cafetería de la facultad. Carmen acaba de hacer un examen.
2. Juan y Elisa se encuentran en la calle, hace mucho tiempo que no se ven.
3. Rosalía se encuentra con Mario que ha estado enfermo.
4. Teresa se encuentra con Sergio. Teresa acaba de volver de vacaciones.

3. Un nuevo curso

a. V Escribe el significado de las siguientes palabras y expresiones. El cuadro de calificaciones y el diccionario pueden ayudarte. Usa tus propias palabras.

expediente académico	tesis
convalidar	nota media
aprobar por los pelos	asignatura optativa
solicitar/conceder/denegar una beca	crédito
plan de estudios	tercer ciclo
facultad	posgrado

b. V Comenta con el resto de la clase lo que has escrito. Intentad llegar a una definición sencilla común.

c. V Completa los comentarios de estos estudiantes con el vocabulario que has trabajado.

1. El profesor Bustos tiene en cuenta la nota del examen y las de los trabajos para la _____ de la asignatura.
2. He estudiado la primera parte de la carrera en otra universidad. Tengo que preguntar en la secretaría de la _____ si me _____ todas las asignaturas.
3. El doctorado y los másteres forman parte de los estudios de _____.
4. Es un curso muy interesante. Además, solo por asistir te dan dos _____.
5. Tiene un _____ magnífico, con un montón de sobresalientes y matrículas.
6. ¡Menos mal! He sacado un cinco en el examen; he aprobado _____.

d. 📖 En el siguiente texto hay mezcladas dos conversaciones entre estudiantes universitarios. Ordena los dos diálogos.

☐ Pues, yo estoy muy sorprendido porque no tenía ni la más remota idea de que iban a hacer tantas reformas; me encantan las pistas de atletismo.

☐ Pues no tengo ni idea, pero puedes pedir información en secretaría.

☐ ¿Te has enterado de lo de la ampliación del centro deportivo del campus?

☐ Pues no estoy muy enterado, pero creo que hay que rellenar una ficha o algo así.

☐ Sí, ya me he enterado; está muy bien equipado y el horario es muy amplio.

☐ Oye, ¿sabes lo que hay que hacer para solicitar una tutoría? Es que yo quería ver al profesor de Biología.

☐ Bueno, yo estaba enterado de que iban a hacer cambios, pero no me imaginaba tantas pistas ni un gimnasio tan grande, la verdad.

☐ Sí, ¿pero quién nos da la ficha?

☐ Buena idea, gracias.

e. 🗨 Piensa en tus dudas acerca de tu curso de español: las instalaciones de la escuela, los procedimientos, los exámenes, etc. Prepara las preguntas y házselas a tus compañeros; a lo mejor ellos pueden ayudarte.

4. El tablón de anuncios

a.  Lee este texto informativo que ha aparecido en el tablón de anuncios de un centro de estudios hispánicos. Después, marca como verdaderas o falsas las siguientes afirmaciones y corrígelas cuando sea necesario.

	V	F	Lo cierto es...
1. Los estudiantes que se matriculen por primera vez deberán hacerlo a partir del 1 de octubre.	☐	☐	
2. Los horarios de las tutorías serán los mismos para todos los estudiantes.	☐	☐	
3. Solo se permite un 10 % de faltas sin justificar.	☐	☐	
4. La biblioteca tendrá horario continuado durante todo el curso.	☐	☐	
5. El centro ofrece un seguro médico gratuito al matricularse.	☐	☐	

CENTRO DE ESTUDIOS HISPÁNICOS ANDRÉS BELLO
INFORMACIÓN DE INTERÉS PARA LOS ESTUDIANTES

Con respecto al próximo curso, la Dirección de este centro desea comunicar a los estudiantes lo siguiente:

Período de matrícula
Renovación de matrículas: desde el 1 de septiembre.
Nuevos alumnos: a partir del miércoles, 15 de septiembre.
En ambos casos, el plazo finaliza el día 30 de septiembre. Si quedaran plazas, se abriría un período de matrícula especial el día 1 de octubre.
Se dará preferencia a los alumnos ya matriculados en el centro.

Tutorías
Todos los alumnos tendrán la posibilidad de ver a sus profesores fuera del horario de clase durante dos horas a la semana.
Cada profesor informará de sus horarios de tutorías durante los primeros días del curso.

Asistencia a clase
La asistencia a clase es imprescindible para poder presentarse a los exámenes finales y obtener el diploma. Es obligatorio un 90 % de asistencia. Los justificantes (justificante médico, documento oficial, carta…) deberán presentarse a la jefatura de estudios, que decidirá su validez.

Biblioteca
Para el próximo año, y a petición de los alumnos, se ampliará el horario de biblioteca. Estará abierta por la mañana de 8 a 15 y por la tarde de 17 a 21 h. Durante los meses de mayo y junio no cerrará a mediodía.

Seguro médico
En el momento de formalizar su matrícula, los alumnos que lo deseen podrán suscribir un seguro médico privado, válido durante el período de duración del curso.

b. ⱽ Completa los siguientes diálogos con el vocabulario que estás aprendiendo.

◆ Hola, Elisa, ¿cómo te va?
◆ Bien, Pablo, sin novedad. Oye, ¿sabes si ya puedo formalizar la _____?
◆ Sí, mira, el _____ para matricularse empieza el próximo día 15 para los nuevos alumnos.
◆ ¿Y cuándo termina?
◆ El día 30 de este mes. Oye, date prisa en ir porque tienen _____ los alumnos de cursos anteriores.

◆ ¿Sabes cómo funciona lo de la _____ a las clases?
◆ Sí, mira; tienes que asistir a un 90 % de las clases para poder presentarte al examen final.
◆ ¿Y si me pongo enferma, por ejemplo?
◆ Bueno, entonces tienes que presentar un _____ a la jefatura de estudios.

◆ Mira, si no has entendido la explicación, ¿por qué no hablas con el profesor y se lo dices?
◆ Sí, claro, y ¿cómo me pongo en contacto con él?
◆ Pues, hombre, mira su horario de _____; te atenderá fuera del horario de clases.

◆ Me parece genial que amplíen el _____ de la biblioteca.
◆ Sí, está muy bien, pero ¿sabes si en junio cierran a la hora de comer?
◆ No. En esos meses no cierra a mediodía.

5. ¡Qué tiempos aquellos!

a. [G] Completa el siguiente mensaje del *blog* de antiguos alumnos del centro Andrés Bello con las formas adecuadas de los verbos entre paréntesis.

¿Tenéis fotos de vuestros años de estudios en el centro? Empiezo yo con esta foto.

Un abrazo, Ernesto

Momentos del pasado se agolpaban en mi mente, mientras la fuente del patio del colegio parecía cantarme: «¿Te acuerdas de haber bebido mi agua después de tus juegos y carreras?».

Sí, yo recordaba secuencias de aquellas aventuras infantiles que (dibujar) _____ ahora una apacible sonrisa en mi cara. Pero también sabía que aquellos niños –eternos en torno a la fuente– se habían convertido en hombres y mujeres que (jugar) _____ al juego de la vida.

Entonces, embrujado por el hechizo de la fuente, pensé: «Claro que recuerdo la frescura de tu agua, y hasta me (parecer) _____ oír las voces de los niños que te acompañan. Pero seguro que no (volver) _____ a saber nada de ellos, ¿verdad? Bueno, te pondré al día. Pablo ha llegado a ser un excelente cirujano. Margarita y Antonio (terminar) _____ instalándose en Venezuela, el año pasado. Rosalía, la niña tímida y gordita, que bebe tu agua en la foto, (transformarse) _____ en toda una belleza».

De repente, el paraguas con el que Margarita jugaba en la foto me (traer) _____ recuerdos del día en que fue tomada la foto. Aquel día, antes de ir al parque, unas nubes amenazadoras ya (aparecer) _____ en el cielo, y cuando más entusiasmados (estar, nosotros) _____ con nuestros juegos, rompió a llover. Todos nos fuimos corriendo al quiosco de Marta y Pepe.

Me fijé ahora en la cara de un chiquillo, que sentado al lado de Pablo, lo (mirar) _____ con ojos inocentes. Sonreí triste y, entonces, fue la fuente quien me dijo: «No te apenes, Ernesto, este pequeño es el niño que siempre va contigo».

b. ② [C] Intenta completar estos diálogos de un grupo de antiguos alumnos del centro Hispano-Francés. Fíjate en el cuadro de comunicación. Después, escucha y corrige tus respuestas, si es necesario.

- Si mal no _____, el laboratorio de idiomas estaba en el primer piso, ¿no?
- ¿Estás segura? Que yo _____, en el primer piso solo había aulas.
- Que sí, que está arriba; ya verás, vamos a comprobarlo.

- ¡_____ recuerdos!...
- Sí... Y qué bien jugábamos.
- ¿Bien? ¿Seguro? ¿No te _____ de que siempre perdíamos?
- Que sí, hombre, que estaba bromeando.

- Mira, ¿no te _____ nada esta foto, Lucía?
- Pues la verdad es que no; no me _____ ningún recuerdo.
- Pero, sí, mujer, fíjate bien.
- ¡Ah! ¡Ya _____! ¡La famosa fiesta de fin de curso!

- ¡Fíjate! ¡Este libro me _____ a doña Pilar!
- ¿Y eso?
- Porque fue ella la que me recomendó que lo leyera y me encantó.
- Pues, fíjate, por más que lo _____, yo no me acuerdo de ella. ¿Cómo era?

c. [BLA BLA BLA] Fíjate en estos objetos y pregunta a tu compañero qué recuerdos le traen.

6. Seres y *estares*

a. [G] Seguro que recuerdas algunos usos de los verbos *ser* y *estar*.
En parejas, y sin mirar el cuadro de gramática, anotadlos en esta plantilla.
No hace falta que utilicéis términos gramaticales: usad vuestras palabras.
Poned un ejemplo para explicarlo mejor.

	USOS	EJEMPLOS
SER		
ESTAR		

b. [G] Completa estas oraciones con los verbos *ser* o *estar*.
Explica por qué has elegido uno u otro verbo.

1. Yo creo que _____ necesario unificar las fechas
   de los exámenes finales.
   PORQUE _____

2. He leído en el tablón de anuncios que las tutorías de Historia
   del Arte van a _____ en el despacho del profesor.
   _____

3. Voy a salir a dar un paseo, porque _____ cansado
   de tanto estudiar y necesito despejarme un poco.
   _____

4. _____ muy orgulloso con el trabajo que hemos hecho
   para la clase de Historia. Creo que nos ha quedado muy bien.
   _____

5. Creo que el aula de informática _____ en el segundo piso,
   en el pasillo de la derecha.
   _____

6. No he elegido la asignatura de Tecnología porque todo el mundo
   dice que _____ muy difícil.
   _____

7. Esa asignatura _____ troncal, así que hay que hacerla
   obligatoriamente.
   _____

8. El laboratorio de inglés _____ equipado con los aparatos
   más modernos.
   _____

c. [BLA BLA BLA] [G] Comentad los resultados con vuestros compañeros
y completad vuestra plantilla con los usos de *ser* y *estar*.

GRAMÁTICA
Usos de *ser* y *estar*

El verbo *ser* se utiliza para: definir, identificar, describir, localizar sucesos o acontecimientos, valorar, indicar la materia de la que está hecho algo, indicar el origen o la nacionalidad de personas y objetos, indicar la profesión, valorar, reaccionar o expresar sentimientos en construcciones tipo *es* + sustantivo o adjetivo + *que*, resaltar la acción y no al sujeto que la realiza en las construcciones pasivas del tipo *es* + participio (+ *por*...).

El verbo *estar* se utiliza para: situar en el espacio a alguien o algo, indicar el estado civil, hablar de una acción en desarrollo (*estar* + gerundio), referirse a estados físicos o anímicos, describir las características de objetos y lugares, construir algunas expresiones fijas: *estar de acuerdo, estar en paro, estar de moda*, etc., anteponerlo a algunos adverbios y adjetivos: *bien, mal, fatal, permitido, prohibido*, etc.

Adjetivos que pueden ir con *ser* o con *estar* en la descripción
Usamos *ser* cuando entendemos que se trata de una cualidad inherente y permanente de aquello que describimos. Usamos *estar* cuando entendemos que se trata de una cualidad no permanente o resultado de un proceso.

Otros adjetivos cambian de significado si van acompañados de *ser* o de *estar*:
Ser orgulloso ('prepotente')/estar orgulloso ('contento'); ser listo ('inteligente')/estar listo ('preparado'), etc.

7. ¡Cómo hemos cambiado!

a. [V] Seguro que cuando estudiabas en el colegio o en el instituto tus compañeros te llamaban a ti o tú los llamabas a ellos con algún mote o apodo. Coloca el mote debajo del dibujo correspondiente.

> LA GAFITAS   LA EMPOLLONA   EL OREJAS   EL SILENCIOSO   EL CEJAS

Alberto

_____

Margarita

_____

Julio

_____

Inés

_____

Carlos

_____

b. [Cs] ¿Son habituales en tu país los apodos? ¿Resultan algunos ofensivos? ¿Recuerdas algún mote de tus compañeros de clase o de tus profesores? Coméntalo con tus compañeros.

c. [G] Fíjate en las transformaciones que han sufrido las personas anteriores. Explícalas utilizando los verbos de cambio.

Alberto

Margarita

Julio

Inés

Carlos

GRAMÁTICA [G]
Verbos de cambio

Ponerse + adjetivo
- *Cada vez que la veo me pongo nervioso.*

Volverse + adjetivo/sustantivo
- *Desde que tiene dinero se ha vuelto insoportable.*

Llegar a ser + adjetivo/sustantivo
- *Con muchísimo esfuerzo y gran sacrificio ha llegado a ser uno de los mejores médicos del país.*

Hacerse + adjetivo/sustantivo
- *Estudió Derecho y se hizo abogado.*

Transformarse/Convertirse en + sustantivo
- *Nadie lo conocía, pero este año se ha convertido en uno de los jugadores más importantes del país.*

Quedarse + adjetivo
- *Si ves a Luis, no lo conoces. Se ha quedado calvo.*

Alberto _____

Margarita _____

Julio _____

Inés _____

Carlos _____

d. [G] **Completa estas oraciones empleando alguno de los verbos de cambio.**

1. Yo en el colegio era muy tímido. Cada vez que me preguntaba el profesor, _____ rojo como un tomate.

2. Fíjate. Miriam era compañera mía en el instituto y no le gustaba nada escribir, y ahora _____ en una de las escritoras que más vende en el país.

3. No me esperaba la matrícula en inglés. En cuanto vi la nota _____ paralizada por la sorpresa.

4. Le faltaba solo un año para terminar la carrera, pero, como le encantaba el teatro, dejó los estudios, se fue a Madrid y _____ actor.

5. Luis era mi compañero de pupitre en el colegio, y hemos seguido siendo amigos, pero últimamente _____ muy antipático y apenas nos hablamos.

e. [G] **Lee estas oraciones y marca la opción correcta.**

1. Lo normal es hacerlo con 18 años, pero yo _____ en la universidad con 17.
   a. empecé a estudiar   b. llegué a estudiar   c. vine estudiando

2. Todos los estudiantes hacen lo mismo: durante gran parte del curso no dan ni golpe y luego _____ a estudiar como locos los dos últimos meses.
   a. vienen estudiando   b. se ponen   c. llegan a estudiar

3. _____ más de diez libros sobre el Barroco para hacer el trabajo de literatura.
   a. Ando leyendo   b. Llevo leídos   c. Me he echado a leer

4. En cuanto le dijeron que había aprobado el último examen _____ como un loco gritando de alegría.
   a. llegó a correr   b. se metió a correr   c. echó a correr

5. No entiendo por qué _____ una carrera tan difícil como Arquitectura.
   a. te metes a estudiar   b. llegas a estudiar   c. vienes estudiando

6. No sé qué me pasó en el examen; el caso es que me puse nervioso y _____ los resultados de los dos problemas.
   a. me metí a confundir   b. llegué a confundir   c. vine confundiendo

7. Terminé la carrera el año pasado y ahora _____ oposiciones, pero la verdad es que tengo muy pocas ganas de estudiar.
   a. ando preparando   b. echo a preparar   c. termino preparando

8. Las clases particulares de inglés me están viniendo muy bien. Noto que cada día _____ mi nivel.
   a. llego a mejorar   b. tengo mejorado   c. voy mejorando

GRAMÁTICA [G]
Perífrasis verbales

Empezar/Comenzar a, ponerse a, echar(se) a, romper a, llegar a, meterse a + infinitivo

- *Empecé a estudiar* inglés el año pasado.
- En cuanto salió del colegio *se puso a trabajar*.
- Cuando me vio, *se echó a reír*.
- Al leer su mensaje, *rompió a llorar*.
- *Ha llegado a ser* una gran actriz.
- Estaba tan enfadado que *llegó a decir* que se iba para siempre.
- Si no entiendes de mecánica no *te metas a arreglar* el coche, anda.

Andar, ir, venir, terminar, acabar + gerundio

- Todo el día *anda hablando* mal de su jefe y seguro que va a tener problemas.
- *Fueron pagando* la hipoteca poco a poco.
- Desde hace un tiempo *viene comportándose* de forma muy extraña.
- Después de muchas reuniones *terminaron/acabaron encontrando* la solución al conflicto.

Tener, llevar, dejar + participio

- *Tengo/Llevo leídos* más de cuarenta libros sobre ese tema./*Llevan casados* cinco años.
- *Dejo preparada* la comida, ¿vale?

---

f. ◁≣ **En el instituto donde estudiaste se ha celebrado una reunión de antiguos alumnos. Todos, incluido tú, habéis cambiado mucho. Escribe un texto, divertido y original, para el *blog* de los antiguos alumnos explicando estos cambios. Utiliza, al menos, cuatro de las perífrasis que acabas de ver.**

8. Profesores y poetas

a. 📖 [Cs] Lee las biografías de dos grandes poetas, Antonio Machado y Gabriela Mistral, y busca con tus compañeros cosas que tengan en común.

Antonio Machado

Antonio Machado nace en Sevilla (España) el 26 de julio de 1875, aunque pronto se traslada con su familia a Madrid. Junto con su hermano Manuel, también escritor, estudia en la Institución Libre de Enseñanza. Durante estos años, Machado se introduce en la vida bohemia madrileña; sin perspectivas de trabajo, frecuenta cafés y tertulias. Decidido a encontrar una solución a su situación económica, prepara unas oposiciones a profesor de francés y obtiene un puesto en Soria. Allí conoce a Leonor Izquierdo, que fue su gran amor. Cuando se casaron, en 1909, Leonor tenía quince años y él treinta y cuatro. La muerte de su esposa sumió al poeta en una profunda crisis que motivaría versos tristes y melancólicos. El dolor por su fallecimiento llevó a Machado a solicitar un traslado, y obtiene un puesto en Baeza. Allí se matricula a distancia en la Universidad y se licencia en Filosofía y Letras. En 1919 accede a una plaza en Segovia, donde debió de conocer a la Guiomar de sus poemas, y posteriormente se trasladó a Madrid. En esta ciudad le sorprende la Guerra Civil. En 1939, ante la derrota del ejército republicano, decide exiliarse a Francia. En su camino al país vecino, lleno de penalidades, su salud se deteriora y finalmente muere en Collioure, en el sur de Francia, el 22 de febrero de 1939.

Gabriela Mistral

Lucila Godoy Alcayaga, que más tarde adoptará el seudónimo de Gabriela Mistral, nace en Vicuña (Chile), el 6 de abril de 1889. Hija de maestro, a los 16 años decide dedicarse también a la enseñanza. A partir de este momento emprende su tarea de maestra rural y se entrega al servicio de los humildes a través de su vocación docente. El suicidio de su prometido marca definitivamente el alma de Gabriela, que tan solo tenía 20 años en aquel momento. Esta angustia y dolor aparecen reflejados posteriormente en sus *Sonetos de la muerte*.

En 1922 se traslada a México para colaborar en la reforma educativa iniciada por Vasconcelos, ministro de Instrucción Pública. En México, Gabriela funda la escuela que lleva su nombre y colabora en la organización de varias bibliotecas públicas.

Desde entonces inicia Gabriela una existencia itinerante que la lleva a Estados Unidos y luego a Europa. Durante estos años dicta conferencias en diferentes universidades y se relaciona con algunos de los intelectuales más sobresalientes de su tiempo. En 1945 recibe el premio Nobel de Literatura. Gabriela Mistral muere en Nueva York el 10 de enero de 1957.

b. 📖 Leed los siguientes fragmentos de dos poemas de ambos autores en los que se hace referencia a su labor docente. ¿En cuál de ellos crees que se transmite más amor a la profesión de maestro? ¿Por qué?

«Recuerdo infantil», *de Soledades, galerías y otros poemas*, de Antonio Machado

(…)

Con timbre sonoro y hueco
truena el maestro, un anciano
mal vestido, enjuto y seco,
que lleva un libro en la mano.

Y todo un coro infantil
va cantando la lección;
mil veces ciento, cien mil,
mil veces mil, un millón.

(…)

«La maestra rural», de *Desolación*, de Gabriela Mistral

(…)

¡Oh, labriego, cuyo hijo de su labio aprendía
el himno y la plegaria, nunca viste el fulgor
del lucero cautivo que en sus carnes ardía:
pasaste sin besar su corazón en flor!

Campesina, ¿recuerdas que alguna vez prendiste
su nombre a un comentario brutal o baladí?
Cien veces la miraste, ninguna vez la viste
¡y en el solar de tu hijo, de ella hay más que de ti!

Pasó por él su fina, su delicada esteva,
abriendo surcos donde alojar perfección.
La albada de virtudes de que lento se nieva
es suya. Campesina, ¿no le pides perdón?

(…)

9. No te lo vas a creer…

a. |C| Lee estos diálogos en los que varios alumnos de idiomas cuentan alguna anécdota relacionada con su aprendizaje y elige la opción que creas más adecuada para completarlos.

1.

Mario: No te vas a creer/Resulta que/Pues lo que me pasó el otro día en el examen oral de literatura inglesa… Te cuento.

Rosa: A ver, cuéntame…

Mario: Sabes/A ver/Pues nada, que me había estudiado solo tres de los doce temas…¡Y me cayó uno de esos!

Rosa: Al final/¡No me digas!/Total, que

Mario: Como te lo cuento.

Rosa: ¡Qué suerte!

2.

Luisa: Bueno, entonces, ¿qué pasó el primer día de clase?

Nick: En ese momento/Total, que/Te cuento. Hice el examen de clasificación y me colocaron en el nivel más bajo.

Luisa: ¿De verdad?/Pues bien/Entonces

Nick: Te lo prometo…

Luisa: ¿Y entonces?

Nick: Pues nada, que yo me enfadé, fui a protestar al coordinador académico y al final vieron que habían confundido mi examen con el de otro estudiante que también se llama Nick. **En ese momento/En resumen/Resulta,** que pasé un mal trago.

Luisa: Me lo imagino.

3.

Luis: Ayer me pasó una cosa muy divertida en clase de inglés.

Ana: ¿Sí? Cuéntame…

Luis: En ese momento/Pues mira/En conclusión, yo siempre tengo problemas al pronunciar las vocales…

Ana: Ya… Es que es difícil.

Luis: Pues nada, que le dije a la profesora, en inglés, «Tengo problemas con la vocal…», pero debí de pronunciarlo mal… Y dije otra cosa…

Ana: ¿En serio?/Bueno, sigue/Entonces

Luis: Sí, porque ella me dijo que podía ir al baño… **En ese momento/A ver/ Resulta que** en inglés *vocal* se dice *vowel* y *vientre, intestino* se dice *bowel.*

Ana: ¡No fastidies!/Me lo puedo imaginar/Pues bien

b. (3) Escucha ahora las anécdotas y comprueba tus respuestas. Fíjate especialmente en los cambios de entonación, muy importantes para destacar los elementos principales del relato.

c. Cuéntales ahora tú a tus compañeros alguna anécdota relacionada con tu aprendizaje de español o de otra lengua.

|E|

ESTRATEGIAS
Contar una anécdota y reaccionar al relato

Cuando contamos una anécdota o un suceso que consideramos interesante, es muy frecuente introducirla en pasado y después utilizar el presente de indicativo. Con esto conseguimos actualizar la información, acercarla a nuestro interlocutor y hacerla más creíble.

COMUNICACIÓN |C|
Contar una anécdota y reaccionar al relato

Introducir una anécdota
- Pues bien/mira…
- Te cuento…
- A ver…
- Pues nada, que…
- ¿Sabes lo que me pasó el otro día?
- No te puedes imaginar lo que me pasó…
- No te vas a creer lo que me pasó…

Introducir un hecho o una acción en el relato
- Pues (entonces) va él (el hombre) y…
- Entonces coge y…
- (Pues) Resulta que…

Introducir un hecho o un suceso relevante
- Entonces…
- De pronto…
- De repente…
- En ese momento…
- Y cuando menos lo esperaba…

Indicar que se sigue con interés el relato de la anécdota
- Bueno, sigue…
- Bueno, ¿y qué?…
- ¡No me digas!
- Me lo imagino.
- Me lo puedo imaginar.
- ¿De verdad?
- ¡Pero bueno!
- ¡Hala!

Reaccionar ante el relato mostrando incredulidad
- ¡No puede ser!
- ¡No me lo puedo creer!
- ¿Me estás tomando el pelo?
- ¿En serio?
- ¡Sí, hombre!
- ¡Venga ya!
- ¡No fastidies!

Concluir el relato de la anécdota
- Total, que…
- En resumen…
- En resumidas cuentas…
- En conclusión…
- Al final…

Saludar de manera informal

◆ *¿Qué pasa?; ¿Qué tal (todo)?; ¿Qué hay?;*
¿Qué es de tu vida?; ¿Qué me cuentas?;
¿Cómo andas/andamos/estás/estamos?;
¡Qué alegría/placer volver a verte/saludarte!;
¡Cuánto tiempo!

Responder a los saludos de manera informal

◆ *(Pues nada) Todo bien (, ¿y tú…?); Aquí*
estamos/andamos; Sin novedad; (Pues) No me puedo
quejar, la verdad; (Pues) No demasiado bien; Bueno,
para qué te voy a contar…; (Pues) Tirando…

Expresar deseos e intenciones

◆ *Nos encantaría que…; Haría falta que…;*
Desearíamos que…

Preguntar si se sabe o se tiene conocimiento de algo

◆ *¿Sabes lo que hay que hacer para…?;*
¿Sabes cuándo/cómo…?; ¿Te has enterado de lo de…?;
¿Tienes idea de cuándo/cómo/dónde/quién…?;
¿Estás enterado/a de qué/cuándo/cómo…?;
¿Alguien sabe algo sobre…?

Responder

◆ *Sí, claro; Sí, estoy enterado de…; (Pues) No, no sé nada;*
(Pues) No estoy muy enterado, pero…; No tengo ni la más
mínima/remota idea; (No) Tengo noticias de…;
Sé lo que/de…; Lo ignoro/Lo desconozco.

Preguntar si se recuerda o se ha olvidado algo

◆ *¿Recuerdas…?; ¿Te acuerdas de…?; ¿Te trae recuerdos*
de…?; ¿Te recuerda a/lo que…?

Expresar que se recuerda algo

◆ *Recuerdo que/Me recuerda a/que/lo que; Que yo*
recuerde…; Si mal no recuerdo…; Me trae recuerdos de…;
No consigo olvidar…; ¡Ah! ¡Ya caigo!

Expresar que no se recuerda algo

◆ *Se me ha olvidado; Por más que lo intento, no consigo*
recordar; No me dice nada.

Contar una anécdota y reaccionar al relato

Introducir una anécdota
Pues bien…; Pues mira…; Te cuento…; A ver…
Introducir un hecho o una acción en el relato
Pues (entonces) va él (el hombre) y…; Entonces coge y…
Introducir un hecho o un suceso relevantes
Entonces…; De pronto…; De repente…; En ese momento…
Indicar que se sigue con interés el relato de la anécdota
Bueno, sigue…; Bueno, ¿y qué?…; ¡No me digas!…
Reaccionar ante el relato mostrando incredulidad
¡No puede ser!; ¡No me lo puedo creer!…
Concluir el relato de la anécdota
Total, que…; En resumen…; En resumidas cuentas…

Uso de los tiempos de pasado en la narración

Recuerda que en una narración en pasado es habitual emplear
el **pretérito indefinido** *(estuve)* para contar los hechos
y las acciones concretas, el **pretérito imperfecto** *(estaba)*
para describir las circunstancias en las que se produjeron
esos hechos y el **pretérito pluscuamperfecto** *(había estado)*
para hablar de una acción pasada y acabada en el pasado,
anterior a otra acción también pasada:
El **pretérito perfecto** *(he estado)* se utiliza para hablar de
acciones y experiencias pasadas que el hablante relaciona
con el presente y dentro de un período de tiempo no concluido.

Usos de *ser* y *estar*

El verbo *ser* se utiliza para: definir, identificar, describir, localizar
sucesos o acontecimientos, valorar, indicar la materia de la que
está hecho algo, indicar el origen o la nacionalidad de personas
y objetos, indicar la profesión, valorar, reaccionar o expresar
sentimientos en construcciones tipo *es* + sustantivo o adjetivo
+ *que*, resaltar la acción y no al sujeto que la realiza en las
construcciones pasivas del tipo *es* + participio (+ *por…*).

El verbo *estar* se utiliza para: situar en el espacio a alguien
o algo, indicar el estado civil, hablar de una acción
en desarrollo (*estar* + gerundio), referirse a estados físicos
o anímicos, describir las características de objetos y lugares,
construir algunas expresiones fijas: *estar de acuerdo,*
estar en paro, estar de moda, etc., anteponerlo a algunos
adverbios y adjetivos: *bien, mal, fatal, permitido,*
prohibido, etc.

Adjetivos que pueden ir con *ser* o con *estar* en la
descripción

Usamos *ser* cuando entendemos que se trata de una cualidad
inherente y permanente de aquello que describimos. Usamos
estar cuando entendemos que se trata de una cualidad no
permanente o resultado de un proceso.

Otros adjetivos cambian de significado si van
acompañados de *ser* o de *estar*:

Ser orgulloso ('prepotente')/estar orgulloso ('contento'); ser listo
('inteligente')/estar listo ('preparado'), etc.

Verbos de cambio

Ponerse + adjetivo, ***volverse*** + adjetivo/sustantivo,
llegar a ser + adjetivo/sustantivo,
hacerse + adjetivo/sustantivo, ***transformarse/***
convertirse en + sustantivo, ***quedarse*** + adjetivo

Perífrasis verbales

De infinitivo: *empezar/comenzar a, ponerse a, echar(se) a,*
romper a, llegar a, meterse a
De gerundio: *andar, ir, venir, terminar, acabar*
De participio: *tener, llevar, dejar*

Palabras y expresiones propias del ámbito educativo:
calificaciones, instalaciones, procedimientos, etc.

Matrícula de honor, sobresaliente, notable…; asistencia
a clase, tutorías…; formalizar la matrícula…

Motes y apodos

El gafotas, el cejas, el empollón…

Cosas en común

En esta unidad vas a aprender:

- A seguir una entrevista radiofónica y analizar su contenido

- A expresar tus sentimientos y sensaciones

- A dar órdenes o instrucciones adaptándote a la situación y a los interlocutores

- A comprender una conversación telefónica extensa de manera fluida y espontánea

- A expresar tu opinión adecuadamente en una carta al director de un periódico

- Cómo se defienden los derechos de los niños en España e Hispanoamérica

COMUNICACIÓN	GRAMÁTICA	VOCABULARIO	CULTURA Y SOCIOCULTURA	TEXTOS
Expresar sentimientos y sensaciones: afecto, admiración, nerviosismo, vergüenza…	El modo en las oraciones subordinadas sustantivas: con expresiones que indican sentimientos y estados de ánimo y con verbos de ruego y petición	Expresiones y frases hechas	Las relaciones familiares	Una entrevista radiofónica a Maribel Verdú
Dar una orden o instrucción y responder		Comportamientos y actitudes	El Defensor del Menor en España	Un cuestionario para descubrir las cosas que hay en común en clase
Repetir una orden previa		Marcadores discursivos	Los derechos de los niños	Conversación cara a cara entre padres e hijos
Pedir un favor				Conversaciones telefónicas informales
Expresar posibilidad				Carta al director
Mostrar escepticismo				Textos informativos
Expresar obligación y necesidad				Biografía
Expresar falta de obligación o de necesidad				Canción *Alba*, de Antonio Flores

1. Una entrevista radiofónica

a. **Fijaos en el cartel de esta película y responded a las preguntas.**

- ¿Habéis visto esta película?
- ¿Conocéis su argumento?
- ¿Qué sabéis de su director, Guillermo del Toro? ¿Y de sus actores y actrices?
- ¿Sabéis qué premios ha recibido?

b. **④** **Vas a escuchar el principio de una entrevista con Maribel Verdú, una conocida actriz española que ha intervenido en la película. Escúchala e intenta responder a las preguntas. Comenta las respuestas con tus compañeros.**

1. ¿Qué música se escucha al principio del programa?
2. ¿Qué cuenta el entrevistador que le acaba de ocurrir a Maribel Verdú?
3. ¿Cómo ha reaccionado ella?
4. ¿Qué palabras utiliza el entrevistador para describir el estado de ánimo de la actriz?
5. ¿Crees que el entrevistador considera a Maribel Verdú una buena actriz? ¿Por qué?

c. **⑤** **Escucha ahora la continuación de la entrevista. Después, marca como verdaderas o falsas las siguientes afirmaciones y corrígelas cuando sea necesario.**

	V	F	Lo cierto es…
1. Maribel Verdú se enorgullece de su intervención en los premios Ariel.			
2. Javier Rioyo, colaborador en el programa, conoce a la actriz desde que era una niña.			
3. La actriz ha estado más de dos años sin trabajar porque no le ofrecían papeles.			
4. A Maribel Verdú le saca de quicio no trabajar.			

d. **V** **Completa estas oraciones extraídas de la entrevista que has escuchado con las palabras que te damos.**

FELIZ	MUERTA DE VERGÜENZA	NERVIOSA
ENTUSIASMA	ENVIDIA	EMOCIONADA	CONTENTA	RABIA

1. Nuestra siguiente invitada recibió un premio y se puso tan _____ como _____ y _____.
2. ◆ Buenos días, Carles.
   ◆ ¿Qué tal?, ¿cómo estás?
   ◆ Pues _____.
3. Me das mucha _____ y me da un poquito de _____ lo de haber venido a Barcelona y no poder darte dos besos como Dios manda.
4. Mi tiempo libre lo ocupo perfectamente y soy _____ así, no necesito estar trabajando, ¿sabes?, para sentirme útil, por lo cual no hago nada si no me _____. Y hay muy pocas cosas que entusiasmen, realmente.

e. **¿Qué imagen te has hecho de la actriz? ¿Cómo te cae? ¿Por qué? Coméntalo con tus compañeros.**

2. Vamos a conocernos mejor

a. 📖 **Vais a descubrir cuántas cosas tenéis en común. Responde a este cuestionario.**

CUANDO ERAS PEQUEÑO

1. ¿Cuál era tu color favorito?
2. ¿A qué actividades extraescolares te apuntaron tus padres (piano, inglés, tenis, etc.)?
3. ¿Qué te daba miedo?
4. ¿Cuál era tu juguete preferido?

5. ¿Cuál era tu comida preferida?
6. ¿Cuál era tu cuento preferido?
7. ¿Cuáles eran tus dibujos animados o serie televisiva preferida?
8. ¿Tuviste un amigo imaginario?
9. ¿Qué querías ser de mayor?
10. ¿Qué juegos te gustaban?
11. ¿Qué no soportabas de tus padres?
12. ¿Qué coleccionabas de pequeño?
13. ¿Qué chucherías comías?

14. ¿Llevabas flequillo?
15. ¿Tenías pecas?
16. ¿Dormías con algún peluche?
17. ¿Te portabas bien en casa?
18. ¿Pegabas a otros niños?
19. ¿Obedecías a la primera?
20. ¿Sacabas buenas notas?
21. ¿Decías palabrotas?

AHORA

1. De todas las cosas que tienen los niños ahora, ¿cuál te habría gustado que hubiera en tu época?
2. ¿Sigues en contacto con los compañeros de la escuela o del instituto?
3. ¿Eres puntual o eres de los que siempre llegan con retraso?
4. ¿Usas agenda y sigues un horario?
5. ¿Haces listas de cosas pendientes y las cumples?

6. ¿Cuándo fue la última vez que lloraste de risa?
7. ¿Cuándo fue la última vez que escribiste una carta a mano?
8. ¿Coleccionas o acumulas algún tipo de objeto?
9. Si tienes el día libre, sin obligaciones ni recados pendientes, ¿a qué lo dedicas?
10. ¿Qué es lo primero que haces al despertarte y lo último antes de dormir?
11. ¿Por quién sientes admiración?
12. ¿Qué te enorgullece de tu vida?
13. ¿Qué situaciones te agobian?
14. ¿Qué te da pena?
15. ¿Qué te indigna?
16. ¿Con qué pierdes los nervios?
17. ¿Cuál es tu película favorita?
18. ¿Tienes alguna mascota?
19. ¿Te compras tú mismo la ropa o te la compran?

b. 🗨 **Comenta tus respuestas con las de tus compañeros. ¿Tenéis muchas cosas en común?**

COMUNICACIÓN — C
Expresar sentimientos y sensaciones

Afecto por una persona
- Siento simpatía/afecto/cariño/admiración por/hacia…
- Le tengo simpatía/cariño/afecto a/por…

Admiración y orgullo
- Me llena de admiración/orgullo…
- Me enorgullece…
- Estoy sorprendido/admirado con/por…
- Me fascina/entusiasma…

Nerviosismo
- Me pone(n) nervioso/a…
- Me saca(n) de quicio…
- Pierdo los nervios con…

Vergüenza
- Me da(n) vergüenza…
- Me avergüenzo de…
- Me muero de vergüenza cuando/si…

Tristeza
- Me da pena…
- Es una lástima/pena…

Aburrimiento o hartazgo
- Estoy aburrido/harto/cansado de…

Enfado
- Me molesta/da rabia/fastidia/indigna…
- No soporto…
- Me agobia…

Miedo o preocupación
- Me da(n) miedo…
- Tengo miedo de…
- Me preocupa(n)…

Sorpresa o extrañeza
- Me extraña/sorprende/llama la atención…
- Me parece increíble/sorprendente/alucinante…

GRAMÁTICA — G
El subjuntivo con expresiones que indican sentimientos y estados de ánimo

Las expresiones que sirven para expresar sentimientos o estados de ánimo (*dar pena, poner de los nervios, sacar de quicio…*) funcionan con subjuntivo cuando el sujeto de la oración subordinada es distinto del de la principal.

- Me saca de quicio **ser** tan benévolo.
- Me saca de quicio que la gente **sea** despistada.

Cuando nos referimos al pasado, utilizamos el pretérito imperfecto de subjuntivo.

- Me sacaba de quicio que mis padres no me **dejaran** ir al parque.

3. Niños, niños…

a. 🔲 Seguro que cuando eras pequeño más de una vez tus padres tuvieron que reñirte. ¿Cuál fue el peor castigo que te pusieron? ¿Qué habías hecho? Coméntalo con tus compañeros.

b. ⑥ Escucha las siguientes conversaciones y relaciona cada una con una de estas ilustraciones.

c. ⑥ C Vuelve a escuchar los diálogos y señala en cuáles aparecen las siguientes funciones comunicativas.

	DIÁLOGO 1	DIÁLOGO 2	DIÁLOGO 3	DIÁLOGO 4
Dar una orden o instrucción				
Repetir una orden previa				
Responder a una orden, petición o ruego				
Pedir un favor				

d. 🔲 C Fijaos en las expresiones del cuadro de comunicación. ¿Qué expresiones de las que aparecen creéis que no se deben utilizar al dirigirnos, por ejemplo, a un compañero de trabajo?

4. Tenemos un problema

a. [V] Algunas de las expresiones del recuadro aparecen en una conversación telefónica que vas a escuchar después. En parejas, colocad en cada fragmento de la conversación la expresión que consideréis más apropiada.

- *Pues que estoy muy preocupada por Carlos. ¡Este hijo mío…!*
- *¿Por Carlos? ¿Por qué? ¿Le ha pasado algo? ¿Está enfermo?*
- *No, no está enfermo… Pero es que ha empezado a _____ .*
- *(…)*
- *Ya, pero es que últimamente ha empeorado mucho. Mira, ha empezado a llevarse fatal con su hermana.*
- *Pero si se llevaban fenomenal. _____ .*
- *Pues ahora _____ . _____ : se pelean, se insultan…*
- *(…)*
- *¿Y no será que _____ a su padre?*
- *La verdad es que, desde que nos divorciamos, Carlos se ha vuelto más introvertido, pero no creo que sea eso. Ve a su padre siempre que quiere.*
- *(…)*
- *Ya. ¿Y tú has intentado hablar con Carlos?*
- *Sí, pero no me escucha y me da miedo que esto _____ .*

> ESTAR TODO EL DÍA COMO
> EL PERRO Y EL GATO
>
> TENER UNA RELACIÓN DISTANTE
>
> ECHAR DE MENOS
>
> CONOCERSE DE TODA LA VIDA
>
> LLEVARSE A MATAR
>
> PONERSE EN LA PIEL DE LOS DEMÁS
>
> ACABAR COMO EL ROSARIO
> DE LA AURORA
>
> PORTARSE MAL/FATAL
>
> ESTAR A PARTIR UN PIÑÓN
>
> SER UÑA Y CARNE
>
> SER COMO HERMANOS
>
> DAR LA ESPALDA A ALGUIEN

b. (7) Escuchad ahora la conversación y comprobad vuestras respuestas.

c. [V] Con ayuda de tu compañero define las expresiones de 4. a.

d. (7) Escucha de nuevo la conversación telefónica y responde a las preguntas.

1. ¿Qué relación hay entre Sonia y Carlos?
2. ¿Por qué está preocupada Marta?
3. ¿Cómo describen Sonia y Marta a Carlos?
4. ¿Cómo describe Marta la relación entre sus hijos?
5. ¿Por qué quiere hablar la tutora con Marta? ¿Qué dice ella de Carlos?
6. ¿Cuál cree Sonia que puede ser el problema?
7. ¿Quién es Fernando y qué opina de Carlos?
8. ¿Qué le pide finalmente Marta a Sonia?

e. [BLA BLA BLA] [Cs] Lee la siguiente información sobre el niño dictador. ¿Crees que Carlos puede ser o convertirse en uno de estos niños? ¿Por qué? ¿Existe este problema en tu país? Coméntalo con tus compañeros.

> En los últimos años se observan cada vez más casos de comportamiento violento por parte de los hijos hacia los padres, llegándose a plantear la existencia de un tipo de niño llamado «dictador» cuya conducta se caracteriza por la imposición continua de su voluntad, empleo del chantaje emocional e incluso de la violencia. Este comportamiento comienza a detectarse a partir de los seis o siete años, aunque puede retrasarse hasta los 10. Se aprecia especialmente en núcleos inestables o con relación padres-hijo no adecuada. Suele tratarse de hijos únicos o con pocos hermanos, o que por diferencia de edad se han quedado solos en casa.
>
> (Fuente: http://www.tuotromedico.com/temas/el_nino_dictador.htm)

> VOCABULARIO [V]
> **Comportamientos y actitudes**
>
> sobreproteger
> malcriar
> consentir
> dominar
> desafiar
> enfrentarse a
> confiar en

f. [BLA BLA BLA] ¿Y tú? ¿Cómo te llevabas con tus padres cuando eras un adolescente? ¿Y con los demás miembros de tu familia? Coméntalo con tus compañeros.

5. Una carta al director

a. ¿Sueles leer la sección de cartas al director del periódico? ¿Por qué? ¿Has escrito alguna vez una? Coméntalo con tus compañeros.

b. 📖 Lee y ordena los siguientes fragmentos de una carta al director.

a
En realidad, creo que existen diferentes modelos de actuación al respecto. Por ese motivo me siento en la obligación de destacar la extraordinaria labor que el personal de este centro ha realizado.
A comienzos del curso pasado la hija de una compañera de trabajo saharaui, que prácticamente no sabía hablar español, fue escolarizada sin más en el curso que le correspondería según su edad.

b
El programa Escuelas de bienvenida está diseñado para facilitar la integración escolar y social y la incorporación a nuestro sistema educativo del alumnado extranjero.
Pudiera ser que algunos de sus lectores no estuvieran familiarizados con este programa. Tengo mis dudas sobre si este tipo de aulas se han llevado a cabo en otras Comunidades Autónomas.

c
Señor Director:

Me gustaría felicitar a las autoridades educativas por la implantación en el Colegio La Salle de un aula de enlace, integrada en el programa de Escuelas de bienvenida, el curso pasado.

d
A las dos semanas dejó de ir a clase. No podía seguir el ritmo de aprendizaje. Entonces su madre, con la ayuda de una asistenta social, se dirigió a la Consejería de Educación de la Comunidad y gestionó su incorporación al aula de enlace del colegio La Salle.

e
El resultado no ha podido ser más satisfactorio. De hecho, al finalizar el curso esta chica se había incorporado de manera satisfactoria a las clases que corresponden a su edad con un éxito más que aceptable. Propuestas y actuaciones como esta nos devuelven la confianza en el sistema educativo.

c. 📖 En parejas, elegid un título para la carta.

d. 📖 Analiza la estructura de la carta y señala cuándo empieza y cuándo finaliza cada una de las siguientes partes. Compara los resultados con tu compañero.

INTRODUCCIÓN	DESARROLLO	CONCLUSIÓN

e. [V] Coloca los marcadores discursivos que correspondan en las siguientes oraciones. Ten en cuenta que puede haber varias soluciones.

1. Esa madre, a pesar de lo dura que parece, _____ es un pedazo de pan.

2. Se lo dije y creo que lo entendió perfectamente; _____ creo que me agradeció que fuera yo quien se lo contara.

3. Te he dicho que no voy _____.

4. _____, eso fue lo que dijo: que lo que no quería era ir conmigo al cumpleaños _____.

f. [C] Vuelve a leer la carta anterior y busca en qué partes de la carta se expresan las siguientes funciones comunicativas.

1. Posibilidad de que suceda algo: _____
_____

2. Escepticismo: _____
_____

3. Obligación y necesidad o falta de obligación y necesidad: _____
_____

g. [📖] Lee la siguiente noticia. ¿Están los expertos totalmente en contra del trabajo infantil?

La pobreza obliga a trabajar a 218 millones de niños en el mundo

La pobreza empuja a trabajar a 218 millones de niños y niñas en todo el mundo, según datos de la Organización Mundial del Trabajo (OIT). Esta actividad es clave para su subsistencia y la de sus familias, por lo que tanto la ONG Save the Children como la Organización Internacional de Trabajadores no promulgan su erradicación. Lo que sí piden es que trabajen en condiciones dignas, que incluyan su escolarización y que se eliminen el abuso y la explotación.

(Fuente: http://www.elpais.com/
articulo/sociedad/pobreza/
obliga/trabajar/218/millones/
ninos/mundo/elpepusoc/
20070613elpepisoc_7/Tes)

h. [◀] ¿Qué sucede en tu país? ¿A qué edad se puede empezar a trabajar? ¿Estás de acuerdo con la opinión de los expertos que aparece en la noticia anterior? Escribe una carta al director comentando la noticia y exponiendo tu opinión. Intenta utilizar los marcadores y exponentes que acabas de ver.

6. El Defensor del Menor

a. 📖 Cs **Lee este texto informativo sobre la figura del Defensor del Menor. Señala si las siguientes afirmaciones son verdaderas o falsas y corrígelas cuando sea necesario.**

	V	F	Lo cierto es...
1. En España existe un único Defensor del Menor para todo el territorio.			
2. Su labor se centra en la defensa jurídica de los menores sin recursos.			
3. Entre sus funciones está la de vigilar, por ejemplo, la programación televisiva que ofrecen las distintas cadenas en horario infantil.			
4. Los ciudadanos pueden dirigir a esta figura sus denuncias relacionadas con la vulneración de los derechos de los niños.			

El Defensor del Menor

Una figura creada ex profeso para la defensa de los niños y que se ha desarrollado con éxito en Europa y América

La preocupación de las instituciones públicas por la salvaguarda de los derechos de los más pequeños se materializa en diferentes políticas e iniciativas. Una de las más relevantes se halla en el Defensor del Menor, una figura creada ex profeso para la defensa de los niños y que se ha desarrollado con éxito en Europa y América.

En el caso español, solo las comunidades autónomas de Madrid y Andalucía cuentan con él como instrumento para proteger y promover los derechos de la infancia y adolescencia.

La labor de esta figura, recogida en la Ley Orgánica 1/196 de Protección Jurídica del Menor del 15 de enero de 1996, se extiende hacia todos los campos relacionados con la infancia: divulgación de sus derechos, atención y tramitación de quejas y demandas de los ciudadanos en relación con los niños, promoción de iniciativas productivas a favor de los intereses de los jóvenes y control y supervisión de las entidades públicas y privadas en sus actuaciones frente a los menores.

El objetivo que se persigue es doble: por un lado, se trabaja en dar a conocer su actividad cotidiana y la importancia de esta institución en la atención de las necesidades y demandas de los más pequeños. Por otro, se busca acercar la realidad de los menores más necesitados al resto de los ciudadanos. Además, entre las funciones del Defensor del Menor se incluyen la de conectar con otros comisionados parlamentarios o gubernamentales encargados de la defensa de los niños en España y en Europa.

(Fuente: http://www.consumer.es /web/es/solidaridad/derechos_ humanos/2005/03/04/ 140237.php)

b. 🗨 Cs **¿Existe en tu país una figura como esta? ¿Qué atribuciones tiene? ¿Conoces alguna de sus acciones? Si no existe esta figura, ¿te gustaría que la hubiera? Coméntalo con tus compañeros.**

7. Los derechos de los niños

a. 🔲 Cs ¿Qué opinión te merecen las declaraciones de derechos de ciertos colectivos? ¿Conoces alguna? ¿Crees que son útiles? Coméntalo con tus compañeros.

b. 📖 V Lee este texto sobre los Derechos de los niños que aparece en la página web del Gobierno de Argentina y coloca cada una de las siguientes palabras en el lugar correspondiente.

OPINIONES	DISCAPACIDAD	RECURRIR	PAPÁS	PARIENTES	INTERESES	DISCRIMINADOS

INCONVENIENTES   PRIVACIDAD   DIGNA   CONTACTO   PROYECTOS   BENEFICIO   PERSONALIDAD

¿QUÉ DERECHOS TENEMOS LOS NIÑOS?

- A vivir, y a que nuestros padres, _____ y el Estado protejan nuestra vida.
- A tener un nombre y una nacionalidad.
- A saber quiénes son nuestros _____, a no ser separados de ellos, y a visitarlos si no viven con nosotros.
- A tener alimentación, vestido, vivienda y educación.
- A que nos curen cuando estamos enfermos y nos rehabiliten si tenemos alguna _____.
- A desarrollarnos física, mental y espiritualmente.
- A que nuestros padres sean responsables de nuestro desarrollo y ejercicio de todos nuestros derechos, debiendo el Estado garantizar a nuestros padres la posibilidad de cumplir con sus deberes y derechos.
- A no ser _____ por nuestra raza, sexo, color, idioma, religión, origen nacional, étnico o social, posición económica, impedimentos físicos, el nacimiento o cualquier otra diferencia con los demás.
- A que nadie nos haga daño en forma física o moral y podamos _____ a las autoridades ante cualquier tipo de peligro.
- A que nadie haga con nuestro cuerpo cosas que no queremos.
- A que nuestros _____ sean lo primero a tenerse en cuenta en cada tema que nos afecte.
- A que nos consulten en todas las cuestiones que nos afecten directa o indirectamente, y se tengan en cuenta nuestras _____.
- A aprender todo aquello que desarrolle al máximo nuestra _____ y nuestras capacidades intelectuales, físicas y sociales.
- A que podamos expresar libremente nuestras opiniones y nuestras creencias religiosas.
- A descansar, jugar y practicar deportes.
- A participar activamente en la vida cultural de nuestra comunidad, a través de la música, la pintura, el teatro, el cine o cualquier medio de expresión.
- A que no nos obliguen a trabajar en lugares peligrosos para nuestra salud, o _____ para nuestra educación y desarrollo.
- A tener una vida _____ y plena, más aún si tenemos una discapacidad física o mental.
- A vivir en un medio ambiente sano y limpio y disfrutar del _____ con la naturaleza.
- A reunirnos con amigos para pensar _____ juntos e intercambiar nuestras ideas.
- A que no nos separen de nuestros padres, de nuestro hogar, amigos, colegio, salvo que sea para nuestro _____.
- A que se nos respete nuestra _____.
- A pedir y difundir la información necesaria para poder crecer y desarrollarnos como personas.
- A que todas las personas, incluyendo nuestros padres, maestros, parientes y amigos respeten todos nuestros derechos.

(Fuente: http://www.menores.gov.ar/espanol/index.html)

c. 🔊 ¿Crees que se podría añadir algún derecho en esta declaración? Escríbelo y compártelo con tus compañeros.

d. 🔲 Habla con tus compañeros y haced una lista de los problemas que tienen niños y adolescentes en el mundo.

e. 🔊 ¿Qué cosas pedirías tú a los gobernantes de tu país para mejorar la situación de niños y adolescentes? Escríbelas y compártelas con el resto de compañeros. Entre todos elaborad una lista común y colocadla en la pared del aula.

GRAMÁTICA G

El modo en las oraciones subordinadas sustantivas: con verbos de ruego y petición

En las oraciones subordinadas sustantivas en las que el verbo principal indica ruego o petición (*pedir, rogar, suplicar, ordenar*, etc.) el verbo de la subordinada suele ir en subjuntivo: *Te pido que me **dejes** hablar.*

Sin embargo, con verbos como *ordenar* o *recomendar* es posible la construcción con infinitivo: *Me ordenó **entrar**.*

8. Una canción

a. [BLA BLA BLA] [Cs] **¿Conoces algún cantante o grupo español? ¿Qué tipo de música hacen? Coméntalo con tus compañeros.**

b. [📖] [Cs] **Lee la siguiente biografía del desaparecido cantante Antonio Flores y contesta a las preguntas.**

1. ¿Qué otros miembros de la familia son artistas?
2. ¿Tuvo desde sus inicios éxito Antonio como artista? ¿Por qué?
3. ¿Cuándo empezó a ser un artista conocido?

Antonio Flores

Cantante de voz áspera y compositor de rara sensibilidad, Antonio Flores (Madrid, 1961) rompió con la tradición familiar rumbera y aflamencada para desarrollar un estilo propio con un pie en el *pop-rock* y otro en la canción de autor, sin olvidar su gusto por el *blues* ni el influjo de su sangre gitana.

En 1980 publicó un primer elepé, *Antonio*, que quizás por prejuicios derivados de ser hijo de quien era, pasó bastante desapercibido, a pesar de contener dos canciones que con el tiempo serían clásicos de su repertorio: *No dudaría* y la sabiniana *Pongamos que hablo de Madrid*, que Antonio reinterpretó en clave rockera.

Simultaneando su vocación musical con su faceta de actor, el hijo de Lola Flores tardó cuatro años en lanzar un nuevo disco, *Al caer el sol*, pero nuevamente los resultados comerciales fueron decepcionantes. Tampoco el tercero, *Gran Vía*, editado en 1988, contribuyó a mejorar la situación.

El reconocimiento a sus virtudes como compositor le llegó a través de su hermana Rosario, para quien compuso la mayoría de canciones de su exitoso elepé *De ley* (1992), convirtiéndose desde entonces en su mejor aliado musical. Animado por las nuevas circunstancias, en 1995 grabó el que debería haber sido el disco de su consagración, *Cosas mías*, con canciones como *Alba*, *Siete vidas* o *Cuerpo de mujer*.

Sin embargo, la fatalidad se cruzó en su camino: al poco de publicarse el disco murió su madre, y apenas dos semanas después, el 30 de mayo de 1995, Antonio era encontrado muerto. Como tristemente ocurre tantas veces, a partir de entonces su nombre fue reivindicado por unos y otros.

(Fuente: http://www.los40.com/artistas/biografia.html?grp_id=24381)

c. [BLA BLA BLA] [Cs] **¿Hay en tu país alguna familia en la que varios de sus miembros sean o hayan sido artistas conocidos? Coméntalo con tus compañeros.**

d. (8) Escucha un fragmento de la canción *Alba* de Antonio Flores.
¿A quién crees que se la dedica?

e. 📖 Lee la letra del comienzo de esta canción de Antonio Flores
e intenta colocar los versos que faltan.

No sé por qué

_____,

te costó salir.

No sé por qué

_____,

ya estabas aquí.

Pude entender

_____,

tan igual a mí.

Y no olvidaré

_____

nada más nacer.

(Álbum: *10 años*. Canción: *Alba*.
Letra y música: Antonio Flores)

> aquel olor a vida en tu piel

> me sentí el hombre más feliz

> que eras un pedazo de mi ser

> tu llegada al mundo fue así

f. (8) Ahora escucha la canción de nuevo y comprueba tu respuesta.

g. 🗪 Cs ¿Conoces alguna otra canción que hable de las relaciones
entre padres e hijos? Coméntalo con tus compañeros.

COMUNICACIÓN

Expresar sentimientos y sensaciones

Afecto por una persona

◆ *Siento simpatía/afecto/cariño/admiración por/hacia…;*
Le tengo simpatía/cariño/afecto a/por…

Admiración y orgullo

◆ *Me llena de admiración/orgullo…; Me enorgullece…;*
Estoy sorprendido/admirado con/por…;
Me fascina/entusiasma…

Nerviosismo

◆ *Me pone(n) nervioso/a…; Me saca(n) de quicio…;*
Pierdo los nervios con…

Vergüenza

◆ *Me da(n) vergüenza…; Me avergüenzo de…;*
Me muero de vergüenza cuando/si…

Tristeza

◆ *Me da pena…; Es una lástima/pena…*

Aburrimiento o hartazgo

◆ *Estoy aburrido/harto/cansado de…*

Enfado

◆ *Me molesta/da rabia/fastidia/indigna…; No soporto…;*
Me agobia…

Miedo o preocupación

◆ *Me da(n) miedo…; Tengo miedo de…; Me preocupa(n)…*

Sorpresa o extrañeza

◆ *Me extraña/sorprende/llama la atención…;*
Me parece increíble/sorprendente/alucinante…

Dar una orden o instrucción

◆ *Te ordeno que…; Tú te callas; Espera un poco, por favor;*
¿Quieres/Puedes hacerme el favor de…?;
¿Haces el favor de…?; ¿Será/Sería mucho pedir que…?;
Verás la televisión cuando yo te diga.

Repetir una orden previa

◆ *¿Cómo/Cuántas veces tengo/tendré que decir(te) que…?;*
Te lo digo por última vez: deja la pelota; Que te calles,
te he dicho.

Responder a una orden, petición o ruego

◆ *(Por mi parte) No hay inconveniente; (Eso) Está hecho;*
Faltaría más.

Pedir un favor

◆ *¿Puedes hacerme el favor de…?; ¿Me harías el favor de…?;*
¿Serías tan amable de…?; (Te) Agradecería (mucho) que…;
Me harías un gran favor si…; ¿Podrás hacerme un favor?;
Hazme un favor, ayúdame a recoger los platos.

Expresar posibilidad

◆ *Pudiera ser que + subjuntivo; Para mí que + indicativo;*
Cabe la posibilidad de que + subjuntivo

Mostrar escepticismo

◆ *(Yo) Tengo mis dudas al respecto; No sé qué decir…; No*
acabo de ver…; No me convence del todo ese argumento.

Expresar obligación y necesidad

◆ *Es mi obligación + infinitivo; Estoy obligado a…;*
Me siento en la obligación de…; Me obliga(n) a…;
Basta con (que)…

Expresar falta de obligación o de necesidad

◆ *No es mi obligación + infinitivo; No estoy obligado a…;*
No tengo la obligación/necesidad de…;
Nadie/Nada me obliga a…

GRAMÁTICA

El modo en las oraciones subordinadas sustantivas

Con expresiones que indican sentimientos y estados de ánimo

Las expresiones que sirven para expresar sentimientos
o estados de ánimo (*dar pena, poner de los nervios, sacar
de quicio…*) funcionan con subjuntivo cuando el sujeto
de la oración subordinada es distinto del de la principal.

◆ *Me saca de quicio* **ser** *tan benévolo.*

◆ *Me saca de quicio que la gente* **sea** *despistada.*

Cuando nos referimos al pasado, utilizamos el pretérito
imperfecto de subjuntivo.

◆ *Me sacaba de quicio que mis padres no me* **dejaran**
ir al parque.

Con verbos de ruego y petición

En las oraciones subordinadas sustantivas en las que el verbo
principal indica ruego o petición (*pedir, rogar, suplicar,
ordenar*, etc.) el verbo de la subordinada suele ir en subjuntivo.

◆ *Te pido que me* **dejes** *hablar.*

Sin embargo, con verbos como *ordenar* o *recomendar*
es posible la construcción con infinitivo.

◆ *Me ordenó* **entrar***.*

VOCABULARIO

Expresiones y frases hechas

Llevarse a matar, estar todo el día como el perro y el gato,
ser uña y carne…

Comportamientos y actitudes

Sobreproteger, malcriar, consentir, dominar, desafiar,
enfrentarse a, confiar en…

Marcadores discursivos

De refuerzo argumentativo

De hecho, en efecto, en el fondo, en realidad,
de verdad…

De refuerzo conclusivo

Y ya está, y punto, y se acabó…

Conciencia ecológica

En esta unidad vas a aprender:

- A comprender información específica compleja de textos escritos y orales extensos

- A intervenir en conversaciones y debates relacionados con la naturaleza y el entorno argumentando con claridad y precisión las ideas

- A organizar la estructura de tus intervenciones utilizando recursos discursivos, gramaticales, léxicos y estratégicos

- A utilizar el vocabulario general y específico relacionado con el medio ambiente

- A valorar el efecto de las condiciones medioambientales en las actividades humanas

COMUNICACIÓN	GRAMÁTICA	VOCABULARIO	CULTURA Y SOCIOCULTURA	TEXTOS
Pedir opinión Dar una opinión Pedir valoración Valorar Expresar certeza y evidencia Expresar falta de certeza y evidencia	Los relativos: *que, cual, quien, cuyo…* El modo en las oraciones de relativo Las oraciones de relativo: construcciones especiales El modo en las oraciones sustantivas: con verbos de opinión, con expresiones que indican una valoración y con expresiones de certeza	El medio ambiente y el cambio climático El clima y el tiempo atmosférico Marcadores discursivos Animales exóticos y en peligro de extinción Accidentes geográficos	Maravillas geográficas de España e Hispanoamérica Principales problemas medioambientales Medidas de conservación de la naturaleza	Noticias radiofónicas sobre las consecuencias del cambio climático Charla radiofónica sobre las consecuencias del cambio climático Entrevista radiofónica sobre mascotas exóticas Debates y discusiones Textos de promoción turística Cuestionarios sobre la conciencia ecológica Textos informativos

1. El cambio climático: un problema de todos

a. Observad las dos fotografías y responded a las preguntas.

- ¿Sabéis qué lugar es este?
- ¿Qué problema relacionado con el cambio climático pueden ilustrar estas fotografías?
- ¿Qué otras consecuencias tiene el cambio climático sobre el planeta?

b. ⑨ Escucha las siguientes noticias relacionadas con las consecuencias del cambio climático. ¿Cuál es el tema de cada una de ellas?

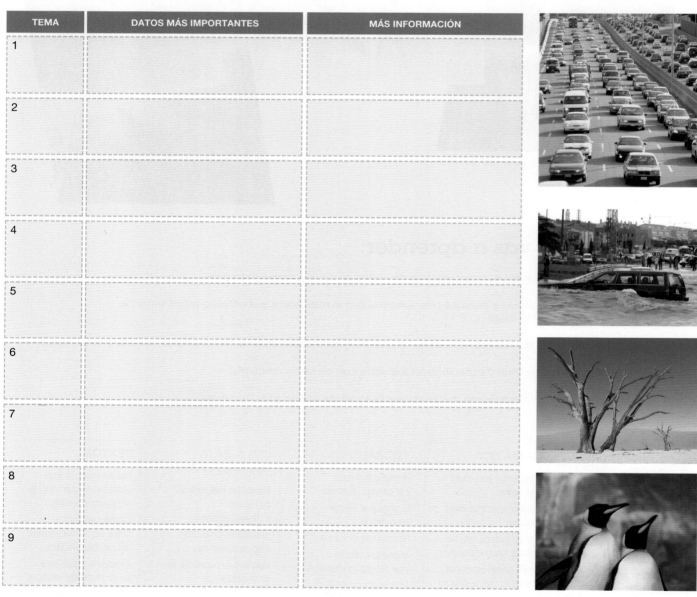

TEMA	DATOS MÁS IMPORTANTES	MÁS INFORMACIÓN
1		
2		
3		
4		
5		
6		
7		
8		
9		

c. ⑨ Vuelve a escuchar las noticias. Toma notas sobre los datos más importantes que se exponen y añade otra información que consideres importante. Después, compara tus notas con las de tus compañeros y completa la información.

d. V ¿Qué palabras combinan con cada verbo? Relaciona.

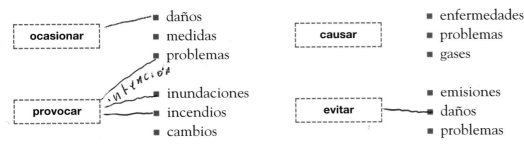

ocasionar	■ daños ■ medidas ■ problemas	**causar**	■ enfermedades ■ problemas ■ gases
provocar	■ inundaciones ■ incendios ■ cambios	**evitar**	■ emisiones ■ daños ■ problemas

intención

ESTRATEGIAS E

Es importante que aprendas no una palabra aislada, sino un grupo de palabras que normalmente se utilizan unidas, se combinan: *cambio climático*, *efecto invernadero*, *concentración de gases, etc.*

e. V **Siguiendo el ejemplo, escribe todas las unidades léxicas que sepas relacionadas con el tema del cambio climático.**

concentración de gases ← **CAMBIO CLIMÁTICO** → aumentar la temperatura

f. V **Lee este texto informativo sobre el cambio climático y subraya todas las combinaciones de palabras que encuentres. Después completa el apartado anterior.**

Isengua
- penguins
- storms
- cambio
- luchar
- most ~~hot~~ warm
- selva tropical
- mas temprano
- pájaro birds

Conceptos básicos sobre el cambio climático

Se llama cambio climático a la variación global del clima de la Tierra. Es debido a causas naturales y también a la acción del hombre y se producen a muy diversas escalas de tiempo y sobre todos los parámetros climáticos: temperatura, precipitaciones, nubosidad, etc. El término «efecto invernadero» se refiere a la retención del calor del Sol en la atmósfera de la Tierra por parte de una capa de gases en la atmósfera. Sin ellos la vida tal como la conocemos no sería posible, ya que el planeta sería demasiado frío. Entre estos gases se encuentran el dióxido de carbono, el óxido nitroso y el metano, que son liberados por la industria, la agricultura y la combustión de combustibles fósiles. El mundo industrializado ha conseguido que la concentración de estos gases haya aumentado un 30 % desde el siglo pasado, cuando, sin la actuación humana, la naturaleza se encargaba de equilibrar las emisiones.

En la actualidad existe un consenso científico, casi generalizado, en torno a la idea de que nuestro modo de producción y consumo energético está generando una alteración climática global, que provocará, a su vez, serios impactos tanto sobre la tierra como sobre los sistemas socioeconómicos. (…)

El cambio climático nos afecta a todos. El impacto potencial es enorme, con predicciones de falta de agua potable, grandes cambios en las condiciones para la producción de alimentos y un aumento en los índices de mortalidad debido a inundaciones, tormentas, sequías y olas de calor. En definitiva, el cambio climático no es un fenómeno solo ambiental sino de profundas consecuencias económicas y sociales. Los países más pobres, que están peor preparados para enfrentar cambios rápidos, serán los que sufrirán las peores consecuencias.

Se predice la extinción de animales y plantas, ya que los hábitats cambiarán tan rápido que muchas especies no se podrán adaptar a tiempo. La Organización Mundial de la Salud ha advertido que la salud de millones de personas podría verse amenazada por el aumento de la malaria, la desnutrición y las enfermedades transmitidas por el agua. España, por su situación geográfica y características socioeconómicas, es muy vulnerable al cambio climático.

(Fuente: http://www.mma.es/portal/secciones/cambio_climatico/el_cambio_climatico/)

VOCABULARIO V

El clima y el tiempo atmosférico

- Clima extremo/riguroso
- Temperatura elevada/moderada/extrema
- Temperaturas sin cambios/en ascenso/altas/bajas
- Precipitaciones fuertes/débiles
- Lluvias torrenciales/persistentes

g. V ¿Con qué palabras del texto podrías completar el cuadro de vocabulario?

2. Una charla sobre las consecuencias del cambio climático

a. (10) Escucha el principio de una charla con expertos sobre las consecuencias del cambio climático. Después marca como verdaderas o falsas las siguientes afirmaciones y corrígelas cuando sea necesario.

EL EXPERTO OPINA QUE...	SÍ	NO	LO QUE OPINA ES QUE...
una de las principales consecuencias del cambio climático en España es la tremenda sequía que se puede producir.			
otra de las consecuencias es la bajada del nivel del mar y, por lo tanto, la emersión de parte de la costa.			
se puede producir una nueva glaciación a nivel mundial a lo largo de este siglo.			
en los últimos ciento cuarenta años se ha multiplicado por diez la concentración de gases en la atmósfera.			

b. (10) [V] Vuelve a escuchar la charla y fíjate en los marcadores discursivos que se utilizan. Marca los que escuches.

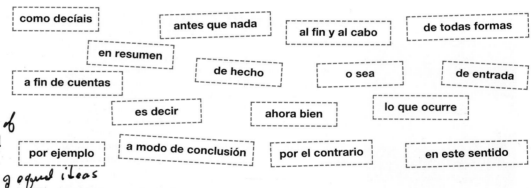

como decíais · antes que nada · al fin y al cabo · de todas formas · en resumen · de hecho · o sea · de entrada · a fin de cuentas · es decir · ahora bien · lo que ocurre · por ejemplo · a modo de conclusión · por el contrario · en este sentido

---

VOCABULARIO [V]

Marcadores discursivos

Para estructurar la información

De entrada, antes que nada, bien, de igual forma, de igual manera, a modo de conclusión, por ejemplo, de hecho…

Para introducir un contraargumento

Por el contrario, al contrario, pese a, ahora bien, con todo…

Para reformular la información

O sea, es decir, en resumidas cuentas, a fin de cuentas, al fin y al cabo, después de todo, de todas formas…

Para sintetizar la información:

En resumen, total que…

Para mantener el hilo discursivo

Lo que ocurre/pasa es que, todo eso que dices, en este sentido, como decías…

---

c. [V] Selecciona en este diálogo sobre la charla anterior el marcador discursivo más adecuado en cada caso.

◆ ¿Has escuchado la charla de esta mañana en la radio sobre el cambio climático?

◆ Sí, sí.

◆ ¿Y qué te ha parecido? ¿Crees realmente que la cosa está tan mal?

◆ Sí, yo creo que sí, y que todos podemos hacer algo para resolverlo. *Antes que nada/A fin de cuentas*, todos consumimos agua, generamos basura, tenemos coche…

◆ *Ahora bien/En resumidas cuentas*, estarás de acuerdo conmigo en que lo del planeta no lo podemos resolver individualmente, que las administraciones, los organismos oficiales y las organizaciones internacionales tienen que intervenir.

◆ Claro. Y la industria, que, *al fin y al cabo/al contrario*, es la que realmente contamina.

◆ *De igual manera/Lo que ocurre* es que es más fácil intentar concienciar y reeducar al ciudadano, que luchar contra toda la economía mundial…

◆ *Por el contrario/En resumen*, que o los gobiernos de todo el mundo empiezan a asumir y respetar los acuerdos de Kyoto, o esto se acaba.

◆ Pues sí, eso parece.

3. La peligrosa mano del hombre

a.  La contaminación de los mares y la extinción de algunas especies son otras de las consecuencias de la acción del hombre sobre la naturaleza. Lee estas noticias y resume con tus propias palabras las ideas principales de cada uno.

Galicia 2002: el hundimiento del petrolero Prestige

Un viejo petrolero que transportaba 77 000 toneladas de fuel de Letonia a Gibraltar se hundió frente a las costas gallegas un día de tormenta de 2002. Lo *que* empezó como una incidencia más del temporal *cuando* azotó España en noviembre de 2002 terminó convertido en una catástrofe ecológica y económica *los cuales* consecuencias están aún por determinar. El Prestige, pese a su nombre, dejó sin faena a miles de marineros y mariscadores de la primera región pesquera de la Unión Europea. El temporal causó el hundimiento del barco, *que* tenía 26 años de antigüedad, escorándolo a estribor y mandándolo al fondo de la plataforma gallega, a unos 4 000 metros de profundidad frente a las islas Cíes. Salvamento Marítimo rescató a sus 27 tripulantes, mientras el barco expulsaba una mancha de crudo de cinco millas de longitud. Fueron solo las primeras toneladas de una de las mayores mareas negras *que* se conocen. Las cifras oficiales certifican que el Prestige derramó sobre las costas de Galicia y el Cantábrico, desde las islas Cíes hasta Bretaña y el litoral meridional del Reino Unido, un total de 63 000 toneladas de petróleo. Centenares de voluntarios, *quienes* habían llegado desde el resto de Galicia, España y el extranjero hasta las playas gallegas, estuvieron durante semanas recogiendo el chapapote *que* se había depositado en la arena de las playas, en las piedras de los acantilados... De nuevo la ciudadanía actuó antes que la Administración.

El jaguar en peligro

El jaguar (Panthera onca), _____ es el felino más grande y poderoso del continente americano y el tercero en tamaño a nivel mundial, está en peligro. En la actualidad se estima que en México quedan tan solo unos 4 000 ejemplares. ¿Qué factores inciden en su desaparición? En la década de 1930 había en México alrededor de 22 millones de hectáreas de selvas altas, *donde* habitaba el jaguar, pero actualmente queda menos de un millón. Por otro lado, las presas de las *que* se alimenta, como los venados, los pecaríes y tejones, también han disminuido o desaparecido. Pero no solo el jaguar se encuentra en esta peligrosa situación en México. De acuerdo con la Norma Oficial Mexicana, NOM-059-ECOL-2001, cuando se hace referencia al peligro de extinción se trata de aquellas especies *donde* áreas de distribución o tamaño de sus poblaciones en el territorio nacional han disminuido drásticamente poniendo en riesgo su viabilidad biológica, debido entre otros a factores como la destrucción o modificación drástica de su hábitat natural, el aprovechamiento no sustentable, las enfermedades o la depredación. En la NOM de 2001 se mencionan 221 animales en peligro de extinción, entre ellos destacan 43 especies de mamíferos, 72 de aves, 14 de reptiles, 6 de anfibios, 70 de peces y 16 de invertebrados.

El lince sigue en situación crítica

La reproducción en libertad del lince ibérico en España ha experimentado un lento pero progresivo aumento en los últimos años, al pasar el número total de cachorros de 36 en 2002 a 64 durante el año 2006. Es más de _____ se esperaba. Sin embargo, la especie sigue estando en una situación crítica. Durante el año pasado, seis linces murieron en Andalucía por causas no naturales, de los _____ cinco fueron por atropello, cuatro de ellos en el Parque Natural de Doñana, y uno por un cepo, fruto del trampeo ilegal, mientras que un séptimo murió en una pelea con otro ejemplar. Debemos recordar que los ejemplares que quedan en España (en Doñana y en Sierra Morena) son los únicos del mundo.

b. G Completa los textos anteriores con el relativo adecuado en cada caso.

GRAMÁTICA G
Los relativos

Que: Hay que proteger a los animales *que* están en vías de extinción.

El que, la que, los que, las que, lo que: Hay que proteger los hábitats *en los que* habitan.

El cual, la cual, los cuales, las cuales, lo cual: La ciudadanía actuó antes que la Administración, *lo cual* demuestra la preocupación de los ciudadanos por estos temas.

Quien, quienes: *Quienes* se encargan de la recuperación de estas especies están haciendo una labor muy importante.

Cuyo, cuya, cuyos, cuyas: Los países *cuyos* hábitats están en peligro están empezando a tomar medidas para protegerlos.

Cuanto: Los ecologistas hacen *cuanto* pueden para proteger el medio ambiente.

Como: Solo con unas leyes más duras es *como* se evitarían catástrofes ecológicas como la de 2002.

Cuando: En 2002 fue *cuando* ocurrió lo del Prestige.

Donde: Los únicos lugares del mundo *donde* quedan linces ibéricos son Doñana y Sierra Morena.

4. ¿Qué opinas de los zoos?

a. 📖 Lee el siguiente artículo sobre los zoos y piensa en algunos argumentos más a favor o en contra de los zoos.

¿Tienen sentido los zoos?

Diversos expertos opinan a favor y en contra de estos recintos para animales

Los primeros eran colecciones privadas, la mayoría pertenecientes a reyes. A finales del siglo XVIII, el zoo de París abrió al público. Dos siglos después, su función ha pasado de la simple exhibición al estudio, divulgación y protección de especies. Pero su utilidad se cuestiona en la era de los documentales, Internet y el bienestar animal.

A FAVOR

El puro espectáculo hace tiempo que quedó atrás. Los zoológicos de hoy en día se sustentan sobre tres sólidas patas: conservación, investigación y educación. «En el fondo, las asociaciones conservacionistas y nosotros estamos en el mismo barco», opina Enrique Sáez, biólogo y veterinario del Zoo Aquarium de Madrid. Carme Maté, directora ejecutiva del de Barcelona, le apoya.

1. Un Arca de Noé urbana

Según Sáez, es la principal misión de los zoos: la conservación de especies amenazadas. «Sería fantástico que no tuviéramos que tener programas de cría en cautividad, pero somos el único futuro que le queda a muchas especies», añade Maté. Hay especies, como los caracoles arborícolas de Oceanía, el león del Atlas, los ciervos del Padre David o el ferreret balear que solo existen en cautividad.

2. Concienciación

«Nosotros educamos en la no compra de mascotas exóticas, en el no abandono de animales… Y explicamos cuál es el problema que tiene el animal en su hábitat natural», razona Maté. Sáez apela al sentimiento de protección que inspira la especie en la cercanía: «Si un niño ve un tigre de cerca es difícil que después se compre un abrigo hecho con su piel».

3. Educación

«Los zoos del mundo reciben más de 600 millones de visitantes al año, no hay otro museo que aglutine a tanta gente», expone Sáez, quien defiende que los zoológicos permiten una interacción directa con el animal vivo, por lo que producen un impacto mayor que los documentales. Y aunque fuera de su hábitat el animal no tendrá el comportamiento natural de la caza, «si tiene un enriquecimiento ambiental, puedes conseguir casi el mismo comportamiento que en la naturaleza». (…)

EN CONTRA

La mera idea de privar de su libertad a un ser vivo podría bastar, aunque existen otros argumentos en contra de los zoos. La organización Igualdad Animal y Francisco Vázquez, coordinador de campañas del colectivo PETA, esgrimen algunos.

1. Puro espectáculo

Aunque se intente maquillar la realidad, PETA explica que «solo unos pocos zoológicos se dedican honestamente a las especies en peligro. La mayoría solo busca atraer público con animales que generan empatía de la población». San Diego (EE UU) y Barcelona son, en su opinión, de los pocos que se preocupan por la diversidad animal.

2. Provocan 'zoocosis'

Vázquez la define como «la versión animal de la psicosis humana». Los animales la padecen debido al estrés y la ansiedad que les provoca vivir encerrados, estar obligados a convivir con especies que en la naturaleza jamás se mezclarían y a la falta de estímulos que conlleva vivir fuera de su hábitat. El resultado: «Los vemos en sus jaulas repitiendo movimientos, lamiendo los barrotes, masticando sus patas, comiendo sus excrementos y vómitos…».

3. Poco educativos

El responsable de PETA opina que un animal en un zoo «no es ni la sombra de cómo sería en libertad», y que la mejor manera de ver cómo viven las especies en su medio son los documentales. En palabras de Igualdad Animal, «lo que verdaderamente se aprende visitando un zoo es que es aceptable privar a los demás animales de libertad para nuestro beneficio». (…)

(Fuente: http://www.diarioadn.com/ sociedad/detail.php?id=18051)

b. C Prepara y toma nota de los argumentos para defender tu opinión. Utiliza las expresiones del cuadro de comunicación.

c. Expón tu opinión a tus compañeros y arguméntala.

◆ *En mi modesta opinión, la mayoría de los zoos son solo un negocio y creo que las labores de concienciación y de educación no son dos de sus principales objetivos. Para mí es una pena que todavía hoy haya zoos.*

5. Una serpiente como mascota

a. Contesta a estas preguntas y comenta las respuestas con tus compañeros.

- ¿Qué es exactamente una mascota?
- ¿Tienes alguna mascota?
- ¿Cuáles son las mascotas que tiene la gente en tu país?
- Antes de escoger una mascota, ¿en qué debe pensarse?
- ¿Qué responsabilidades se adquieren al llevar una mascota a casa?
- ¿Qué beneficios puede conllevar el tener una mascota?

b. Lee esta información. ¿Te gustaría tener una mascota exótica? ¿Cuál? Coméntaselo a tus compañeros.

GRAMÁTICA
El modo en las oraciones sustantivas
Con verbos de opinión (*pensar, creer, opinar,* etc.):
◆ Yo **creo** que los zoos **son** solo un negocio.
◆ Yo **no creo** que **sean** solo eso.
Con expresiones que indican una valoración (*ser/parecer* + *raro/bueno/una pena…* y *estar* + *bien/mal…*):
◆ **Es lamentable encerrar** a los animales.
◆ **Es una pena que** aún **haya** zoos.
Con expresiones de certeza (*ser/parecer* + *verdad, obvio…* y *estar* + *claro…*):
◆ **Está claro** que los zoos **son** un puro espectáculo.
◆ **No está claro** que todos los zoos **hagan** una labor de conservación.

MASCOTAS EXÓTICAS

Hasta hace unos años hablar de mascotas era decir perros, gatos, pájaros… Hoy, los gustos están cambiando y ya no es tan raro que el animal de compañía sea una iguana, una serpiente o una ardilla coreana. La elección de una de estas mascotas no tiene por qué resultar excesivamente cara: un bonito tucán puede costar unos 200 euros, y una ardilla coreana, por ejemplo, solo requiere de una jaula de 30x30 centímetros, y una amplia variedad de frutos secos.

Muchos de estos animales han sido criados en granjas, por ejemplo, la casi totalidad de los loritos conocidos como inseparables o Agapor-

nis, y la mayoría de las cacatúas; entre los reptiles, proceden de cautividad casi todas las iguanas, una parte de los caimanes, las serpientes boa y algunas ranas exóticas. Pero también es cierto que algunas tortugas, varias especies de camaleones o la serpiente pitón, terminan sus días en minúsculos terrarios que con demasiada frecuencia no reúnen ni siquiera las condiciones mínimas que precisa el animal. Piensa bien en esto antes de llevártelos a casa.

(Fuente: http://mujer.terra.es/muj/articulo/html/mu22893.htm)

c. Escucha la siguiente entrevista radiofónica con el propietario de una serpiente pitón y contesta a las preguntas.

1. ¿Qué animales nombran el locutor y su colaborador en la introducción de la entrevista?
2. ¿Desde cuándo tiene Ricardo una serpiente en casa?
3. ¿Dónde vive Casandra?
4. ¿Por qué decide Ricardo tener una serpiente pitón?
5. ¿Los amigos, vecinos y familiares de Ricardo le tienen miedo a Casandra?
6. ¿Piensa Ricardo adquirir más animales exóticos?

d. Después de escuchar a Ricardo, ¿ha cambiado tu opinión respecto a tener animales exóticos en casa? Coméntalo con tus compañeros.

6. Turismo y patrimonio

a. [V] Hoy día hay muchas formas de hacer turismo. ¿Qué crees que buscan los turistas en estos tipos de turismo? Escríbelo.

CLÁSICO	VIVENCIAL	ESOTÉRICO	DE AVENTURA	ECOLÓGICO

b. [📖] [G] Y tú, ¿cuál prefieres? Lee el siguiente texto y comprueba qué tipo de turista eres. Después completa el cuadro de gramática con un ejemplo extraído del texto.

GRAMÁTICA [G]

El modo en las oraciones de relativo

Usamos el verbo en indicativo cuando describimos algo o a alguien conocido o cuya existencia suponemos.

◆ _____
_____

Usamos el subjuntivo cuando nos referimos a alguien cuya existencia se desconoce, no existe o se niega.

◆ *Busco una agencia que **se dedique** al ecoturismo, es que no conozco ninguna.*

¿Qué tipo de turista eres?

Si lo que estás buscando es conocer lugares, admirar paisajes, revivir la historia, entonces te gusta hacer turismo **clásico**. Es el tipo de turismo que te llevará a visitar importantes lugares históricos.

El turismo **de aventura** es aquel que implica la exploración o el viaje a áreas remotas, donde el viajero se pierde y espera lo inesperado. Si te gusta la aventura, buscas vacaciones inusuales, diferentes de las típicas vacaciones en la playa.

En el turismo **ecológico** o **ecoturismo** se privilegia la preservación y la apreciación del medio (tanto natural como cultural) que acoge a los viajantes. Implica un viaje ambientalmente responsable, a regiones poco perturbadas para disfrutar del medio natural y de la cultura de los habitantes de tal medio. Hay lugares que creemos que como ecoturista debes visitar: parques nacionales, reservas biológicas, refugios de vida silvestre…

El turista **esotérico** es aquel que busca contactar con la tierra y vincularse con la naturaleza. La ciudad sagrada de Machu Picchu es la meca de quienes buscan experiencias espirituales. En la Argentina el sitio energético más visitado es el cerro Uritorco, en la provincia de Córdoba; se dice que debajo del mismo está la ciudad intraterrena de Erks, que, a la luz de ciertas teorías, es una de las tres puertas que conectan con otros mundos y son el paso necesario para ir de una existencia material a otra etérea.

Se entiende por **vivencial** aquel turismo que se desarrolla con la convivencia entre el visitante y una familia receptora, que le enseña sus hábitos y costumbres. Si te gusta ese tipo de turismo, siempre encuentras mucho más de lo que esperas.

c. [V] Observad estas fotografías e intentad completar los pies de foto.

Cartagena de Indias (Colombia).

Las _____ Galápagos (Ecuador).

Monolito tiahuanaco (Bolivia).

Parque natural del _____ del río Lobos (España).

Las _____ de Iguazú (Argentina-Brasil).

El _____ Amatitlán (Guatemala).

d. ¿Qué tipo de turista iría a cada uno de los lugares anteriores? Coméntalo con tus compañeros.

e. G Lee el cuadro de gramática y busca en el texto de la página anterior otros ejemplos de casos especiales de oraciones de relativo.

■ Oraciones de relativo:

_____

_____

_____

_____

_____

_____

_____

GRAMÁTICA G

Las oraciones de relativo: construcciones especiales

Estructuras superpuestas

◆ *El pueblo **al que** llegamos, **que** está en una ruta de turismo ecológico, se llama Robledal del Camino.*

Estructuras discontinuas

◆ *Ese es el viaje **que** creo que hicieron Juan y Montse.*

Estructuras coordinadas

◆ ***El que** se adelantó y (**el que**) explicó todo fue el representante de Greenpeace.*

f. ¿Recuerdas qué Siete Nuevas Maravillas del Mundo se eligieron el 7 de julio de 2007? Lee los siguientes textos; ¿cuáles de los lugares que quedaron finalistas está describiendo cada uno?

Fue palacio, ciudadela, fortaleza y residencia de los sultanes Nazaríes, que gobernaron la ciudad entre los siglos XIII y XIV. Actualmente es una de las atracciones turísticas más vistas de Europa. En la zona monumental se distinguen cuatro espacios: los Palacios, la zona militar o Alcazaba, la ciudad o Medina y la finca agraria del Generalife, todo ello en un entorno de zonas boscosas, jardines y huertas. El patio de los Leones y su fuente es uno de los más bellos del conjunto.

Situada en la península del Yucatán es la más grande y famosa ciudad de la cultura maya y constituyó el centro político y económico de su civilización. Ocupa una superficie de unos tres kilómetros cuadrados y está compuesta por una serie de construcciones en su mayor parte piramidales: la pirámide de Kukulkán, el templo de Chac Mol, el Grupo de las Mil Columnas y el Gran Juego de Pelota.

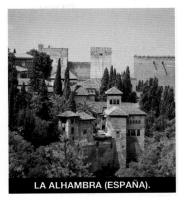
LA ALHAMBRA (ESPAÑA).

ISLA DE PASCUA (CHILE).

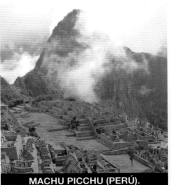
MACHU PICCHU (PERÚ).

CHICHÉN ITZÁ (MÉXICO).

g. En parejas, buscad información sobre otro de los lugares de las fotografías y escribid un texto describiéndolo. Animad a vuestros compañeros a elegirlo como Maravilla del Mundo.

7. ¿Y qué podemos hacer?

a. A continuación tienes un cuestionario para averiguar tu conocimiento ecológico. Relaciona cada pregunta con la respuesta correspondiente.

1. ¿Por qué es importante cuidar los ecosistemas y sus especies?

2. ¿Cómo pueden las personas realizar sus actividades sin afectar el equilibrio de los ecosistemas?

3. ¿Cuáles son las modificaciones del ecosistema más habituales?

4. ¿Qué elementos perjudican enormemente el ambiente?

5. ¿Cómo afecta la contaminación a los seres vivos?

6. ¿Cómo pueden evitarse estos contaminantes?

7. ¿Qué sucedería si una persona construyera un edificio en un lugar ambientalmente protegido?

8. Cita dos actividades perjudiciales para el medio ambiente.

9. Di dos actividades que benefician al medio ambiente.

a. Sembrar árboles y utilizar energías renovables.

b. Alteraría el equilibrio del ecosistema, por lo que muchas plantas no crecerían allí y morirían muchos animales.

c. Tirar basura indiscriminadamente y talar los árboles.

d. Utilizando solo los recursos naturales necesarios.

e. Perjudica el ambiente en que habitan los seres vivos.

f. Empleando tecnología para disminuir los riesgos de contaminación.

g. La tala de árboles, la fumigación de sembrados, la acumulación de basura en lugares no destinados para ese fin y el descuido de los ríos y riachuelos.

h. Para preservar la vida del planeta.

i. Los gases de los automóviles y las fábricas, los vertidos industriales, los desechos tóxicos en mares y ríos y los vertidos de petróleo.

b. V Escribe todas las unidades léxicas que encuentres en el cuestionario anterior. Te damos varios ejemplos.

VERBO	SUSTANTIVO	ADJETIVO
tirar	basura	
	actividades	perjudiciales

c. BLA BLA BLA Ahora vamos a averiguar «los pequeños gestos de respeto al medioambiente» que tenemos. Completa este test como tú quieras. Coméntalo con el resto de tus compañeros.

1. Cuando voy a la playa…

2. Si consumo una bebida en lata…

3. Cuando estoy constipado…

4. Al comprar el desodorante me fijo ante todo…

5. Si se rompe una camiseta…

6. Cuando como un chicle y no hay papelera…

7. A la hora de comprar folios…

8. Tras un día estresante me tomaría….

9. Al tirar las cosas a la basura…

d. Leed las posibles respuestas «ecológicas» y «no ecológicas» al test anterior. ¿A qué pregunta corresponde cada una de ellas? ¿Coinciden con vuestras respuestas?

Llevo la comida en una fiambrera.
Separo los vidrios, los cartones, los restos de comida y otros envases.
La aplasto antes de tirarla.
Hago trapos con ella para limpiar.
Utilizo un pañuelo de tela.
Utilizo folios reciclados.
Una ducha rápida.
En si lleva etiqueta ecológica.
Me guardo el envoltorio en el bolsillo hasta encontrar una papelera.

Cojo un pañuelo de papel.
Utilizo plástico transparente para envolver la comida.
La tiro a la basura.
Me gustan los más blancos.
Un buen baño caliente.
En el precio.
Tiro el envoltorio a la calle.
Las tiro en una misma bolsa. Así ahorro en bolsas.
La tiro al contenedor.

prepare a presentar c. 15 minutos

8. El debate

a. Lee el siguiente texto sobre qué es un debate. Coloca las palabras que faltan en su lugar correspondiente. Una de ellas hay que utilizarla dos veces.

El debate

El debate es un _diálogo_ formal, de carácter argumentativo, en el que dos o más personas exponen su parecer sobre un determinado tema.

El tema del debate debe ser potencialmente _polémico_ para que resulte posible la confrontación de opiniones. En los debates cobra gran importancia la _argu_ a la que han de acudir los participantes para defender su punto de vista.

Entre los participantes en un debate destaca la figura del _mod_ que, entre otras funciones, se encarga de controlar el turno de intervenciones y ceder la palabra a cada _inter_ así como de procurar que los participantes se centren en el tema prefijado y expongan sus opiniones respetuosamente.

El desarrollo del debate ofrece, por lo general, la siguiente estructura:

- Introducción. En ella el moderador presenta a los participantes y expone el _tema_ que se va a debatir.
- Exposición inicial. Cada participante enuncia su postura acerca del tema.
- Discusión. Es la parte central del debate, en la que los interlocutores confrontan y argumentan sus _opini._
- Conclusión. Cada participante sintetiza su postura, que puede coincidir con la inicial o haberse visto modificada.
- Despedida. Corre a cargo del _mod._ que resume las opiniones expresadas y pone fin al debate.

(Fuente: *La enciclopedia del estudiante. Lengua castellana II,* Santillana-El País, 2005)

| MODERADOR |
| OPINIONES |
| DIÁLOGO |
| TEMA |
| ARGUMENTACIÓN |
| INTERLOCUTOR |
| POLÉMICO |

b. Estos son algunos temas que están creando debate en la sociedad. Elegid el tema que más os interese y buscad más información. Si no os interesan ninguno de estos temas, podéis elegir uno que os resulte especialmente polémico.

El nuevo canon ecológico sobre el consumo de agua entrará en vigor en enero de 2008

Los usuarios deberán pagar según el volumen consumido

El pago de la «ecotasa» en las Islas Baleares

El trasvase del Ebro

La construcción de un hotel en el Parque natural del cabo de Gata

c. Dividid la clase en dos grupos y elegid a un moderador. Cada grupo debe elegir una postura, a favor o en contra del tema que hayáis elegido y preparar sus argumentos para el debate.

Pedir opinión

◆ *¿Qué te parece lo que…?; A tu entender/parecer, ¿qué te parece + juicio?; ¿Dirías…?*

Dar una opinión

◆ *A mi entender/parecer…; A mi juicio…; En mi (modesta/humilde) opinión…; A mí me da la sensación/impresión de que…*

Pedir valoración

◆ *¿Te opones a…?; ¿Apruebas…?*

Valorar

◆ *Es/Me parece lamentable/fatal/penoso/absurdo/ desagradable/aborrecible…; Resulta…*

Expresar certeza y evidencia

◆ *Sé con absoluta/completa/total certeza/seguridad que…; Tengo la seguridad de que…; Tengo claro que…; No (me) cabe la menor duda de que…; Es un hecho que…*

Expresar falta de certeza y evidencia

◆ *No tengo (tan) claro que…; No tengo la seguridad de que…; Sospecho que…; Juraría que…; Me da la impresión/sensación de que…*

VOCABULARIO

El medio ambiente y el cambio climático

Efecto invernadero, concentración de gases, sequía…

El clima y el tiempo atmosférico

Clima extremo, temperatura elevada…

Marcadores discursivos

Para estructurar la información: de entrada, antes que nada, bien, de igual forma, de igual manera…

Para introducir un contraargumento: por el contrario, al contrario, pese a, ahora bien, con todo…

Para reformular la información: o sea, es decir, en resumidas cuentas, a fin de cuentas, al fin y al cabo…

Para sintetizar la información: en resumen, total que…

Para mantener el hilo discursivo: lo que ocurre/pasa es que, todo eso que dices, en este sentido, como decías…

Abrir una digresión: a propósito de, en lo relativo a, a este respecto, con respecto a…

Retomar el tema anterior: vamos/volvamos a, volviendo al tema, ¿de qué estábamos hablando?…

Animales exóticos y en peligro de extinción

Boa, mono, araña, comadreja, lince ibérico, jaguar…

Accidentes geográficos

Cascada, isla, cañón, bahía, meseta, sierra, desembocadura…

GRAMÁTICA

Los relativos

Que: Hay que proteger a los animales ***que*** están en vías de extinción.

El que, la que, los que, las que, lo que: Hay que proteger los hábitats ***en los que*** habitan.

El cual, la cual, los cuales, las cuales, lo cual: La ciudadanía actuó antes que la Administración, ***lo cual*** demuestra la preocupación de los ciudadanos por estos temas.

Quien, quienes: Quienes se encargan de la recuperación de estas especies están haciendo una labor muy importante.

Cuyo, cuya, cuyos, cuyas: Los países ***cuyos*** hábitats están en peligro están empezando a tomar medidas para protegerlos.

Cuanto: Los ecologistas hacen ***cuanto*** pueden para proteger el medio ambiente.

Como: Solo con unas leyes más duras es ***como*** se evitarían catástrofes ecológicas como la de 2002.

Cuando: En 2002 fue ***cuando*** ocurrió lo del Prestige.

Donde: Los únicos lugares del mundo ***donde*** quedan linces ibéricos son Doñana y Sierra Morena.

El modo en las oraciones de relativo

Indicativo: cuando describimos a personas, cosas o lugares identificados, que conocemos o que sabemos que existen.

◆ Busco una organización que ***se dedica*** a defender los derechos de los animales, es que no recuerdo su nombre.

Subjuntivo: cuando nos referimos a personas, cosas o lugares cuya existencia se desconoce, no existe o se niega.

◆ Busco una agencia que ***se dedique*** al ecoturismo, es que no conozco ninguna.

Las oraciones de relativo: construcciones especiales

Estructuras superpuestas

◆ El pueblo ***al que*** llegamos, ***que*** está en una ruta de turismo ecológico, se llama Robledal del Camino.

Estructuras discontinuas

◆ Ese es el viaje ***que*** creo que hicieron Juan y Montse.

Estructuras coordinadas

◆ ***El que*** se adelantó y ***(el que)*** explicó todo fue el representante de Greenpeace.

El modo en las oraciones sustantivas

Con verbos de opinión:

◆ Yo ***creo*** que los zoos ***son*** solo un negocio.

◆ Yo ***no creo*** que ***sean*** solo eso.

Con expresiones que indican una valoración:

◆ ***Es lamentable encerrar*** a los animales.

◆ ***Es una pena*** que aún ***haya*** zoos.

Con expresiones de certeza:

◆ ***Está claro*** que los zoos ***son*** un puro espectáculo.

◆ ***No está claro*** que todos los zoos ***hagan*** una labor de conservación.

Presentación

Vais a hacer una presentación de un libro y a crear un cartel para anunciarlo.

Instrucciones

1. Formad grupos de tres o cuatro personas.

2. Cada grupo realiza las actividades propuestas.

3. Finalmente, cada grupo presenta su libro y participa en las presentaciones de los demás.

Vais a necesitar:

- Cartulinas
- Rotuladores y lápices de colores
- Tijeras, papel y pegamento
- Revistas con fotografías
- Ordenadores y conexión a Internet

Antes de empezar

a. ¿Se celebra en el lugar donde vives alguna feria del libro o has visitado alguna? ¿Cuál? ¿Qué es lo que más te gustó? Coméntaselo a tus compañeros.

b. Estas son algunas de las actividades que se suelen organizar en una feria del libro. ¿Qué actividades representan cada una de las fotos? ¿Cuáles te parecen que son más interesantes? Coméntalo con tus compañeros.

1. La presentación de un libro

a. ¿Has estado alguna vez en la presentación de un libro? ¿En cuál? ¿Qué opinas sobre las presentaciones de libros, crees que son útiles? ¿Por qué? Coméntalo con tus compañeros.

◆ *Yo solo he estado en la presentación de un libro de un escritor que me gusta mucho y me encantó porque creo que es la mejor forma de conocer al autor, de saber en qué se inspiró a la hora de escribir el libro, de todo lo que le influyó en el proceso de escritura... No sé, creo que luego lees el libro de otra forma.*

◆ *No sé... Yo no he estado en ninguna presentación y tampoco me apetece mucho. Es que a mí todo eso de los autógrafos y de estar todo el rato adulando al autor, no me gusta mucho.*

b. (12) Escucha la presentación del libro *Mis claves del éxito para estudiar mejor* y contesta estas preguntas.

1. ¿Qué hacía Pilar el día del examen?

2. Según este libro, ¿qué hay que hacer para lograr el éxito?

3. ¿Qué anécdota cuenta Pilar en el libro?

c. (12) Vuelve a escuchar la presentación anterior y toma notas de los siguientes aspectos.

Mis claves del éxito para estudiar mejor

- Estructura de la presentación: _____
  _____
  _____
  _____
  _____

- Tono de la presentación: _____
  _____
  _____
  _____
  _____
  _____
  _____
  _____
  _____

El libro no es una receta mágica para aprobar sin esfuerzo, tampoco es un conjunto de técnicas de estudio.

Su autora nos transmite el mensaje de que es posible conseguir nuestros objetivos, siempre que verdaderamente queramos conseguirlos y utilicemos buenos recursos para lograrlos.

Es un libro destinado a estudiantes, padres y profesores.

- Recursos que usa la persona que está haciendo la presentación para mantener la atención: _____
  _____
  _____
  _____

d. Compara tus notas con las de tus compañeros y completa tu información, si crees que es necesario.

e. ¿Qué te ha parecido la presentación? ¿Crees que hay algo que se podría mejorar? ¿El qué? Coméntalo con tus compañeros.

2. Haz tu propia presentación

a. Imagina que tu escuela va a organizar una feria del libro y una de las actividades es la presentación de los libros preferidos de los estudiantes. Haz una lista de los libros que has leído en español o de los libros de escritores españoles o hispanoamericanos que hayas leído.

 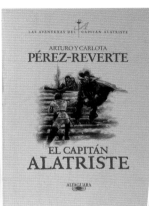  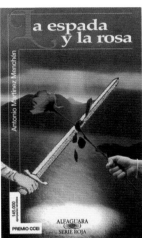

b. Busca en clase algún compañero que haya leído algunos de los libros que aparecen en tu lista, así podréis hacer la presentación entre varios.

c. Ahora ya tenéis el libro sobre el que vais a hacer la presentación. ¿Cuál es su argumento? Escribid un resumen del libro lo más ameno posible.

d. Comentad estas cuestiones y tomad nota de aquellos aspectos en los que estéis de acuerdo y que os parezcan más interesantes.

- ¿Por qué elegisteis este libro para leer?
- ¿Qué es lo que más os ha gustado? ¿Y lo que menos?
- ¿Cuáles son los protagonistas? ¿Cómo son?
- ¿Habéis leído otras obras de este autor? ¿Cuáles? ¿Se parecían en algo a la obra que habéis elegido?
- ¿Por qué recomendaríais este libro?

e. Buscad en Internet información sobre el libro y sobre el autor que creáis que puede ser interesante y relevante para las personas que asistan a vuestra presentación.

f. Con toda la información que tenéis, decidid cómo vais a organizar la presentación, qué va a hacer cada uno y escribid un guión para vuestra presentación.

g. Ahora, pensad en un título y diseñad un cartel para publicitarlo.

3. Turno de ruegos y preguntas

a. (12) Después de las presentaciones se suele reservar un tiempo en el que los asistentes pueden hacer preguntas relacionadas con el libro. Volved a escuchar la presentación de *Mis claves del éxito para estudiar mejor*, ¿qué preguntas haríais a la persona que ha hecho la presentación?

4. La hora de la verdad

a. Escuchad las presentaciones de los demás grupos y tomad notas de lo que dicen vuestros compañeros para poder hacerles preguntas después.

b. Puntúa las presentaciones de tus compañeros del 1 al 5 (el 5 significa que te ha gustado mucho).

VALORACIÓN DE LAS PRESENTACIONES					
	Presentación 1	Presentación 2	Presentación 3	Presentación 4	...
Originalidad de la presentación					
Claridad en la presentación					
Adecuación al registro					
Reacción ante las preguntas e interrupciones					
Aclaraciones y explicaciones					
Otros aspectos					

Somos lo que comemos 4

En esta unidad vas a aprender:

- A seguir una entrevista radiofónica y analizar su contenido

- A expresar tus sentimientos y sensaciones

- A explicar a un médico los síntomas de lo que te pasa

- A preguntar a alguien por su estado de salud o su estado de ánimo

- Cómo se celebran algunas fiestas en Hispanoamérica

COMUNICACIÓN	GRAMÁTICA	VOCABULARIO	CULTURA Y SOCIOCULTURA	TEXTOS
Preguntar y expresar gustos personales	Oraciones causales: *porque*, *a causa de*, *gracias a que…*	Verbos relacionados con la comida	La dieta mediterránea	Menú de un restaurante
Preguntar por el estado de ánimo	El modo en las oraciones causales	Alimentos	Cambios en los hábitos de alimentación	Conversaciones cara a cara: en un restaurante y en un consultorio médico
Expresar miedo, ansiedad y preocupación	Oraciones comparativas: *más/menos de lo que*, *igual que si...*	Expresiones relacionadas con la comida y la salud	La escritora Laura Esquivel	Textos informativos sobre la dieta mediterránea y los trastornos alimentarios
Expresar empatía	Algunos usos de *ser* y *estar*	Expresiones y frases hechas	Tradiciones gastronómicas de algunos países hispanoamericanos	Entrevista radiofónica sobre cómo llevar una dieta sana
Expresar esperanza		Partes del cuerpo		Biografía
		Enfermedades		Texto narrativo: Laura Esquivel
		Síntomas		
		Médicos especialistas		

1. Cocina de autor

a.  ¿Sabes qué es la cocina creativa o de autor? ¿Conoces algún cocinero famoso? ¿Qué opinas de este tipo de comida? ¿Prefieres la cocina tradicional o la cocina creativa? Coméntalo con tus compañeros.

- ◆ *No sé, a mí la cocina creativa me parece un timo. Platos muy grandes con muy poca comida en el centro… Pagas un montón de dinero y encima te quedas con hambre.*
- ◆ *Pues a mí me gusta mucho probar cosas nuevas y saborear las mezclas de sabores que proponen en los platos. Es verdad que es un poco cara, pero creo que merece la pena.*

b. V A Paco le han ascendido en el trabajo y ha invitado a su novia y a sus padres a cenar para celebrarlo. Esta es la carta del restaurante al que han ido. ¿Conoces todos los platos? Aclara las dudas de vocabulario que tengas con un diccionario o con ayuda de tus compañeros.

Restaurante El Bullicio

Menú

Crema de centollo

Sopa de cerezas con bogavante

Lágrimas de guisantes con jamón y espárragos trigueros

Perdiz escabechada sobre nido de patatas

Codorniz rellena con setas y lombarda

Solomillo a la pimienta con boletus

Costillitas de cochinillo con naranja caramelizada

Lomo de lubina en salsa verde

Rollitos de lenguado con salsa de cava y azafrán

Helado de aguacate

Gajos de naranja bañados en chocolate

Rodaja de piña con pepitas de papaya

Taquitos de mango con *mousse* de maracuyá

c. V Intenta clasificar los alimentos del menú anterior. Escríbelos en el lugar correspondiente.

Carne	Verdura	Pescado	Marisco	Fruta

d. V En parejas, tenéis dos minutos para ampliar la lista de los grupos alimenticios anteriores. Después, haced una puesta en común y aclarad las posibles dudas de vocabulario que os surjan.

e. ⑬ Escucha la conversación entre Paco y su familia y señala en el menú lo que van a pedir.

f. (13) **Vuelve a escuchar la grabación y contesta a estas preguntas. Después, compara los resultados con tu compañero.**

1. ¿Por qué la madre de Paco no va a pedir ningún plato que lleve marisco?
2. En un momento de la conversación los padres y la novia de Paco hablan de él, ¿cómo lo describen?
3. ¿Por qué la novia de Paco no quiere pedir solomillo a la pimienta?
4. ¿Por qué la madre de Paco no quiere beber vino?
5. ¿A Paco le gusta lo que está comiendo?
6. ¿A la madre de Paco le gusta lo que está comiendo? ¿Por qué?

g. (13) V **Vuelve a escuchar la grabación y completa estas expresiones.**

tener buena _____
hacerse la boca _____
ser un _____
ser de buen _____
comer como una _____

ponerse _____ a comer
estar como un _____
estar como una _____
subirse el vino a la _____
estar para _____ los dedos

> **VOCABULARIO** V
> Expresiones relacionadas
> con la comida y la salud
>
> Estar como un tonel/una vaca
>
> Estar como un fideo/en los huesos
>
> Ser/Estar rechoncho/regordete/
> rellenito/esquelético
>
> Ser un tragón/comilón/glotón
>
> Ser de buen/mal comer
>
> Comer como una lima/fiera/
> un pajarito
>
> Ponerse morado
>
> Comer de forma compulsiva/
> equilibrada/sana…

h. V **¿Sabes qué significan las expresiones anteriores? En parejas, intentad deducir su significado. Después, comparad los resultados con vuestros compañeros.**

i. V **Lee estos diálogos y complétalos con una de las palabras o expresiones anteriores. También puedes ayudarte del cuadro de vocabulario. Después, compara los resultados con tu compañero.**

◆ Esta mañana he ido a la farmacia a pesarme y he engordado diez kilos. ¿Te lo puedes creer? Me tengo que poner a régimen ya.
◆ ¡Qué exagerada eres!
◆ No soy nada exagerada. Estoy _____.

◆ La semana pasada vi a Luis.
◆ ¡Ah, sí! ¿Y qué tal está?
◆ Muy bien, pero ha adelgazado muchísimo.
◆ Sí, eso me comentó María, que estaba _____.
◆ Sí, sí, está _____.

◆ Juan es un _____. Ayer me fui a comer con él y se _____ de patatas fritas. ¡Cómo puede comer tanto!
◆ Sí, la verdad es que come _____.
◆ Sí, además su alimentación no es nada _____. Come un montón de grasas, está bebiendo refrescos a todas horas…

◆ El otro día fui a conocer a la niña de Sonia.
◆ ¿Y qué tal?
◆ Está monísima.
◆ Dice que es muy buena, que come _____ y que duerme muy bien.
◆ No sé qué tal dormirá, pero comer debe de comer muy bien porque está bastante _____.

j. [BLA BLA BLA] V **¿De tus amigos, familiares, compañeros de trabajo… quién es un glotón, quién come una lima, quién está en los huesos…? Coméntalo con tu compañero.**

◆ Mi hermano pequeño siempre ha sido un glotón. Me acuerdo de que una vez, cuando éramos pequeños, se puso morado a helados; luego, por la noche, se puso malísimo.

2. La dieta mediterránea

a. 🔲 Cs ¿Sabes en qué consiste la denominada dieta mediterránea? Coméntalo con tus compañeros.

b. 📖 Cs Lee este texto y comprueba tus hipótesis. Después, haz tres preguntas a tu compañero para ver si ha entendido el texto.

Dieta mediterránea y salud

El término dieta mediterránea refleja el patrón dietético característico de varios países de la cuenca del Mediterráneo, que en la década de 1960 se asoció con una mayor longevidad, dado que los habitantes de estas regiones vivían más años y, además, con una mejor calidad de vida.

La dieta mediterránea se caracteriza por una abundante ingesta de frutas, verduras, legumbres, además de productos frescos (pescado, carne) mínimamente procesados.

Es evidente que desde 1960, la globalización, el desarrollo económico, etc., han afectado al patrón de dieta de la cuenca mediterránea y se han modificado ciertos indicadores de salud a los que estaba asociada.

Por culpa del mayor poder adquisitivo y de los cambios en los estilos de vida ha aumentado el consumo de alimentos industriales y precocinados, con el consiguiente deterioro que esto supone para la salud de los consumidores. Algunos productos como el pescado, las frutas y verduras no se consumen tanto como antes porque exigen una compra diaria que se ha visto sustituida en los últimos años por una compra semanal de gran cantidad de productos elaborados.

Estudios de nutrición realizados en diferentes comunidades españolas indican que solo una cuarta parte de la población realiza una buena dieta desde el punto de vista de la calidad nutricional. También se destaca en estos estudios que es la población de edad más elevada la que sigue sobre todo la dieta mediterránea. Por otro lado, los resultados de la investigación señalan que este tipo de alimentación no ha calado en las nuevas generaciones. Como las familias no enseñan a sus hijos cuáles son los hábitos correctos de alimentación, los jóvenes no siguen unas pautas sanas.

Esta situación ha llevado al Ministerio de Agricultura, Pesca y Alimentación (MAPA) a lanzar campañas informativas para que los ciudadanos conozcan los beneficios de la dieta mediterránea. Se espera que gracias a esta publicidad la sociedad española tome conciencia de la importancia de una nutrición sana. Asimismo el Gobierno de España liderará la candidatura de la dieta mediterránea para su inclusión en la lista del Patrimonio Cultural Inmaterial de la Humanidad de la Unesco, tanto por sus beneficios para la salud humana y la calidad de vida de las personas como por el estímulo que supone para la producción y consumo locales, el fomento de una agricultura respetuosa y la revitalización social y económica de todas las comunidades del Mediterráneo.

c. 📖 Según el texto, ¿cuáles son las razones por las que se están cambiando los hábitos alimenticios? Haz una lista. Si se te ocurre alguna razón más, anótala también. Compara lo que has hecho con tus compañeros. ¿Creéis que las razones pueden variar de un país a otro?

d. 🔲 ¿Qué te parece la iniciativa del Gobierno español de incluir la dieta mediterránea en la lista del Patrimonio Cultural Inmaterial de la Humanidad de la Unesco? Coméntalo con tus compañeros.

e. G Vuelve a leer el texto y señala los conectores causales que aparecen. Anótalos en la columna de la izquierda. Después, relaciona cada uno con el matiz que le corresponde.

1. dada que

2. _____

3. _____

4. _____

5. _____

6. _____

a. Hace hincapié en la relación causa-efecto. Es el más frecuente.

b. Presenta la causa que sirve de explicación a lo dicho por la principal. Aparece antepuesto.

c. Expresa la razón positiva de un hecho.

d. Explica la causa por la que se enuncia la oración principal.

e. Presenta la causa con connotaciones negativas.

f. Explica explícitamente la causa de algo. Puede ir seguido de sustantivo.

f. G Andrés ha engordado mucho y últimamente tiene muchos problemas estomacales. Lee los comentarios que le han hecho estas personas y complétalos con el conector causal adecuado. Puede haber varias posibilidades.

**MARÍA,
MADRE DE ANDRÉS**

¡Desde luego, Andrés! _____ ya no te hago yo la compra, hay que ver la cantidad de comida precocinada que compras. Luego dirás que estás mal del estómago. Eso te pasa _____ comer tan mal. _____ últimamente comes más fritos y menos verdura y ensaladas que antes, estás como estás.

**FÁTIMA,
PAREJA DE ANDRÉS**

_____ tanta comida basura, cada día estás más gordo. No haces caso a los consejos de tu nutricionista y así te va. Y no me digas que has engordado _____ tienes problemas de metabolismo. _____ no me lo creo.

**RAÚL,
NUTRICIONISTA**

_____ una incorrecta alimentación, usted sufre esas molestias estomacales. Sus hábitos alimenticios no son en absoluto saludables, _____ consume en exceso productos industriales y precocinados. _____ la dieta que le propongo, usted notará los beneficios en poco tiempo y experimentará una mejoría tanto en sus problemas gástricos como en ese ligero aumento de peso.

GRAMÁTICA G

Oraciones causales: nexos y conectores

Porque: Juan come estupendamente *porque* su madre le hace la comida. /Tiene que cuidarse y comer bien, *porque* me lo ha prometido.

Puesto que, *ya que*, *dado que*: Juan ha empezado a tener problemas digestivos *ya que* ha cambiado sus hábitos alimenticios.

Como: *Como* ahora vive solo, no cocina nada.

Por: Esto te pasa *por* comer tan mal, si te cuidaras un poco…

Que: Deja de comer comida precocinada *que* vas a engordar un montón.

Pues: Han cambiado los hábitos *pues* el ritmo de vida ahora también ha cambiado.

A causa de (que): *A causa de* los malos hábitos alimenticios está habiendo muchos problemas de obesidad.

Gracias a (que): Conseguí adelgazar *gracias a que* fui a un nutricionista.

Por culpa de (que): *Por culpa de* las revistas y de la publicidad cada vez hay más casos de anorexia y bulimia.

Debido a (que): El paciente fue ingresado *debido a que* tenía muchas molestias estomacales.

El modo en las oraciones causales

Cuando se niega la oración principal, pero no la causa, el verbo de la oración subordinada causal va en indicativo. En cambio, cuando también se niega la causa, el verbo de la subordinada va en subjuntivo. Esto solo ocurre con *porque*.

◆ *No se marcha porque está cansado.*

◆ *No se marcha porque esté cansado.*

---

g. G Lee estas oraciones y escribe los verbos que están entre paréntesis en la forma correcta del verbo.

1. Los hábitos alimenticios están cambiando en España. No se come bien porque la gente no (ser) _____ consciente de las consecuencias que puede tener en su salud.

2. Los jóvenes se someten a dietas estrictas e incluso peligrosas no porque las (necesitar) _____ sino porque (sentirse) _____ presionados por una sociedad en la que prima la imagen.

3. No podemos mantenernos pasivos ante esta situación porque (considerar) _____ que es un problema que afecta a unos pocos.

4. Los trastornos alimenticios en España aumentan cada año. Este aumento no se produce porque (existir) _____ poca información, que la hay. Es más una cuestión de ser conscientes de la gravedad del problema. Un problema que no desaparecerá porque lo (ignorar) _____.

h. 🔲 Y tú, ¿has cambiado tus hábitos alimenticios o sigues comiendo como siempre? ¿Por qué crees que es? Coméntalo con tus compañeros.

◆ *Yo ahora como peor que cuando vivía con mis padres, porque me paso todo el día fuera y cuando llego a casa no me apetece nada ponerme a cocinar.*

3. Las dietas milagro

a. 📖 **Lee un texto sobre los trastornos alimenticios y toma nota de: los trastornos que menciona, las causas y las soluciones que propone. Después compara los resultados con tu compañero.**

La conciencia alimentaria

Los datos sobre los trastornos alimenticios son cada vez más alarmantes y preocupantes. El comportamiento adoptado frente a la alimentación es muy importante, pero hay que añadirle otros factores como los emocionales o psicológicos. Además, no hay duda de que los medios de comunicación han influido en la propagación de algunos trastornos de conducta alimentaria, y su rectificación es sin duda otra arma más para combatirlos.

Una buena alimentación sana y equilibrada es uno de los mejores correctores para todas las enfermedades alimentarias y una buena ayuda psicológica también.

En España, por poner un ejemplo, han bastado diez años para que las cifras sobre incidencia de anorexia y bulimia se equiparen a las cifras del resto de los países europeos. ¿Qué ha pasado? ¿Cómo es que se están adoptando todos los extremos? Porque con la obesidad pasa lo mismo.

Está claro que los factores que intervienen son muchos: el estrés, la comida rápida, el ansiado cuerpo 10, la depresión, etc. Pero estos factores hay que intentar atajarlos cuanto antes y desde la infancia. La conciencia alimentaria es un concepto que debemos implantar a nuestros hijos desde bien pequeños para evitar que en el futuro ellos sufran estos trastornos. Increpar a los medios para que esa estética que publicitan no sea tan extrema; que Sanidad aborde con mucho más rigor el problema y que, al igual que se prohíbe el tabaco, se haga también lo mismo con cualquier medio o alimento que atente contra la salud.

b. 🔊 V **Todos sabemos más o menos lo que hay que comer para llevar una dieta sana y equilibrada. Haz una lista con los alimentos que hay que comer y los hábitos que se deben tener.**

c. (14) **Escucha un fragmento de un programa de radio en el que una doctora habla sobre la manera de hacer una dieta sana y comprueba si lo que has escrito se corresponde con la información que se da.**

d. (14) **Vuelve a escuchar la grabación anterior y marca la opción correcta.**

1. Según la grabación, nos alimentamos de una manera inadecuada porque:
   - ☐ no tenemos claro lo que es bueno y lo que es malo.
   - ☐ cenamos muy tarde.
   - ☐ tomamos pocos alimentos frescos.

2. Una de las tertulianas opina que la cultura alimenticia española:
   - ☐ ha empeorado.
   - ☐ ha mejorado algo.
   - ☐ ha dejado de preocuparnos.

3. Según la doctora, alguien que desee perder peso debe:
   - ☐ apuntar en un papel que esté a la vista los kilos que desea perder.
   - ☐ picar algo entre el desayuno y la comida del mediodía.
   - ☐ quedarse con algo de apetito tras las comidas.

4. Marta Garaulet aconseja que en la comida del mediodía no falte un plato:
   - ☐ de tres alimentos de grupos diferentes.
   - ☐ para tomar con cuchara.
   - ☐ con grasa, incluso en una ensalada.

e. 🗨 **En grupos de tres, comparad vuestros hábitos alimenticios y de vida para averiguar quién lleva una vida más sana. Después comentádselo a vuestros compañeros.**

- *El que lleva una vida más sana es Tim porque, aunque come tanta verdura y tanta fruta como Julia y yo, hace mucho más ejercicio que nosotras.*

GRAMÁTICA G
Oraciones comparativas

De igualdad: *tan* + adjetivo/adverbio + *como*; *tanto/a/os/as* + sustantivo + *como*
- ◆ Come **tanta** verdura **como** yo.

De superioridad: *más* + sustantivo/adjetivo/adverbio + *que/de lo que/que lo que*; *más que* + verbo
- ◆ Come mucho **más** sano **que** tú y **que** yo.

De inferioridad: *menos* + sustantivo/adjetivo/adverbio + *que/de lo que/que lo que*; *menos que* + verbo
- ◆ Esta comida tiene **menos** calorías **de lo que** parece.

De cantidad: *(no) más/menos de lo que; como si/igual que si*
- ◆ Come mucho **más de lo que** crees.
- ◆ Físicamente está **como si** tuviera 10 años menos.

Con valor consecutivo: *como para; cuanto más/menos… más/menos*
- ◆ No está gordo **como para** ponerse a régimen.
- ◆ **Cuanto menos** comes **menos** hambre tienes.

4. ¿Cómo es? ¿Cómo está?

a. V Lee estas oraciones e intenta con tu compañero averiguar el significado de las expresiones destacadas.

> ¡Fíjate lo que ha hecho! No sé cuántas veces se lo he dicho, pero nada, él a lo suyo. **Es la pera**, de verdad.

> Hacer macarrones con tomate **es pan comido**. Los sé hacer hasta yo, que no tengo ni idea de cocina.

> Me voy a la cama, **estoy hecho polvo** porque hoy he trabajado doce horas seguidas.

> Juan **es la pera**. Como ayer dije que tenía antojo de galletas de chocolate, hoy me ha traído una caja para desayunar.

> **Estar en forma** es muy importante para mantener un buen estado de salud física y mental.

> **Estoy muerta**, llevo todo el día de acá para allá sin parar. Tengo unas ganas de ducharme y tirarme en el sofá…

> ¿Has visto al nuevo camarero del bar de abajo? **Está como un queso**. Ahora, cuando vayamos a comer, por lo menos nos alegrará la vista.

> ¿Has leído la noticia sobre la estafa que ha hecho el empresario Martín? Desde luego, en esa familia **son todos unos chorizos**. Primero, los hijos fueron acusados de desfalco y ahora el padre.

> Ni novio me ha invitado a cenar esta noche porque quiere hablar conmigo y **estoy como un flan**. ¿Qué querrá? Espero que no sea nada grave.

> A Daniel le han debido de dar el ascenso porque me lo he encontrado en el ascensor y **estaba como unas castañuelas**.

b. E Comparad los resultados con el resto de la clase, ¿coinciden vuestras explicaciones? Entre todos, haced una ficha con cada una de las expresiones anteriores en la que expliquéis su significado, cuándo se usa, si es positiva o negativa, etc.

○ **Expresión:** Ser la pera/Ser la repera
Se usa en conversaciones coloquiales y sirve para calificar algo o a alguien de forma positiva o negativa. Ejemplos:

○ *¡Ha vuelto a suspender! Este chico es la pera.* (Valoración negativa)
Que nos den dos días libres es la pera. (Valoración positiva)

c. V En parejas, escribid en un papel situaciones en las que se puedan usar las expresiones anteriores. Después, pasádselas a otra pareja para que escriban la expresión que usarían en cada caso. ¿Han acertado?

d. G Lee estos diálogos y complétalos con el verbo *ser* o *estar* en la forma correcta.

1. ◆ Hola, Carlos.
   ◆ Hola, Marina. Oye, quería decirte que _____ muy amable al encargarte tú de preparar el *catering para la reunión del viernes.*
   ◆ Nada, hombre, no te preocupes. Yo tenía más tiempo que tú.

2. ◆ Oye, ayer _____ muy callado durante toda la cena, ¿te pasaba algo?
   ◆ No, nada. Es que estaba muy cansado.

3. ◆ Chicos, venga, a la mesa, que la comida _____ ya lista para servir.
   ◆ No, esperad un momento que la mesa _____ aún por poner.

GRAMÁTICA G

Algunos usos de *ser* y *estar*

Ser

– Con adjetivos valorativos que definen un comportamiento: *Has sido* muy amable al invitarme a comer.

– Contraste con el uso de *estar* cuando la cualidad se atribuye como delimitada: *Ayer, durante la cena con Carmen estuviste muy amable.*

Estar

– Sin adjetivo con *para* con valor final: *Sentaos a la mesa, la comida ya está para servir.*

– Sin adjetivo con *por* con valor de intención: *Estoy tan enfadada con él, que estoy por no invitarlo a comer.*

– Sin adjetivo con *por* para expresar que una acción está sin realizar: *No vengáis todavía, que la comida está por calentar.*

5. En la sala de espera

a. ¿Has tenido que ir alguna vez al médico porque te haya sentado mal una comida? ¿Qué síntomas tenías? ¿Eres alérgico a algún alimento? ¿Qué te pasa cuando lo comes? Coméntaselo a tus compañeros.

b. 15 Escucha varios diálogos y completa las tres primeras filas de la tabla.

	DIÁLOGO 1	DIÁLOGO 2	DIÁLOGO 3
¿Qué le pasa?			
¿Qué síntomas tiene?			
Partes del cuerpo afectadas			
¿Qué especialista tiene que tratarle?			

c. V ¿A qué especialista crees que debería ir cada una de las personas anteriores? Completa la última fila de la tabla.

d. V ¿Conocéis estas enfermedades? ¿Sabéis cuáles son algunos de sus síntomas? En parejas, relacionad cada enfermedad con los síntomas que la caracterizan. Algunas de ellas tienen una sintomatología común, así que puede haber más de una posibilidad.

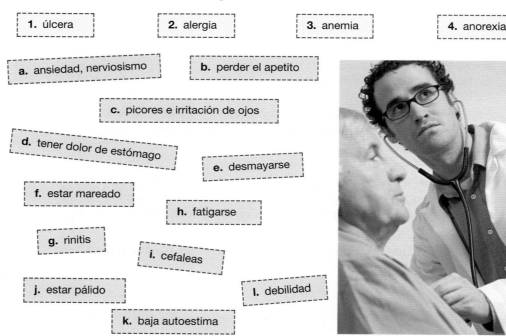

1. úlcera   **2.** alergia   **3.** anemia   **4.** anorexia

a. ansiedad, nerviosismo   **b.** perder el apetito

c. picores e irritación de ojos

d. tener dolor de estómago

e. desmayarse

f. estar mareado

h. fatigarse

g. rinitis

i. cefaleas

j. estar pálido   **l.** debilidad

k. baja autoestima

e. V ¿Cuándo ha sido la última vez que has ido al médico? ¿Qué te pasaba? Imagina que estás en España y que tienes que ir al médico porque tienes los mismos síntomas. Escribe un breve guión de lo que vas a decir.

f. E Muestra el guión a tu compañero. Tu compañero te podrá hacer preguntas para ver si ha entendido bien lo que te pasa. Seguro que te ayuda y te da seguridad.

6. ¿Cómo va eso?

a. (16) **Escucha una conversación entre Marian y Víctor.**
¿Qué le pasa a Víctor? ¿Por qué se encuentra así?

b. (16) [C] **Vuelve a escuchar la grabación e intenta completar esta tabla.**

PREGUNTAR POR EL ESTADO DE ÁNIMO	EXPRESAR MIEDO Y PREOCUPACIÓN	EXPRESAR EMPATÍA	EXPRESAR ESPERANZA

c. [C] **Completa los siguientes diálogos utilizando alguna de las expresiones del cuadro de comunicación. En algunos casos hay varias posibilidades.**

1. ◆ _____
   ◆ Nada.
   ◆ Pues tienes una cara… _____
   ◆ Nada, que estoy agobiado por lo de mi padre.
   ◆ Ya, bueno… _____

2. ◆ Te noto rara. _____
   ◆ Bueno, es que no me encuentro muy bien. Últimamente tengo unos dolores de cabeza… Además, el dolor se me concentra en un ojo y me molesta mucho la luz.
   ◆ _____ y luego, de repente, me desaparecieron.
   ◆ Pues _____ porque ya estoy harta.

3. ◆ _____
   ◆ Pues sí. Es que lo de las pruebas me agobia mucho. Ya sabes que soy un poco hipocondríaco.
   ◆ Ya, a mí también _____ las pruebas y los hospitales.

4. ◆ _____
   ◆ Es que han echado a varios compañeros de trabajo y _____
   ◆ ¡Venga, hombre! _____, pero el que hayan despedido a varios compañeros no significa que te vayan a despedir a ti.

5. ◆ ¿_____ Miguel?
   ◆ Bueno, regular… Está muy nervioso…
   ◆ ¡Uf! No me extraña… Solo de pensarlo _____
   ◆ Hombre, yo _____, ahora hay muchos adelantos.

d. [C] **En parejas, elegid uno de los diálogos y pensad qué relación puede haber entre los interlocutores, en qué situación se puede dar y ampliadlo un poco. Ensayadlo y prestad especial atención a la entonación. Después, representadlo ante vuestros compañeros y votad el diálogo que os haya sonado más natural.**

COMUNICACIÓN [C]

Preguntar por el estado de ánimo

- ◆ ¿Cómo lo llevas?
- ◆ ¿Cómo/Qué tal estás de ánimo?
- ◆ ¿Estás deprimido/mal/agobiado por algo/por lo de…?
- ◆ ¿Qué te ocurre/sucede/pasa?
- ◆ ¿Te pasa/ocurre algo?
- ◆ ¿No me vas a contar qué te ocurre?
- ◆ ¿Se puede saber lo que te pasa?
- ◆ ¿Por qué tienes esa cara?

Expresar miedo, ansiedad y preocupación

- ◆ Temo…
- ◆ Me agobio/Me agobia…
- ◆ Se me pone la piel/la carne de gallina.
- ◆ Tengo el corazón en un puño.
- ◆ Se me ponen los pelos de punta.
- ◆ ¡Me da un miedo!

Expresar empatía

- ◆ Me imagino lo que estás pasando.
- ◆ No me extraña (en absoluto) que te sientas así.
- ◆ A mí me pasó algo muy parecido.
- ◆ Me pongo en tu lugar.

Expresar esperanza

- ◆ Confío en que…
- ◆ Cruzo los dedos para que…
- ◆ Toco madera.
- ◆ La esperanza es lo último que se pierde.
- ◆ No/Nunca hay que perder la esperanza.

7. La comida en la literatura

a. 🔲 Cs ¿Has leído la novela o has visto la película *Como agua para chocolate*? ¿Sabes de qué va? ¿Qué sabes de la autora del libro? Toma notas de todo lo que que digan tus compañeros.

b. 📖 Cs Lee una breve biografía de la autora y el argumento de la novela y completa la información anterior.

> Laura Esquivel nació en 1950 en Ciudad de México. Mientras trabajaba como maestra, escribía cuentos y obras de teatro infantiles que representaba en un taller de teatro.
>
> En los años 80 se introdujo en el cine mexicano. Escribió el guión de la película *Chido guan, el Tacos de oro* (1985) que fue dirigida por el que entonces era su marido, Alfonso Arau.
>
> Su primera novela fue *Como agua para chocolate* (1989) con la que consiguió un gran éxito internacional. Su trama es la de un amor imposible entre Tita y Pedro. Tita es la menor de tres hermanas y está condenada a permanecer soltera, cuidando de su madre hasta que esta muera. Y Pedro, para estar cerca de Tita, se casa con su hermana Rosaura.
>
> La protagonista elabora platos capaces de transformar las emociones y el comportamiento de quienes los toman.

c. 🔲 Laura Esquivel ha escrito varios libros en los que la cocina tiene un papel muy importante. Uno de estos libros se titula *Íntimas suculencias* y en la contraportada de este libro aparece la siguiente afirmación. ¿Estás de acuerdo con ella?

> «Uno es lo que come, con quién lo come y cómo lo come.»

d. 📖 Lee este fragmento extraído de *Como agua para chocolate* y contesta a estas preguntas.

1. ¿Qué crees que celebran? ¿Qué palabras te han ayudado a averiguarlo?

2. ¿Qué les pasa a las personas que prueban el pastel?

3. ¿Qué síntomas produce en los invitados la «intoxicación»?

4. ¿A quién no le afecta ni emocional ni físicamente?

> Ya no le molestó para nada ver cómo Pedro y Rosaura iban de mesa en mesa brindando con los invitados, ni verlos bailar el vals, ni verlos más tarde partir el pastel. Ahora ella sabía que era cierto: Pedro la amaba. Se moría porque terminara el banquete para correr al lado de Nacha a contarle todo. Con impaciencia esperó a que todos comieran su pastel para poder retirarse. El manual de Carreño le impedía hacerlo antes, pero no le vedaba el flotar entre nubes mientras comía apuradamente su rebanada. Sus pensamientos la tenían tan ensimismada que no le permitieron observar que algo raro ocurría a su alrededor. Una inmensa nostalgia se adueñaba de todos los presentes en cuanto le daban el primer bocado al pastel. Inclusive Pedro, siempre tan propio, hacía un esfuerzo tremendo por contener las lágrimas. Y mamá Elena, que ni cuando su esposo murió había derramado una infeliz lágrima, lloraba silenciosamente. Y eso no fue todo, el llanto fue el primer síntoma de una intoxicación rara que tenía algo que ver con una gran melancolía y frustración que hizo presa de todos los invitados y los hizo terminar en el patio, los corrales y los baños añorando cada uno al amor de su vida. Ni uno solo escapó del hechizo y solo algunos afortunados llegaron a tiempo a los baños, los que no, participaron de la vomitona colectiva que se organizó en pleno patio. Bueno, la única a quien el pastel le hizo lo que el viento a Juárez fue a Tita. En cuanto terminó de comerlo abandonó la fiesta. Quería notificarle a Nacha cuanto antes que estaba en lo cierto al decir que Pedro solo la amaba a ella. Por ir imaginando la cara de felicidad que Nacha pondría no se percató de la desdicha que crecía a su paso hasta llegar a alcanzar niveles patéticamente alarmantes.
>
> Rosaura, entre arqueadas, tuvo que abandonar la mesa de honor.
>
> (Fuente: ESQUIVEL, L., *Como agua para chocolate,* Mondadori, 1990)

e. 🔲 Entre todos, ¿por qué creéis que se «intoxicaron» los invitados a la boda? ¿Qué creéis que pudo pasar después?

8. Celebraciones y comidas

a. 📖 [Cs] **El fragmento literario que acabas de leer corresponde a una celebración social donde la comida ocupa un papel importante. A continuación tienes dos textos que hablan de otras celebraciones en relación con la comida en Bolivia y en Chile. Los textos están mezclados. Relaciona cada texto con la foto correspondiente.**

a. En Bolivia, sobre todo en el área rural –al igual que en otros países de Hispanoamérica– esta fiesta es una celebración muy popular. En el país andino existe la creencia de que el 1 de noviembre los espíritus de los muertos retornan a sus moradas originarias, donde permanecen 24 horas.

b. Se celebra el 18 de septiembre para recordar que en ese día de 1810 en Chile se formó la Primera Junta Nacional de Gobierno, aunque su libertad total la obtuvo el 12 de febrero de 1818. El 19 de septiembre también es festivo, es el día de las Glorias Patrias.

c. Estas fiestas incluyen desfiles donde participan los guasos –vaqueros tradicionales de Chile– acompañados del son musical, no faltan las exhibiciones ni la cueca, el baile más tradicional. Todos los años se instalan las ramadas, que son como unas casetas cubiertas en su parte superior con pajas.

d. Sus familiares vivos para esta visita levantan en el cementerio o en un lugar preferente de la casa unos altares decorados con las comidas y las bebidas que les gustaban en vida a los difuntos y se invita a los amigos y familiares del muerto para compartir además de los rezos, las comidas típicas de este país.

e. El plato principal es el mondongo, un costillar de carne de cerdo, papas y maíz pelado –alimento muy usual en toda comida hispanoamericana–. También se elaboran dulces, los más comunes son las masitas que están hechas con harina de maíz, y bebidas dulces y amargas como representación de la vida y la muerte, la tradicional es la chicha, licor fuerte de color rosa o blanco.

f. El precio y el ambiente es lo que impulsa al público a entrar en uno u otro local, no la oferta gastronómica, ya que en todos se come y se bebe lo mismo: empanada de pino a un precio muy barato, para que todos la tomen y de forma abundante, y la chicha, alcohol elaborado de manera artesanal.

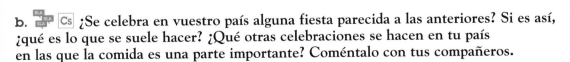

g. A mediodía empieza el ritual de despedir a las almas que deben regresar al mundo subterráneo. Esto se acompaña de una comida abundante, porque el muerto necesita mucha energía para su viaje de vuelta. El cementerio se transforma por unas cuantas horas en un gigantesco festín.

h. No obstante, esta bebida y comida no forman parte de la vida cotidiana de los chilenos, pero al tomarlas en esta fecha las convierten en suyas y entonces reproducen en cierta forma el sentimiento de nacionalismo.

b. 🗨️ [Cs] **¿Se celebra en vuestro país alguna fiesta parecida a las anteriores? Si es así, ¿qué es lo que se suele hacer? ¿Qué otras celebraciones se hacen en tu país en las que la comida es una parte importante? Coméntalo con tus compañeros.**

◆ *En mi país también se celebra el Día de Todos los Santos, pero de forma muy distinta. En mi familia, por ejemplo, mis padres suelen llevar flores a las tumbas de los parientes más cercanos: a mis abuelos y a mis tíos... Nosotros cuando éramos más pequeños los acompañábamos, pero ahora van ellos solos.*

c. 🗨️ [Cs] **Y tú, ¿qué ocasiones celebras saliendo a comer u organizando una comida en casa? Coméntalo con tus compañeros.**

COMUNICACIÓN

Preguntar y expresar gustos personales

◆ *¿Te agrada/Te gusta…?; ¿Te llama la atención?; Me agrada/Me llama la atención…*

Preguntar por el estado de ánimo

◆ *¿Cómo lo llevas?; ¿Cómo/Qué tal estás de ánimo?; ¿Estás deprimido/mal/agobiado por algo/por lo de…?; ¿Qué te ocurre/sucede/pasa?; ¿Te pasa/ocurre algo?*

Expresar miedo, ansiedad y preocupación

◆ *Temo…; Me agobio/Me agobia…; Se me pone la piel/ la carne de gallina; Tengo el corazón en un puño; Se me ponen los pelos de punta; ¡Me da un miedo!*

Expresar empatía

◆ *Me imagino lo que estás pasando; No me extraña (en absoluto) que te sientas así; A mí me pasó algo muy parecido; Me pongo en tu lugar.*

Expresar esperanza

◆ *Confío en que…; Cruzo los dedos para que…; Toco madera; La esperanza es lo último que se pierde; No/Nunca hay que perder la esperanza.*

VOCABULARIO

Verbos relacionados con la comida

Saborear, paladear, apreciar una comida/un plato…

Alimentos

Centollo, bogavante, perdiz, lubina...

Expresiones relacionadas con la comida y la salud

Estar como un tonel/una vaca/un fideo…

Expresiones y frases hechas

Ser la pera/un chorizo/pan comido...

Partes del cuerpo

Estómago, córnea, aparato digestivo, sistema circulatorio…

Enfermedades

Anorexia, bulimia, anemia, úlcera…

Síntomas

Perder el apetito/las ganas de comer, picar, escocer…

Médicos especialistas

Neurólogo, pediatra, otorrino, dermatólogo, fisioterapeuta…

GRAMÁTICA

Oraciones causales: nexos y conectores

Porque*: Juan come estupendamente **porque** su madre le hace la comida./Tiene que cuidarse y comer bien, **porque** me lo ha prometido.*

Que*: Deja de comer precocinados **que** vas a engordar un montón.*

Puesto que*, **ya que**, **dado que***: *Juan ha empezado a tener problemas digestivos **ya que** ha cambiado sus hábitos alimenticios.*

Como*: **Como** ahora vive solo, no cocina nada.*

Por*: Esto te pasa **por** comer tan mal, si te cuidaras un poco…*

Pues*: Han cambiado los hábitos **pues** el ritmo de vida ahora también ha cambiado.*

A causa de (que)*: **A causa de** los malos hábitos alimenticios está habiendo muchos problemas de obesidad.*

Gracias a (que)*: Conseguí adelgazar **gracias a que** fui a un nutricionista.*

Por culpa de (que)*: **Por culpa de** las revistas y de la publicidad cada vez hay más casos de anorexia y bulimia.*

Debido a (que)*: El paciente fue ingresado **debido a que** tenía muchas molestias.*

El modo en las oraciones causales

Cuando se niega la oración principal, pero no la causa, el verbo de la oración subordinada causal va en indicativo. En cambio, cuando también se niega la causa, el verbo de la subordinada va en subjuntivo. Esto solo ocurre con *porque*.

◆ *No se marcha porque **está** cansado.*
◆ *No se marcha porque **esté** cansado.*

Oraciones comparativas

De igualdad: *tan* + adjetivo/adverbio + ***como***; *tanto/a/ os/as* + sustantivo + ***como***

◆ *Come **tanta** verdura **como** yo.*

De superioridad: *más* + sustantivo/adjetivo/adverbio + ***que/de lo que/que lo que***; *más que* + verbo

◆ *Come mucho **más** sano **que** tú y **que** yo.*

De inferioridad: *menos* + sustantivo/adjetivo/adverbio + ***que/de lo que/que lo que***; *menos que* + verbo

◆ *Esta comida tiene **menos** calorías **de lo que** parece.*

De cantidad: *(no) más/menos de lo que*; *como si/igual que si*

◆ *Come mucho **más de lo que** crees.*
◆ *Físicamente está **como si** tuviera 10 años menos.*

Con valor consecutivo: *como para*; *cuanto más/menos… más/menos*

◆ ***Cuanto menos** comes **menos** hambre tienes.*

Algunos usos de *ser* y *estar*

Ser

– Con adjetivos valorativos que definen un comportamiento: ***Has sido** muy amable al invitarme a comer.*

– Contraste con el uso de *estar* cuando la cualidad se atribuye como delimitada: *Ayer, durante la cena con Carmen **estuviste** muy amable.*

Estar

– Sin adjetivo con *para* con valor final: *Sentaos a la mesa, la comida ya **está** para servir.*

– Sin adjetivo con *por* con valor de intención: *Estoy tan enfadada con él, que **estoy** por no invitarlo a comer.*

– Sin adjetivo con *por* para expresar que una acción está sin realizar: *No vengáis todavía, que la comida **está** por calentar.*

Consumidores compulsivos

En esta unidad vas a aprender:

- A interpretar y discutir sobre tertulias y textos relativos a la publicidad y al consumo

- A desenvolverte cuando estés de compras: expresar tus gustos y preferencias, pedir información específica, etc.

- A captar información emitida por megafonía

- A ser más autónomo en tu proceso de aprendizaje del español

COMUNICACIÓN	GRAMÁTICA	VOCABULARIO	CULTURA Y SOCIOCULTURA	TEXTOS
Preguntar por deseos y expresarlos Pedir objetos Pedir ayuda Preguntar y expresar preferencias o indiferencia	Uso de los pronombres personales en función de sujeto y de objeto directo e indirecto La incorrección del laísmo, leísmo y loísmo Usos del pronombre *se*	Consumo, comercio y compras Aprender una lengua: competencias y contenidos	La Procuraduría Federal del Consumidor de México: los derechos del consumidor La publicidad en España Hábitos de consumo en el mundo	Tertulias radiofónicas sobre consumo y publicidad Cuestionario sobre hábitos de compra Artículos sobre consumo Declaración de derechos Conversaciones cara a cara: en una tienda Mensaje por megafonía Publicidad de un supermercado Gráfico sobre el consumo de publicidad en España Texto sobre Peter Menzel

1. Consumo y consumismo

a. [V] Define con tus propias palabras estos términos: *consumo, consumismo, sociedad de consumo, consumidor* y *consumista.* Compara tus explicaciones con las de tus compañeros.

b. (17) Vas a escuchar un fragmento de una tertulia radiofónica en la que el escritor Vicente Verdú y el catedrático de Metafísica Ángel Gabilondo hablan sobre el consumo y el consumismo. Escúchalos y atribuye estas opiniones a uno u otro personaje.

	VICENTE VERDÚ	ÁNGEL GABILONDO
El problema comienza cuando la obsesión de consumir nos devora.		✓
El consumo manifiesta cómo es la persona que consume.		✓
Esa cultura del consumo ha roto con la idea de que gastar es una conducta reprochable.	✓	
La cultura del consumo es la cultura de la sociabilidad.	✓	

c. (17) Vuelve a escuchar la intervención de ambos contertulios. ¿Te sorprende alguna de sus afirmaciones? ¿Cuáles? Toma nota de ellas.

d. 📖 Lee ahora un fragmento de un artículo de Vicente Verdú titulado «El consumismo es un humanismo» y un fragmento de una opinión sobre el mismo. Resume con tus palabras los argumentos de ambos.

«Sin la fuerza del consumismo desfallecería la base del sistema y, en consecuencia, la producción, el empleo, la renta, las oportunidades de vivir y, ahora, además, el método automático de hacer el bien al prójimo. Dar limosna comprando, salvar a un pobre derrochando: el sistema se ha acoplado tanto con el consumo y el consumismo como la naturaleza con el reciclaje. Más consumo equivale a mayor prosperidad y grandes compras en Navidad son el buen augurio del año. Para todos. Puesto que el consumismo se ha reencarnado en humanismo.»

(Fuente: http://www.elpais.com/articuloCompleto/sociedad/consumismo/humanismo/elpepisoc_8/Tes)

«Es preciso denunciar que la sociedad que ama Verdú, a tenor de lo que se deduce de su fundamentalista artículo, atenta contra los principios éticos de sostenibilidad del planeta. Que la producción y consumos excesivos genera residuos y materiales tóxicos que a medio plazo están causando males irreparables al medio ambiente. Que el modelo, el sistema en el que se reconoce Verdú contribuye a la destrucción de nuestros bosques, a la producción a manta de contaminación y basura y de gases con efecto invernadero, con la subsiguiente influencia en los cambios climáticos que Verdú finge desconocer. Que el modelo de consumo excesivo o consumista en unos pocos países (ricos) lo único que trae consigo es la sobreexplotación de los recursos naturales, energía y agua, que son básicos para el desarrollo de todos los pueblos del planeta cuya aspiración consiste tan solo en sobrevivir y para las generaciones futuras que, según todas las previsiones, habitarán por miles de millones nuestro planeta.»

(Fuente: http://www.letra.org/spip/imprimir.php?id_article=914)

ESTRATEGIAS [E]

En un debate o discusión con más personas cuando te toque intervenir o cuando te pregunten, tómate tu tiempo para pensar. Nadie lo entenderá como una carencia de recursos o una falta de vocabulario, y seguro que encontrarás sin problemas la mejor forma de expresarte.

---

e. [BLA BLA BLA] ¿Con qué artículo estás más de acuerdo? ¿Por qué? Coméntalo con tus compañeros.

2. Y tú, ¿qué tipo de comprador eres?

a. 📖 V Completa este cuestionario sobre tus hábitos de compra.
Si necesitas ayuda con las palabras, puedes usar el diccionario.

---

1. En general, cuando vas a comprar al supermercado:
   a. Llevas una lista de la compra y, salvo excepciones, te atienes a ella rigurosamente.
   b. Vas por los pasillos casi en estado de trance cogiendo productos y al final sales con más de lo que imaginabas.
   c. Apuntas algunas cosas en un papel, pero dejas que la improvisación y las ofertas guíen tu camino.
   d. Evitas ir a comprar por todos los medios y siempre pones excusas para no tener que ir tú.

---

2. Cuando compras un producto en el supermercado, ¿qué es lo que más te seduce para llevártelo?
   a. Que esté en oferta. Todos los productos son más o menos iguales, así que cuanto más barato, mejor.
   b. Que el envase o la presentación sea atractiva. Para mí eso es señal de que el producto es de buena calidad.
   c. Que la marca te suene. Hay muchas marcas pirata por ahí que no son sino malas imitaciones de productos con solera.
   d. Que veas que mucha gente lo compra. Al fin y al cabo, la mayoría no suele equivocarse. Si lo compran, por algo será.

---

3. Cuando vas a adquirir un producto que cuesta bastante dinero:
   a. Haces un completísimo estudio de mercado, miras en revistas especializadas, consultas con amigos que entienden del tema y solo cuando has sopesado todos los pros y los contras, tomas la decisión.
   b. Te dejas guiar por el consejo del vendedor. Ellos conocen los productos y valoran las necesidades de los clientes.
   c. La mejor manera de comprar es dejarse llevar por la intuición.
   d. Lo piensas y lo piensas, dejas pasar el tiempo y no te decides, y, al final, o no lo compras o lo decides de cualquier manera en el momento.

---

4. Cuando compras, ¿qué forma de pago prefieres o sueles utilizar?
   a. Efectivo. Así controlas lo que te gastas, no te arriesgas a que te copien los datos de la tarjeta y te dejen sin blanca.
   b. Con la tarjeta de crédito. ¿Hay otro método en el siglo XXI?
   c. Depende, a veces la tarjeta, a veces en metálico. No tienes una norma fija.
   d. Ya compras casi todo por Internet, así que tienes una tarjeta de crédito especial para estos pagos.

---

5. ¿Qué tipo de anuncios te incitan más a consumir?
   a. Aquellos en los que aparecen mujeres u hombres atractivos presentando el producto; de alguna manera consumir ese producto es ser un poco como ellos.
   b. Los que se limitan a describir con cierta objetividad el producto.
   c. Los que son originales, sorprendentes, creativos.
   d. Aquellos presentados por personas famosas que admiras. Confías en ellos y crees que no harían publicidad de algo que no mereciese la pena.

---

b. 🗨 ¿Qué tipo de consumidor es tu compañero? Analiza sus respuestas y escribe una interpretación. Después, coméntaselo. ¿Está de acuerdo con tu análisis?

c. 🗨 Comenta tus respuestas con tus compañeros. ¿Qué tipos de consumidores hay en el aula: compulsivos, responsables, contenidos…?

3. El buen comprador

a. ▯ V Lee los siguientes consejos para ser un buen comprador y complétalos con los términos que faltan.

FABRICANTE	EN EFECTIVO	RELACIÓN	CONSUMO	SALDOS	PERSUASIÓN	LIQUIDACIONES
ESTABLECIMIENTO	PRESUPUESTO	GASTOS	REBAJAS	CLIENTES	PRODUCTOS	FACTURA

PERFIL DEL BUEN COMPRADOR

Poseer buenos hábitos de consumo ayuda a mejorar la economía personal y familiar. Los siguientes puntos le ayudarán a ser un buen comprador:

■ **Planificar las compras y el _____.** La elaboración de una lista con lo que se desea comprar y gastar es una buena estrategia. La lista de la compra puede evitar la tentación de adquirir productos que en realidad no se necesitan y que al final suelen incrementar considerablemente los _____.

■ **Leer el etiquetado.** Características como la composición, la calidad o el _____ pueden ser signos que ayuden a decidir si se trata de un producto con una buena _____ calidad–precio.

■ **Conservar siempre el *ticket* de compra o la _____.** En casos de devolución es siempre necesario.

■ **Comparar calidades y precios.** No todos los establecimientos poseen los mismos precios. Por eso, lo ideal sería poder compararlos, ya que al lado del _____ habitual, es posible que se encuentren los mismos productos a precios más bajos.

■ **Procurar pagar _____.** Saber cuánto se gasta en cada momento y cuánto se queda en el monedero ayuda a controlar más los gastos. Por tanto, es aconsejable utilizar las tarjetas de crédito solo en contadas ocasiones y llevar un control sobre ese gasto.

■ **Estar informado.** Tan importante como comprar es conocer las vías para informarse y reclamar aspectos relacionados con el _____. Las Oficinas Municipales de Información al Consumidor y las Asociaciones de Consumidores y Usuarios son algunos de los recursos que los consumidores tienen a su disposición.

■ **Saber distinguir entre rebajas, liquidaciones y saldos.** Las _____ incluyen productos que se venden de fin de temporada y por ello se reduce el precio. Las _____ son ventas especiales debidas a cierres de negocio o a cambio en el tipo de productos que se han ofrecido hasta el momento. Los _____ son los artículos que bien por defecto o tara, bien por haber quedado obsoletos, son vendidos a precios más bajos de lo habitual.

■ **Evitar los momentos de mayor aglomeración.** Las prisas y el agobio de gente pueden hacer que se adquieran _____ sin pensar en si son los más adecuados. Las compras navideñas u otras fechas señaladas pueden realizarse antes de los días típicos. Seguramente sea más fácil encontrar mejores precios y más variedad, distribuir el gasto y comprar más relajadamente.

■ **No dejarse influir por la publicidad.** La publicidad utiliza técnicas de _____ que hacen adquirir muchos productos por el mero hecho de aparecer atractivos a los ojos de los clientes. Cuando vaya al supermercado, tenga en cuenta que la situación de las luces puede hacer que un producto sea muy atractivo (carne roja y brillante) cuando en realidad no es así. Además, la música lenta hace que los _____ se sientan relajados y permanezcan un mayor tiempo en el establecimiento que la música animada.

(Fuente: http://www.mundogar.com/ideas/ficha.asp?ID=13829)

b. 🔲 Después de leer estos consejos, ¿te consideras un buen comprador? Coméntalo con tus compañeros.

4. Los derechos de los consumidores

a. ¿Sabes cuáles son tus derechos como consumidor? ¿Puedes nombrar alguno? Redactad entre todos una lista.

b. Leed los 25 derechos básicos del consumidor que ha establecido la Procuraduría Federal del Consumidor (Profeco) de México y comparadlos con vuestra lista. ¿Cuáles se recogían?

Los 25 derechos básicos del consumidor

1. Recibir información suficiente y veraz sobre los productos que deseamos adquirir o los servicios que queremos contratar.
2. Que los términos de la garantía sean claros y precisos.
3. Recibir información que nos advierta sobre los riesgos de los productos o servicios.
4. Adquirir los productos que se encuentren en existencia sin negativa o condicionamiento de venta.
5. Disfrutar de los beneficios que se especifiquen en las promociones y ofertas.
6. Recibir información detallada sobre plazos y condiciones de operaciones a crédito.
7. Que el cobro de intereses por compras a crédito sea justo.
8. La devolución del dinero, la reparación o el cambio del producto cuando tenga algún defecto o vicio oculto.
9. Recibir el reembolso cuando se pague más del precio máximo determinado o estipulado.
10. La reposición del producto cuando el contenido sea menor al que indique su empaque.
11. La reposición del producto cuando no reúna las condiciones ofrecidas.
12. Recibir comprobantes de las operaciones comerciales.
13. Un servicio de calidad, utilizando partes nuevas y adecuadas en la reparación de toda clase de productos.
14. Ser indemnizado cuando resulte averiado el producto que recibió mantenimiento o reparación.
15. Que las tarifas de los servicios se exhiban a la vista del público.
16. Disfrutar de los servicios que se ofrecen al público en general y en igualdad de condiciones.
17. Solicitar la intervención de la Procuraduría Federal del Consumidor (Profeco) cuando se afecten nuestros derechos.
18. Recibir el contrato de adhesión redactado en español (castellano) y con letra legible.
19. Que se respete la integridad personal.
20. La revocación del consentimiento en operaciones que se realicen fuera del local comercial.
21. Recibir información suficiente, clara y veraz, sobre la adquisición de tiempos compartidos.
22. El cumplimiento de la entrega de bienes inmuebles.
23. Que no se apliquen cuotas o tarifas adicionales al consumidor con alguna discapacidad.
24. Que no se condicione o limite el uso de bienes o servicios al consumidor con alguna discapacidad.
25. La seguridad, veracidad y confidencialidad en las operaciones efectuadas a través de medios electrónicos, ópticos o de cualquier tecnología.

(Fuente: http://www.emexico.gob.mx/work/minicursos/mini_consumismo/main.htm)

c. ¿Has visto alguna vez vulnerados alguno de los derechos anteriores como consumidor? ¿Cuáles y cómo? Coméntalo con tus compañeros.

d. Cs ¿Existe en tu país alguna institución que, como Profeco en México, se ocupe de promover el desarrollo de consumidores y proveedores para que ejerzan sus derechos y cumplan sus obligaciones? Coméntalo con tus compañeros.

5. En la tienda

a. [C] Ordena las intervenciones de los fragmentos de un diálogo que se desarrolla entre unas clientas y un vendedor.

[1] Buenos días.

[4] La 42, por favor.

[3] Sí, por favor, ¿sería tan amable de enseñarme el pantalón rojo del escaparate?

[6] Faltaría más. ¿Qué talla desearía?

[5] Sí, claro. También lo tenemos en azul, negro y beis.

[7] Ah, ¿me haría el favor entonces de mostrármelo también en azul y en beis?

[2] Buenos días, señoras. ¿Puedo ayudarlas en algo?

***

[3] Sí, claro. Ahora mismo voy.

[2] Me he probado el rojo y me queda un poco justo. ¿Serías tan amable de pedirle al dependiente que me los saque en una talla más, en la 44?

[1] Marta, ¿qué tal?, ¿cómo te quedan?

***

[3] ¿Y con cuál te quedas?

[4] Creo que me quedo con el beis, que me va con todo.

[2] Muy bien, esta sí es mi talla. Me he probado los tres y me gustan mucho. ¡Quién pudiera comprarse los tres!

[1] ¿Qué tal? ¿Te los has probado ya? ¿Qué tal te quedan?

b. (18) Escucha el diálogo íntegro y completa el cuadro de comunicación con los exponentes que escuches.

c. (18) ¿Qué derechos del consumidor se han vulnerado en la compra que has escuchado? Coméntalo con tus compañeros.

d. [C] Ahora os toca a vosotros. En parejas, imaginad una situación en la que unos clientes vayan a comprar algo y se vulnere alguno de sus derechos como consumidores. Después, representadla en clase.

e. ⊙ Observa las representaciones de tus compañeros y toma nota de los derechos del consumidor que se han vulnerado.
Después, entre todos, decidid qué haríais en cada uno de los casos.

COMUNICACIÓN [C]

Preguntar por deseos

◆ ¿Qué modelo/talla desea/ _desearía_ ?

◆ ¿Cuál (de estos dos vestidos) desearía probarse?

Expresar deseos

◆ ¡Qué ganas tengo de/por…!

◆ Me muero de ganas de/por…

◆ Lo ideal sería…

◆ Si _____ …

◆ Mi sueño/Mi deseo sería…

◆ ¡Que haya de mi talla…!

◆ ¡Quién _____ !

si pudiera hacerme un favor

Pedir objetos

◆ ¿Podría hacerme/Me _____ el favor de enseñarme/mostrarme ese otro modelo?

◆ ¿Tendría la amabilidad/bondad de…?

◆ ¿Sería tan amable de…?

◆ ¿Sería mucho pedir que…?

◆ Le estaría muy agradecido/Le agradecería que…

◆ Necesitaría que…

Pedir ayuda

◆ ¿Podría ayudarme/Me haría el favor de ayudarme con…?

◆ ¿Sería tan _amable_ de…?

◆ Le agradecería (mucho) que me ayudara.

Preguntar por preferencias

◆ ¿Te has decidido ya por…?

◆ ¿Por cuál te decides?

◆ ¿Con cuál _____ ?

Expresar preferencia

◆ Si tengo que elegir…

◆ Si me dan a elegir…

◆ _____ con… _me quedo_

◆ Me decido por…

Expresar indiferencia o ausencia de preferencia

◆ Si quieres comprártelo, cómpratelo.

◆ Si quiere comprárselo, que se lo compre.

◆ ¡Qué más da! — _who cares_

◆ ¡Y qué _importa_ el precio!

6. En nuestra sección de...

a. [BLA BLA BLA] De la publicidad de los supermercados, ¿qué atrae más tu atención: el folleto con las ofertas que recibes en tu buzón o los anuncios por megafonía en el propio supermercado? Cuando vas por los pasillos viendo los productos de las estanterías, ¿escuchas realmente esos anuncios? Coméntalo con tus compañeros.

b. (19) [V] Has recibido este folleto de un supermercado con algunas ofertas. Acudes allí para comprar y escuchas algunas de las ofertas por el sistema de megafonía, pero ¿coinciden con las del folleto? Señala los casos en que esto no es así.

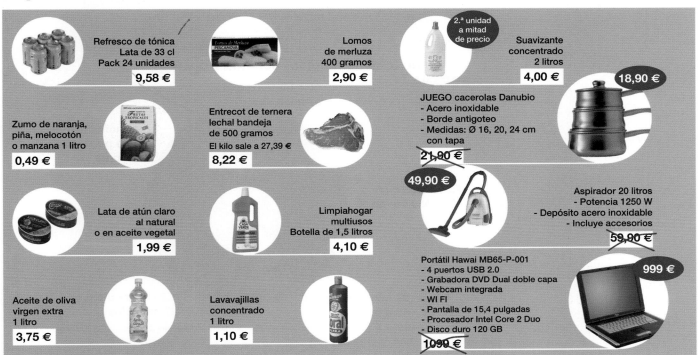

c. [V] En este diálogo de una compra en el supermercado faltan algunas palabras que han aparecido en el ejercicio anterior. ¿Puedes completarlo?

Ricardo: Bueno, vamos a ver, ¿qué necesitamos de este pasillo?

Maribel: Detergente líquido y _____ para la ropa. ¿A ver los precios? Nos llevamos este.

Ricardo: ¿Y de aquí?

Maribel: Vamos a llevarnos unos _____ de ternera. A los chicos les gusta mucho. Y, además, están de oferta.

Ricardo: Ah sí, y no se nos tiene que olvidar coger unas *latas* de refrescos y unos *tetrabrik* de *zumo* de melocotón, que me lo dijeron esta mañana.

Maribel: Vale, pero luego vamos también a donde las cosas de cocina porque quería comprar unas sartenes de *acero* inoxidable para cuando nos vayamos al apartamento en la playa.

Ricardo: Ah, pues mira, voy a ir yo mientras a la sección de informática porque quiero ver los precios de los ordenadores *portátiles* por si hay alguna buena oferta. Quería comprarme uno para poder trabajar en la playa.

7. Anuncios, anuncios…

a. 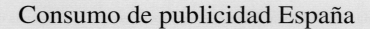 ¿Cuántos anuncios calculas que ves o escuchas a lo largo del día? ¿Cuál crees que es el medio de comunicación más efectivo? ¿Por qué? Coméntalo con tus compañeros y comparad las cifras con los datos sobre España.

Consumo de publicidad España

Un ciudadano de una gran urbe recibe cada día en España cerca de 3 000 impresiones publicitarias. En el gráfico se muestran algunos de los medios que canalizan diariamente la publicidad.

(Datos de la consultora Millward Brown, noviembre de 2003)

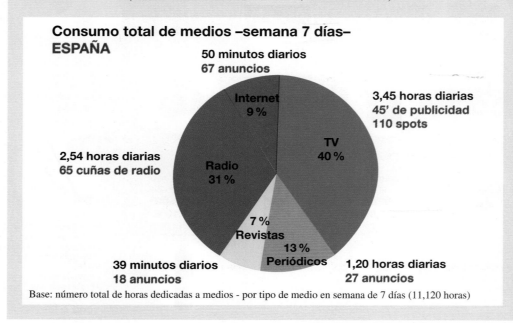

Consumo total de medios –semana 7 días– ESPAÑA

50 minutos diarios
67 anuncios

Internet 9 %

3,45 horas diarias
45' de publicidad
110 spots

TV 40 %

2,54 horas diarias
65 cuñas de radio

Radio 31 %

7 % Revistas

13 % Periódicos

1,20 horas diarias
27 anuncios

39 minutos diarios
18 anuncios

Base: número total de horas dedicadas a medios - por tipo de medio en semana de 7 días (11,120 horas)

b. 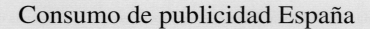 ¿Crees que la publicidad que hay en tu país refleja el modo de vida de sus habitantes? ¿Por qué? Piensa en algún anuncio que sirva de ejemplo.

c. **20** Ahora vas a escuchar una grabación en la que dos directivos de empresas publicitarias hablan de ello. Después, contesta las preguntas.

1. ¿Qué relación establecen los dos invitados entre la publicidad y la cultura o el modo de vida de un país?
2. ¿Qué datos sobre el volumen de publicidad de España se mencionan en la entrevista? ¿De qué son indicio?
3. ¿Cuáles son los dos procesos que intervienen en la creación de un anuncio? ¿Cómo se relacionan?
4. A lo largo de la entrevista, ¿cómo definirías el grado de acuerdo entre los dos invitados?

d. En la entrevista se mencionan algunos anuncios o campañas que han tenido mucho impacto en España. ¿Puedes recordar algunos anuncios que te hayan parecido particularmente impactantes? Coméntalo con tus compañeros. ¿Los conocen?

8. Problemas con los pronombres

a. G Daniela y Tolya están aprendiendo español y tienen algunas dudas sobre el uso de los pronombres. Intentad ayudarlas dándoles una explicación lo más sencilla posible. El cuadro de gramática os puede ayudar.

> El profesor siempre dice que no digamos *yo salí, él llegó, ellas comieron* sino *salí, llegó, comieron*, pero ¿qué pasa con frases como *Tú te callas, ¡Tú hazme caso! ¡Si no he sido yo! Al salir él, ella se fue, No limpies el horno, se limpia él solo.*

> Oye, ¿tú sabes qué diferencia hay entre *Si quieres, coge* y *Si quieres, cógelos*?

> ¿Y entre *Comí un filete* y *Me comí un filete* o *He estudiado tres temas* y *Me he estudiado tres temas*?

> Por favor, ¿alguien puede explicarme por qué está mal *La dijo que viniera* y bien *La dejó que viniera*? Solo hay una vocal de diferencia.

> Aquí dice que se puede decir *Voy a arreglarlo* y *Lo voy a arreglar*, que no hay diferencia. ¿Será así con todos los verbos?

> ¿Por qué es incorrecta la oración *Pásamele*, si nos referimos a un paraguas?

> ¿Y la oración *Lo di un sobre a Pedro*?, ¿es correcta?

> ¿Qué diferencia hay entre *Lo hizo para sí* y *Lo hizo para él*?

b. G Transforma estas oraciones utilizando la forma *se*.

1. Convencen a la gente con publicidad engañosa.
   A la gente _____.
2. Nadie pone freno al sexismo en los anuncios.
   No _____.
3. Manipulan el lenguaje publicitario poniendo palabras que nadie entiende o que ni existen para impresionar a los incautos.
   Para impresionar _____.
4. Dicen que en los cincuenta y en los sesenta utilizaban mucha propaganda subliminal.
   _____ que en los cincuenta y en los sesenta _____.
5. En la televisión destrozan las películas con tanto corte publicitario.
   En la televisión _____.

GRAMÁTICA G
Uso de los pronombres personales

En función de sujeto (*yo*, *tú*, etc.)

Aparecen si: deshacen una ambigüedad, contrastan, enfatizan y si van seguidos de *solo* o *mismo*.

En función de objeto directo (*me*, *te*, *lo*, *la*, etc.)

Con algunos verbos la presencia o ausencia supone un cambio de matiz: *¿Me das?* [se sobrentiende que algunos]/*¿Me los das?* [se sobrentiende que todos].

En función de objeto indirecto (*me*, *te*, *le*, *se*, etc.)

Con algunos verbos de consumo (*comer, beber, comprar, leer*, etc.) la presencia o ausencia del pronombre supone un cambio de matiz: *Todos los días leo el periódico* / *Todos los días **me** leo el periódico* [se sobrentiende que se lo lee entero].

Usos incorrectos de los pronombres: el leísmo, el laísmo y el loísmo

El **leísmo** consiste en la utilización de los pronombres *le* y *les* en función de objeto directo: *Vi a Pedro y a Juan →*Les vi.*

El **laísmo** consiste en el uso incorrecto del pronombre personal femenino de objeto directo *la* en lugar del correcto *le* de objeto indirecto: **La dieron un regalo a María.*

El **loísmo** consiste en emplear incorrectamente los pronombres *lo, los* en función de objeto indirecto: **Lo pegó un puñetazo.*

Uso de los pronombres con las perífrasis verbales

En las perífrasis verbales con verbos modales y aspectuales (*poder, deber, querer, ir a, empezar a, volver a...*) es posible colocar el pronombre complemento tras el infinitivo o precediendo al verbo conjugado: *Quiero ver**lo*** – ***Lo** quiero ver*.

Usos del pronombre *se*

El pronombre *se* se usa:

– Para generalizar y cuando no se quiere nombrar al sujeto que realiza la acción: ***Se** dice que es fácil hacerlo*, *En la televisión **se** gastan millones en anuncios.*

– En construcciones con los pronombres *me*, *te* y *le* cuando se quiere restar responsabilidad: ***Se me** rompió la radio.*

9. Consumo intercultural

a. 📖 Cs Lee atentamente el siguiente texto. Coloca los fragmentos que faltan.

La familia Costa, La Habana (Cuba).

La familia Castillo Balderas, Guadalajara (México).

Las fotografías de Peter Menzel

Seguramente hay muchas maneras de aproximarse al consumo intercultural, pero quizá una de las más visuales sea hacer un recorrido por la obra del fotógrafo estadounidense Peter Menzel. Aunque vivamos en un mundo global, aunque las empresas multinacionales no entiendan de fronteras y aunque, en teoría, uno encuentra lo mismo dondequiera que vaya, la realidad es que las pertenencias de una familia de Kuwait son muy diferentes de las de una familia de Ecuador, o el gasto medio en alimentación de una familia de México es muy diferente al de una familia alemana como lo es también el contenido de su cesta de la compra. _____1_____. Menzel alcanzó la fama con la publicación en 1994 de su libro *Material World: A Global Family Portrait* en el que mostraba en 350 instantáneas a 30 familias de todo el mundo desde Sudáfrica a Mongolia y desde Japón a Islandia con buena parte de sus pertenencias en los umbrales de sus casas. El observador interesado tiene así la posibilidad de ver una reveladora exposición de su cotidianeidad así como de apreciar la disparidad económica entre unos países y otros,_____2_____. Impacta, entre otros muchos contrastes, ver las escasísimas pertenencias de la familia de Mali con los cuatro coches, el sofá de casi 14 metros de largo y las 12 alfombras orientales de la familia kuwaití. Para hacer esta radiografía antropológica, Menzel pasaba una semana conviviendo con las familias antes de disparar el objetivo de la cámara en el retrato de familia final.

En 1998 publicó su libro *Man eating bugs*, _____3_____, esto es, al consumo alimenticio de insectos. Como él indica en su página web, antes de la comida rápida, de la agricultura, incluso de la caza a gran escala, nuestros antepasados prehistóricos se alimentaban de insectos al igual que hoy se sigue haciendo en algunas regiones del mundo.

Por último, en 2005 con *Hungry Planet*, una variación sobre su primera obra, nos da una panorámica de los hábitos alimenticios y el índice de consumo de 30 familias de todo el mundo._____ 4_____, se nos retrata a las familias en casa, en el mercado, en la comunidad, se nos dan recetas de cocina y podemos contrastar, por ejemplo, los 500,07 dólares de gasto medio semanal de una familia alemana con el 1,62 de una del Chad, pasando por los 189,09 de una mexicana o los 31,55 de una ecuatoriana.

a. una sorprendente excursión al mundo de la entomofagia

b. Así se nos detallan las compras semanales

c. Eso es justamente lo que ha documentado este fotógrafo *freelance* de una manera espectacular, atractiva y que invita directamente a la reflexión

d. tanto en términos cuantitativos como desde una óptica cualitativa

b. 🔲 Cs ¿En qué lugar situarías a tu país en la escala de gastos? ¿Cuál sería el gasto medio que estimarías para una familia de tu país?

10. Reflexionando sobre lo que hacemos

a. 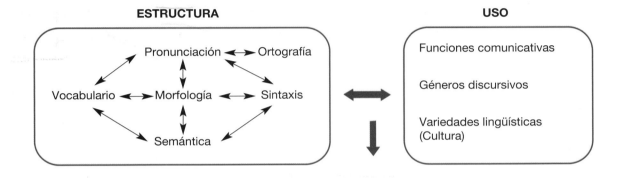 [E] Aprender una lengua es conocer y dominar un complejísimo sistema con muchísimas interconexiones. Fíjate en el gráfico. En parejas, intentad relacionar estos casos con el apartado o apartados del gráfico correspondientes.

◆ *Yo creo que comprender un programa de radio se podría relacionar con la comprensión auditiva, ¿no?*

1. la diferencia en español entre *bonito*, *bello*, *mono* y *guapo*
2. comprender un programa radiofónico
3. pedir disculpas
4. el uso de la tilde
5. participar en un *chat*

6. la lectura del periódico
7. la diferencia entre *fallecer*, *morir* y *palmarla*
8. el proceso lingüístico implicado en alquilar un piso
9. la conjugación de verbos irregulares
10. la diferencia entre *aunque* con indicativo y con subjuntivo

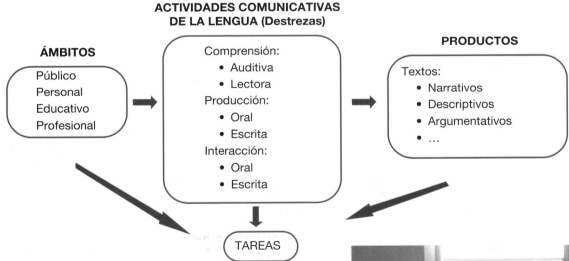

ESTRUCTURA

Pronunciación ⟷ Ortografía
Vocabulario ⟷ Morfología ⟷ Sintaxis
Semántica

USO

Funciones comunicativas

Géneros discursivos

Variedades lingüísticas
(Cultura)

ACTIVIDADES COMUNICATIVAS DE LA LENGUA (Destrezas)

ÁMBITOS

Público
Personal
Educativo
Profesional

Comprensión:
• Auditiva
• Lectora
Producción:
• Oral
• Escrita
Interacción:
• Oral
• Escrita

PRODUCTOS

Textos:
• Narrativos
• Descriptivos
• Argumentativos
• …

TAREAS

b. 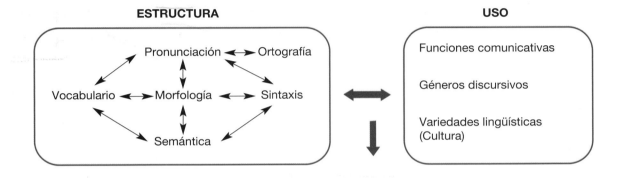 [E] Dentro de los apartados del gráfico, ¿en cuáles estás más interesado? ¿Por qué? Contrástalo con tus compañeros.

c. 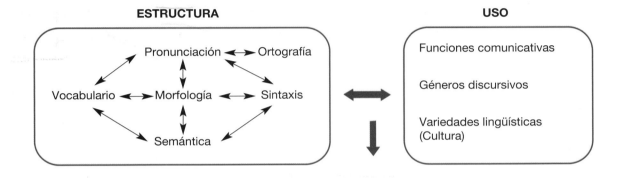 [E] Además de asistir a clase, ¿qué otras cosas haces por tu cuenta para mejorar tu dominio de aquellos aspectos del español que más te interesan: ver la tele en español, leer algún periódico…? Compártelo con tus compañeros.

COMUNICACIÓN

Preguntar por deseos

◆ *¿Qué modelo/talla desea/desearía?; ¿Cuál (de estos dos vestidos) desearía probarse?*

Expresar deseos

◆ *¡Qué ganas tengo de/por…!; Me muero de ganas de/por…; Lo ideal sería…; Si pudiera…; Mi sueño/Mi deseo sería…; ¡Que haya de mi talla…!; ¡Quién pudiera!*

Pedir objetos

◆ *¿Podría hacerme/Me harías el favor de enseñarme/ mostrarme ese otro modelo?; ¿Tendría la amabilidad/bondad de…?; ¿Sería tan amable de…?; ¿Sería mucho pedir que…?; Le estaría muy agradecido/Le agradecería que…; Necesitaría que…*

Pedir ayuda

◆ *¿Podría ayudarme/Me haría el favor de ayudarme con…?; ¿Sería tan amable de…?; Le agradecería (mucho) que me ayudara.*

Preguntar por preferencias

◆ *¿Te has decidido ya por…?; ¿Por cuál te decides?; ¿Con cuál te quedas?*

Expresar preferencia

◆ *Si tengo que elegir…; Si me dan a elegir…; Me quedo con…; Me decido por…*

Expresar indiferencia o ausencia de preferencia

◆ *Si quieres comprártelo, cómpratelo; Si quiere comprárselo, que se lo compre; ¡Qué más da!; ¡Y qué importa el precio!*

VOCABULARIO

Consumo, comercio y compras

Lista de la compra, presupuesto, rebajas, factura, en efectivo, etiquetado, *ticket* de compra, garantía, sección de menaje…

Aprender una lengua: competencias y contenidos

Pronunciación, ortografía, semántica, géneros discursivos, textos, interacción, ámbito…

GRAMÁTICA

Uso de los pronombres personales

En función de sujeto (*yo, tú*, etc.)

Aparecen si: deshacen una ambigüedad, contrastan, enfatizan y si van seguidos de *solo* o *mismo*.

En función de objeto directo (*me, te, lo, la*, etc.)

Con algunos verbos la presencia o ausencia supone un cambio de matiz:

◆ *¿Me das?* [se sobrentiende que algunos]
◆ *¿Me los das?* [se sobrentiende que todos]

En función de objeto indirecto (*me, te, le, se*, etc.)

Con algunos verbos de consumo (*comer, beber, comprar, leer*, etc.) la presencia o ausencia del pronombre supone un cambio de matiz:

◆ *Todos los días leo el periódico.*
◆ *Todos los días me leo el periódico* [se sobrentiende que se lo lee entero].

Usos incorrectos de los pronombres: el leísmo, el laísmo y el loísmo

El **leísmo** consiste en la utilización de los pronombres *le* y *les* en función de objeto directo:

◆ *Vi a Pedro y a Juan →*Les vi.*

El **laísmo** consiste en el uso incorrecto del pronombre personal femenino de objeto directo *la* en lugar del correcto *le* de objeto indirecto:

◆ **La dieron un regalo a María.*

El **loísmo** consiste en emplear incorrectamente los pronombres *lo, los* en función de objeto indirecto:

◆ **Lo pegó un puñetazo.*

Uso de los pronombres con las perífrasis verbales

En las perífrasis verbales con verbos modales y aspectuales (*poder, deber, querer, ir a, empezar a, volver a…*) es posible colocar el pronombre complemento tras el infinitivo o precediendo al verbo conjugado:

◆ *Quiero verlo – Lo quiero ver.*

Usos del pronombre *se*

El pronombre ***se*** se usa:

– Para generalizar y cuando no se quiere nombrar al sujeto que realiza la acción:

◆ ***Se*** *dice que es fácil hacerlo.*
◆ *En la televisión* ***se*** *gastan millones en anuncios.*

– En construcciones con los pronombres *me, te* y *le* cuando se quiere restar responsabilidad:

◆ ***Se me*** *rompió la radio.*

Animales sociales

En esta unidad vas a aprender:

- A seguir una entrevista radiofónica y analizar su contenido

- A expresar tu opinión en un foro de Internet

- A expresar tus sentimientos y sensaciones

- A hacer hipótesis

- A agradecer y a disculparte

- Cuáles son los principales medios de comunicación en España e Hispanoamérica

muy cercana

COMUNICACIÓN

Expresar diversión
y aburrimiento

Expresar vergüenza

Expresar enfado
e indignación

Invitar a formular
una hipótesis

Agradecer

Responder
a un agradecimiento

Disculparse

Responder a una disculpa

GRAMÁTICA

Oraciones condicionales:
si + indicativo, indicativo;
si + imperfecto de
subjuntivo, condicional
simple;
si + pluscuamperfecto
de subjuntivo,
pluscuamperfecto
de subjuntivo/condicional

Nexos y conectores
condicionales: *con tal (de)
que, mientras, como...*

contexto is muy importante

VOCABULARIO

Los medios
de comunicación: la prensa
escrita, la radio
y la televisión

Expresiones y frases
hechas

Relaciones sociales

CULTURA Y SOCIOCULTURA

Cadenas de radio
y televisión en España

Periódicos
de Hispanoamérica

La influencia de los medios
de comunicación
en las relaciones
personales

Malentendidos culturales

TEXTOS

Textos divulgativos
sobre los medios
de comunicación

Texto narrativo: Juan José
Millás

Entrevista radiofónica
sobre cómo las nuevas
tecnologías están
cambiando las relaciones
personales

Foro de debate sobre
el sentido de pertenencia

Cuestionario para
comprobar si eres sociable

Programa de radio sobre
relaciones personales

Testimonios de varias
personas sobre
malentendidos culturales

1. La era de la información

a. Aquí tienes tres maneras de acceder a la información.
¿Qué crees que ha aportado cada una de ellas? ¿Con cuál te sientes
más identificado y por qué? Toma notas y después coméntalo
con tus compañeros.

b. ¿Conoces algún programa de televisión español o hispanoamericano?
¿Qué es lo que más te gusta? ¿Qué opinas de la calidad
de los programas? ¿Hay mucha diferencia con la televisión en tu país?
Coméntalo con tus compañeros.

c. **21** Cs Escucha una información sobre las diferentes cadenas de radio
y televisión en España y completa esta tabla.

NOMBRE DE LA CADENA	PÚBLICA O PRIVADA	DATOS MÁS IMPORTANTES	
1 RTVE		oficial Publica 1952 2 canales	
2 Antena 3	privada	Condinidos Gereales	
3 tele 5		magazin	
4 ⊅ +	pri	2003 multi canals Cine + Deportes	
5 Ser		Mas antiguo radio Prisa	
6 Rne	pub.	1973 3rd antocero	
7 Cope	Pri	populare catholico, acionista.	
8			

d. 📖 V Lee esta información sobre algunos periódicos de Hispanoamérica y escribe las palabras del cuadro en el lugar correspondiente. Si lo necesitas, puedes usar el diccionario.

> DIARIOS   ROTATIVA   IMPRESIÓN   EDICIÓN   EDITORIALES
> EDITADO   IMPRIMIÓ   TIRADA   PORTADA   SUPLEMENTOS

EL UNIVERSAL

Clarín vio la luz el 28 de agosto de 1945. En la actualidad es uno de los periódicos que tiene mayor _tirada_ en el mundo de habla hispana, especialmente los domingos por la calidad de sus _suplementos_. Es el segundo diario en español más leído en Internet.

La primera _edición_ de *El Mercurio* se publicó el 1 de junio de 1900. _editado_ en un primer momento en Valparaíso y posteriormente en Santiago, siempre ha destacado por ser uno de los más influyentes de América del Sur y por ser pionero en nuevas técnicas relacionadas con la composición e impresión.

El País es un diario de circulación nacional cuya primera edición es del 14 de septiembre de 1918. Este periódico rioplatense fue pionero en la _impresión_ offset y el primero de América del Sur que lanzó una _portada_ en color, en 1945.

El Comercio se fundó en 1839, lo cual lo convierte en uno de los _diarios_ más antiguos en lengua castellana. Ha ejercido siempre una fuerte influencia en cuestiones políticas y sociales. Conocidos son sus _editoriales_ críticos contra el expresidente Fujimori.

El Universal nació el 1 de octubre de 1916. El objetivo del nuevo diario era dar la palabra a los postulados surgidos de la Revolución Mexicana. En su _rotativa_ se _imprimió_ la primera Constitución Política del país, en 1917.

e. Cs ¿Sabes en qué países se editan los periódicos anteriores? Relaciona. Puedes encontrar algunas pistas en los textos anteriores.

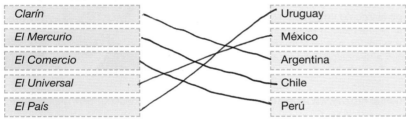

Clarín	Uruguay
El Mercurio	México
El Comercio	Argentina
El Universal	Chile
El País	Perú

f. V Lee las siguientes oraciones relacionadas con la prensa escrita, la radio y la televisión e intenta completarlas. Para corregirlas puedes ayudarte del cuadro de vocabulario.

1. En la actualidad todo periódico que se precie debe tener una _Edición_ electrónica. Si no estás en Internet, no estás en el mundo.

2. Canal + es una cadena de _televisión digital_ y si quieres verla, tienes que instalar un _descodificador_

3. Algunos programas difunden noticias basadas en rumores. Un buen periodista debe _contrastar_ la información.

4. Hazme caso. Tienes que _suscribirte_ a esa revista. Es la mejor.

5. En la _parrilla_ televisiva cada vez hay más programas del corazón.

6. La boda del príncipe ha aparecido esta semana en la _portada_ de todas las revistas _del corazón_

7. Las _retransmiciones_ deportivas son las que suelen figurar en cabeza de todos los _índices_ de audiencia de las principales _cadenas_ de televisión.

8. De madrugada, prácticamente todas las televisiones se dedican a emitir esos _publirreportajes_ en los que se vende todo tipo de aparatos extraños.

2. El mundo tras la pantalla

a. Otra manera de acceder a la información es a través de Internet. ¿Cómo ha influido en tu vida Internet? ¿Cómo crees que serían las cosas si no existiera? Coméntalo con tus compañeros.

b. Lee este texto que aparece en la página oficial del escritor Juan José Millás y ordénalo.

Viendo mi página web ya terminada, me he preguntado qué partes corresponden al hígado y cuáles al corazón o a la vesícula. Se lo he preguntado también a los cirujanos que con tanta paciencia han convertido mis átomos en bits, y me han dicho que en la realidad virtual no son necesarios ninguno de esos órganos para sobrevivir. De hecho, hay páginas web de escritores que, aunque no tienen obra escrita, son muy visitadas. Y páginas web de directores de cine que, aunque no han dirigido nunca una película, gozan del favor del público. Las jerarquías, en la realidad cibernética, no están tan claras como en la realidad atómica. La calidad de una página web, en fin, no depende tanto de tus méritos como de quienes te la hacen. Yo he tenido la suerte de que quienes han hecho mi página son unos genios y me han sacado muy favorecido.

De entre todas las versiones que conozco de mí, la de Internet es quizá la más curiosa. Puedo decir esto porque no es obra mía, sino de unos señores muy amables que durante varias semanas vinieron a casa, me hicieron preguntas y se llevaron fotos o manuscritos con los que construyeron este cuerpo, también llamado página Web de Juan José Millás. Se llevaron fragmentos de mí, en fin, y me han devuelto un cuerpo articulado, coherente, por el que puedes ir de una parte a otra si sigues las indicaciones. Aquí están mi bibliografía y mis opiniones y mis imágenes y mis lecturas… No están los libros que no he escrito, ni los libros que no he leído, porque para eso necesitaríamos no una página web, sino una enciclopedia web, caso de que se hayan inventado. Quiero decir con esto que las cosas que no he escrito o leído ocupan más espacio que las que sí, pero no es costumbre levantar un cuerpo con las carencias de uno, aunque el vacío, en la realidad, ocupa más espacio que el volumen.

Tener una página web en la Red no es lo mismo que tener una calle en tu pueblo, pero también por la página web, como por la calle de tu pueblo, se pasea la gente y comenta la calidad del <u>empedrado,</u> la belleza de las fachadas, la originalidad del mobiliario urbano. Hay calles en las que no hay ninguna papelera y calles en las que no hay un solo bar y calles en las que no hay forma de encontrar un quiosco de periódicos o un <u>prostíbulo.</u> Yo no sé si ustedes, queridos visitantes, encontrarán en mi calle, o en mi página, lo que venían a buscar. Lo que sí puedo garantizarles es que se trata de una calle con papeleras en cada esquina y urinarios a disposición del usuario. Disfruten de ella y déjenla al salir, como les gustaría haberla encontrado al entrar.
Gracias.

(Fuente: http://www.clubcultura.com/clubliteratura/clubescritores/millas/bienvenida.htm)

---

c. Vuelve a leer el texto. En parejas, intentad sintetizar su contenido en dos o tres oraciones.

d. Vuelve a leer el texto y marca la opción correcta.

1. El escritor considera que la imagen que aparece de él en Internet:
- [ ] responde a la realidad.
- [ ] es sorprendente.
- [ ] es mejor de lo que es él en realidad.

2. Cuando habla de los cirujanos, Juan José Millás se refiere a:
- [x] los creadores de su página web.
- [ ] a sus más fieles lectores.
- [ ] a los críticos de su obra.

3. Según el escritor, la calidad de una página web depende:
- [ ] del personaje al que esté dedicada.
- [ ] de los que elaboran la página.
- [ ] de los temas que trate.

ESTRATEGIAS | E |

Para hacer una lectura detallada hay que reconocer las unidades de información, las palabras clave, distinguir las ideas principales de las secundarias. Si es necesario, puedes aclarar dudas con ayuda del diccionario o preguntar a los compañeros o al profesor. Si no se puede hacer enseguida, puedes poner interrogantes al margen para recordar lo que querías preguntar.

(notas manuscritas)
1) ver cap. i d audio cd
2) notas tema principal como terminar
3).

e. ¿Qué pide Juan José Millás a los internautas al final del texto? ¿Tú crees que la gente se comporta adecuadamente en la Red? ¿Has oído hablar de la *Netiqueta*? ¿Qué crees que puede significar? Coméntalo con tus compañeros.

f. Lee la definición de *Netiqueta* y comprueba tus hipótesis. Después, en parejas, escribid varias reglas que creáis que se deben cumplir en el ciberespacio.

> Es la etiqueta que se utiliza para comunicarse en la Red, o sea, la etiqueta del ciberespacio. Y etiqueta significa las normas requeridas por la buena educación o prescritas por una autoridad para ser tenidas en cuenta en la vida social o la oficial. En otras palabras, la *Netiqueta* encierra una serie de reglas para comportarse adecuadamente en línea.
>
> (Fuente: http://www.eduteka.org/Netiqueta.php3)

g. Poned en común con el resto de la clase las reglas que habéis escrito y entre todos elegid las reglas que deberían ser imprescindibles.

3. Influencia de los medios de comunicación

a. ¿Crees que los medios de comunicación y las nuevas tecnologías están modificando nuestra manera de ser y la manera de relacionarnos? ¿Cómo? Coméntalo con tu compañero y haced una lista con todos los aspectos que creáis que están cambiando.

- ◆ *En mi opinión, hay mucha más violencia ahora que antes y creo que en parte se debe a la influencia de los videojuegos.*
- ◆ *No sé, yo no creo que haya más violencia porque la gente juegue más a los videojuegos, ¿no? Lo que sí que creo es que ahora podemos hacer más cosas sin tener que relacionarnos con nadie.*

b. 22 Escucha una entrevista realizada a una socióloga que ha escrito un libro sobre este tema. Toma nota de los cambios que menciona. ¿Coinciden con los de vuestra lista?

c. 22 Escucha de nuevo la grabación. ¿Qué es lo que más te ha sorprendido de lo que ha dicho la invitada? ¿Estás de acuerdo con sus palabras? Toma notas y coméntalo con tus compañeros.

d. V Lee este fragmento extraído de la entrevista. ¿Qué otras cosas podemos hacer a través de las nuevas tecnologías sin movernos de casa? En grupos, haced una lista.

> «Si compramos a través de Internet y ya no vamos a las tiendas; si ya no vamos al cine porque conseguimos las películas con nuestro ipod; si para escuchar música, no vamos a un concierto y simplemente nos ponemos los cascos…»

e. Como veis, se pueden hacer muchas cosas sin salir de casa. Si seguimos dependiendo cada vez más de las nuevas tecnologías, ¿cómo creéis que será nuestra vida dentro de unos años? ¿Cómo nos relacionaremos con los demás?

4. Aldea global

a. 📖 Lee este foro de Internet. ¿Cuál es el tema sobre el que estas personas están opinando? Coméntalo con tus compañeros.

| 📄 **Ignasi** | *Enviado 2-junio 12:28* |

Somos de alguna parte, de alguien, o no somos nadie. Formar parte de una comunidad territorial, afiliarse a un partido, hacerse socio de un club de fútbol o inscribirse en el gimnasio de la esquina, nos hace sentir parte de un grupo.

| 📄 **Ángela** | *Enviado 2-junio 12:40* |

Sí, estoy de acuerdo, necesitamos el grupo. Si podemos sentirnos parte de un algo más grande que nosotros mismos (un proyecto, una idea, una empresa...), esto facilita nuestra andadura por la vida.

| 📄 **Darío** | *Enviado 2-junio 15:00* |

Si desapareciera este ansia de pertenecer a algo más grande (la familia, la comunidad, la nación, las religiones), sería esto mucho más peligroso, ¿no creéis?

| 📄 **Menchu** | *Enviado 3-junio 12:00* |

Yo creo que el hombre es un animal gregario y por lo tanto no nos sentimos completos a menos que formemos parte de una cultura que nos identifique.

| 📄 **Dona** | *Enviado 3-junio 14:28* |

Sin duda, somos un poco gallinas, tenemos miedo de estar solos, de buscarnos a nosotros mismos. Perteneciendo a una cultura, a un país, a una nación, nos sentimos mucho más seguros.

| 📄 **Menchu** | *Enviado 6-junio 11:13* |

Prueba a vivir solo y verás cuánto tiempo aguantas. En el caso de que tuvieras que alejarte de la comunidad en la que vives, de tu familia, amigos, ¿podrías soportarlo? ¿Por cuánto tiempo?

| 📄 **Dimitros** | *Enviado 6-junio 23:05* |

¿Y qué hay de nuestras diferencias? Si hubiéramos nacido en otro país, con otra lengua, otra cultura, ¿defenderíamos las mismas ideas? ¿O somos producto de un lugar y de unas circunstancias?

| 📄 **Ángela** | *Enviado 10-junio 7:28* |

Disculpad, pero yo creo que le estáis buscando tres pies al gato. Como no dejéis de plantear preguntas de ese tipo, voy a tener que cambiar de foro...

GRAMÁTICA   G
Oraciones condicionales

– *si* + indicativo, indicativo se usa para hacer referencia a hechos que el hablante piensa que pueden suceder.

_____

– *si* + imperfecto de subjuntivo, condicional simple se emplea para referirse a condiciones que no pueden darse (en el presente) o que es poco probable que se den (en el futuro).

_____

– *si* + pluscuamperfecto de subjuntivo, pluscuamperfecto de subjuntivo/condicional compuesto se usa para referirse a condiciones que no pudieron darse (en el pasado).

◆ **Si hubiera nacido** en otra cultura o en otra familia, seguro que mi vida **habría sido** completamente distinta.

Para expresar las consecuencias hipotéticas de esas condiciones en el presente o en el futuro, se emplea el condicional simple.

_____

b. 🔊 ¿Cuál es tu opinión sobre este tema? Escribe en un papel tu opinión sobre el tema y cuélgalo en el tablón de la clase. Lee las opiniones de tus compañeros, ¿cuál es la opinión mayoritaria de la clase?

c. G Vuelve a leer el texto y subraya todas las oraciones condicionales que aparecen en el texto.

d. G Ahora en parejas intentad completar el cuadro de gramática con los ejemplos que faltan.

e. G Vuelve a fijarte en las oraciones condicionales que aparecen
en el foro y completa este esquema. Comprueba los resultados
con tu compañero.

Busca una oración en la que el hablante:

1. Expresa una condición con valor de advertencia: _____
_____

2. Presenta la única condición por la que dejaría de cumplirse la acción principal:
_____

3. Expresa una condición sin ningún matiz: _____
_____

4. Expresa una condición imprescindible para que otra acción pueda realizarse: _____

f. G Completa estas oraciones condicionales. Puedes ayudarte del cuadro
de gramática. Después, pon los verbos entre paréntesis en la forma correcta.

1. _____ (tener) *Si tuvieras* que alejarte durante un tiempo de tu familia
y de tus amigos, ¿cómo te sentirías?

2. _____ (seguir) *seguimos* actuando de forma tan individualista, nunca
conseguiremos que se solucionen los grandes problemas como el cambio
climático.

3. (Estar) *Estando/Estás* todo el día conectado a Internet o jugando
con la videoconsola, no sé cómo pretendes hacer amigos.

4. Pocas cosas conseguirás de los demás, *Si* tú no (hacer) *haces*
nada por ellos.

5. Contrariamente a lo que dice el refrán, es mejor estar mal acompañado que
solo; claro, *Si* / *con tal de que* esa compañía no te (afectar) *afecte* de forma
negativa.

6. Yo, de momento, prefiero trabajar solo y en casa, *a menos* / *salvo que* alguna empresa
me (ofrecer) *ofrezca* un puesto de responsabilidad.

7. *Si* me (decir) *dicen / dijeran* que no me aceptan en el grupo, no sé qué
voy a hacer.

8. (Entrar) _____ en un *chat* y verás como enseguida conoces a mucha
gente que tiene las mismas inquietudes que tú.

g. 📖 Vuelve a leer las oraciones anteriores. ¿Cuáles crees que podrías
utilizar para hacer un decálogo del ser social?

h. 🗨 G Entre todos vamos a elaborar el Decálogo del ser social.
Completad estos ejemplos. Os pueden servir de ayuda.

Como _____,
nunca podrás integrarte en otra cultura.

Si crees que tu cultura es la mejor
y la más avanzada, _____

No traslades a otro mundo los códigos propios de tu mundo,
a no ser que _____

GRAMÁTICA G

**Nexos y conectores
condicionales**

Si + indicativo/subjuntivo: *Si
hubiéramos nacido en otro país,
defenderíamos las mismas ideas.*

Gerundio: ***Perteneciendo** a un
grupo, nos sentimos más seguros.*

***Con tal (de) que, siempre que,
siempre y cuando, mientras* y *con
la condición de que*** + subjuntivo:
***Siempre que** formemos parte
de un grupo, todo en nuestra
vida será mucho más fácil.*

***A no ser que, a menos que,
excepto que, a excepción
de que, salvo que*** + subjuntivo
y ***salvo si, excepto si* y *menos si*** +
indicativo/subjuntivo (imperfecto
o pluscuamperfecto): *No estamos
completos, **a menos que** formemos
parte de una cultura que nos
identifique.*

Como + subjuntivo: ***Como**
me echen del grupo de teatro,
la monto.*

Imperativo + ***y*: *Haz** todos los
deberes **y** esta tarde podrás
chatear con tus amigos.*

En (el) caso de +
infinitivo/sustantivo y ***en (el) caso
de que*** + subjuntivo: ***En caso
de** darte de baja de la comunidad
virtual, te vas a otra y ya está.*

---

5. ¿Eres un ser sociable?

a. 📖 V Haz este test para comprobar si eres una persona sociable.
¿Estás de acuerdo con los resultados del test? Coméntalo con tus compañeros.

Mayoría de respuestas *a*: Puedes sufrir de un exceso de sociabilidad

Eres una persona a la que le encanta estar rodeada de gente a todas horas. La soledad te da pánico y siempre que puedes, la evitas. Por eso dependes demasiado de la gente y te has convertido en alguien excesivamente sociable. Tales excesos pueden perjudicarte porque puedes llegar a resultar una persona entrometida y muy pesada.

Mayoría de respuestas *b*: Eres una persona comunicativa y sociable

Eres una persona sociable, cortés, extrovertida, afable y de fácil trato. Te lo pasas bien con los demás, pero de vez en cuando también piensas que un buen libro o una velada en casa son preferibles a cualquier otra cosa.

Mayoría de respuestas *c*: Eres una persona poco comunicativa y bastante huraña

No eres una persona muy sociable que digamos y tienes tendencia a quedarte callada cuando estás en grupo. Eres una persona solitaria y es difícil conocerte de verdad. Tu actitud cerrada probablemente se deba únicamente a un exceso de timidez.

COMUNICACIÓN C

Expresar diversión y aburrimiento

- *(Me) Lo paso de maravilla…*
- *Me muero/parto de risa cuando…*
- *Me muero de aburrimiento.*

Expresar vergüenza

- *Siento vergüenza de…*
- *Me ruboriza/sonroja que…*
- *Me pongo colorado cuando…*
- *¡Me da una vergüenza!*
- *Me muero de vergüenza.*
- *¡Qué vergüenza pasé cuando…!*

Expresar enfado e indignación

- *Me irrita…*
- *Me pongo/pone enfermo/de un humor de perros…*
- *Me agobia…* overwhelm
- *Me agobio mucho.*

1. Si alguien te quiere visitar, ¿qué prefieres?
   a. Que te venga a ver cuando quiera, te gusta que te sorprendan.
   (b.) Que te avise antes de presentarse en tu casa.
   c. No te gusta que te visiten.

2. ¿Cuándo consideras que alguien es tu amigo o amiga?
   a. En cuanto lo/la has visto un par de veces y te das cuenta de que congeniáis.
   (b.) Con el tiempo y después de ver cómo se comporta en diversas situaciones.
   c. Difícilmente y siempre después de un largo y contrastado reconocimiento.

3. Te apuntas a un exótico viaje tú solo. ¿Cómo te comportas con la gente?
   (a.) Hablas con la gente porque tu único objetivo es ligar.
   (b.) Entablas conversación con algunas de las personas con las que coincides.
   c. Solo hablas con ellos si se dirigen a ti.

4. ¿Qué actitud adoptas cuando estás en la sala de espera del dentista?
   a. Charlas con la gente que está esperando.
   (b.) Adoptas una actitud de espera.
   c. Lees una revista o piensas en tus cosas.

5. Hay una reunión de vecinos en tu bloque, ¿qué haces?
   a. Vas encantado para conocer más a tus vecinos y después poder cotillear.
   (b.) Vas porque lo consideras un deber como vecino de una comunidad.
   c. No soportas esas reuniones, pero vas por obligación.

6. Has quedado y te dan plantón, ¿cómo reaccionas?
   a. Perdonas con facilidad, tú también has plantado a alguien alguna que otra vez.
   (b.) Si la excusa es buena, perdonas.
   c. Te joroba y te enfadas con esa persona.

7. ¿Cómo crees que es tu carácter?
   a. Bastante estable.
   (b.) Estable, aunque varía en circunstancias excepcionales.
   c. Muy variable, como una montaña rusa. *roller coaster*

8. Tienes un problema gordo con alguien, ¿cómo sueles resolverlo?
   a. Cara a cara.
   b. Por correo electrónico.
   c. Implicando a una tercera persona para que haga de intermediaria.

9. ¿Eres realmente amigo de los amigos de tus amigos?
   a. De casi todos los que conoces.
   b. De unos pocos.
   c. Con lo que cuesta mantener a los amigos, solo te faltaba ir por ahí ampliando amistades.

b. V Busca en el cuestionario y en los resultados los verbos que sirven para expresar sentimientos y los adjetivos de carácter. ¿Hay alguna palabra que no conocías? Búscala en el diccionario o pregunta a tus compañeros o a tu profesor.

c. 🗨 Comenta con tus compañeros los resultados del test y pon ejemplos de situaciones que ejemplifiquen tu forma de ser.

- *Yo reconozco que no soy nada sociable. No soporto los sitios en los que hay mucha gente y, por ejemplo, en las reuniones familiares o en las comidas de trabajo me muero de aburrimiento, además me ponen de mal humor.*

6. El animal que llevas dentro

a. [BLA BLA BLA] [V] **¿Con cuáles de estos animales te identificas y por qué?
Coméntalo con tus compañeros.**

◆ *Yo me identifico con el gato porque al igual que él soy una persona muy
independiente y un poco desconfiada.*

b. [BLA BLA BLA] [Cs] **¿Para ti qué animales se corresponden con estas características?
Escríbelo y compara los resultados con tu compañero para ver si coinciden.**

- Trabajador:
- Miedoso:
- Listo, astuto:
- Vago, perezoso:

- Valiente:
- Torpe:
- Independiente:
- Fiel:

c. [V] **En español se usan muchas expresiones con animales para describir
a alguien. Intenta relacionar las expresiones destacadas con las del cuadro.**

1. No me gusta nada la actitud de Carmen, **siempre está hablando mal
de los demás.** Ser una víbora. *Una cobra*

2. Parece muy simpático, pero yo creo que **está un poco loco.**

3. Juan es divertidísimo, siempre **está haciendo tonterías** para hacernos reír. *ganso*

4. Camila se queja de que su hijo **es un vago**, nunca encuentra el momento
de ponerse a trabajar. *zángano*

5. Jaime cuida mucho sus relaciones. Dentro de la empresa, todos sus amigos
son gente muy importante. *pez gordo (someone important)*

6. Teresa es muy buena compañera de trabajo y **no para de trabajar en todo
el día.** *hormiguita*

7. Eduardo huye de las relaciones sociales, yo siempre he pensado
que **es una persona muy extraña.** *—bicho raro*

8. Para practicar esos deportes de riesgo hay que ser muy valiente y yo **soy
demasiado cobarde.** *— gallina*

9. El hijo de Pedro **es muy listo**, ha sacado todo sobresalientes. *— lince*

10. Estoy harta de Miguel, cuando salimos a tomar algo él **nunca paga nada.** *—rata*

d. [BLA BLA BLA] [V] **¿Cómo traducirías las expresiones anteriores a tu lengua?
¿Hay alguna expresión española que exista también en tu lengua
pero con un significado distinto? Coméntalo con tus compañeros.**

7. Las relaciones humanas

a. **23** Escucha el principio de un programa de radio y contesta a estas preguntas.

- ¿Qué tipo de programa crees que es?
- ¿A qué hora se suelen emitir estos programas?
- ¿Suelen estar presentados por un hombre o por una mujer? ¿Por qué crees que es así?
- ¿Qué temas se suelen tratar?
- ¿Qué suelen contar las personas que llaman a este tipo de programas?
- ¿Cómo crees que se sienten?

b. **24** Escucha la grabación completa y comprueba tus hipótesis.

c. **24** Vuelve a escuchar la grabación y marca como verdaderas o falsas las siguientes afirmaciones. Luego, corrige las falsas.

	V	F	Lo cierto es…
1. María y su novio han hablado de irse a vivir juntos y ambos están de acuerdo.	☐	☐	
2. María sospecha que su novio quiere romper la relación con ella, pero ella no quiere cortar.	☐	☐	
3. Para María su novio es muy importante porque es su primer amor.	☐	☐	
4. Cuando Isidro salía con su ex, estaban todo el día discutiendo.	☐	☐	
5. Isidro quiere acabar con la relación que tiene con su novia para volver a salir con su ex.	☐	☐	

d. **V** ¿Cómo definirías la relación que tiene María con su novio y las relaciones que mantiene Isidro con su novia y con su ex novia? Coméntalo con tu compañero, ¿estáis de acuerdo?

| tormentosa | pasional | cordial | estable | tortuosa |

e. En la grabación, María habla de lo que ha supuesto su novio en su vida. Piensa en alguien que sea o haya sido muy importante en tu vida y por qué. Toma notas. Cuéntaselo a tus compañeros, ellos te podrán hacer preguntas.

- *Si no hubieras hecho ese curso y no te hubiera dado clase ese profesor, ¿qué habrías estudiado y a qué crees que te dedicarías ahora?*

f. Seguro que en tu clase hay personas que son importantes para ti por diferentes motivos. Piensa por qué es importante cada una ellas y escríbeles una nota dándoles las gracias. Responde a las notas que recibes.

> Hola, Tom.
> Quería agradecerte todo el apoyo que me has dado estas semanas.
> Me has ayudado mucho a superar mis complejos a la hora de hablar.
> Un millón de gracias, no sé qué habría hecho sin ti.

E

ESTRATEGIAS

Comprender un programa de radio en español puede ser complicado si nos falta información previa sobre el tema que se trata, por eso activar nuestro conocimiento previo sobre qué tipo de programa es, qué temas suelen tratarse, a qué hora se suele emitir, a qué público va dirigido… facilita la comprensión del mismo.

C

COMUNICACIÓN

Invitar a formular una hipótesis

Si/En el caso de que…
¿(qué/quién/dónde) crees que + condicional simple?

- *Si no hubieras conocido a tu novio, ¿crees que ahora estarías sola o con otra persona?*

Si/En el caso de…
¿qué/quién/dónde + condicional compuesto?

- *Si no te hubieran llamado de ese trabajo, ¿qué habrías hecho?*

Agradecer

- *Muy amable por/de tu parte.*
- *No sé cómo pagártelo.*
- *Te estoy muy/francamente agradecido.*
- *No tenías que haberte molestado/haberlo hecho.*
- *Un millón de gracias.*
- *¿Qué haría yo sin ti?*

Responder a un agradecimiento

- *No hay nada que agradecer.*
- *Nada, no te preocupes.*
- *Faltaría más.*
- *No hay de qué.*

8. Malentendidos

a. 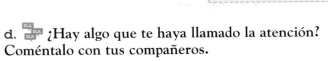 ¿Has tenido últimamente algún malentendido con alguien?
¿Qué te pasó? Comentadlo en grupos.

b. Casi todos hemos experimentado alguna vez lo que supone
vivir en otra cultura y los malentendidos que a veces se producen.
Lee y comenta con tus compañeros la siguiente afirmación.

> «Cuando cometemos errores gramaticales o empleamos palabras incorrectas,
> la gente piensa que hablamos mal; cuando los errores son culturales,
> piensan que lo malo es nuestro comportamiento.»
>
> (Fuente: HARDING, E. y RILEY, P., *La familia bilingüe*, Cambrigde University Press, 1998)

c. Cs Lee los comentarios de estos estudiantes de español
sobre su experiencia en España. ¿Te identificas con alguno de ellos?
¿Te ha pasado alguna vez algo parecido? Coméntalo con tus compañeros.

Shuzo Yakuri (Japón).

Algo que me llamó la atención al llegar fue que el habla de los españoles es rápida, aunque no se tenga prisa, y el tono suele ser imperativo. Los españoles son muy directos y expresivos en sus opiniones, pero todo esto no indica enfado o superioridad como yo pensé en un principio, es simplemente una forma de hablar.

Después de estar en España seis meses me doy cuenta de que los ingleses utilizamos mucho palabras como *please*, *thank you* y *sorry*... Para comprar un periódico en la tienda de la esquina vamos a decir por lo menos tres o cuatro *thank you*. Aquí no utilizan tanto esas palabras, pero ahora sé que también hay otras maneras de mostrar buena educación.

Anne Leitman (Inglaterra).

Cuando llegué a España algo que me sorprendió mucho fue la relación con el espacio personal. Recuerdo que empecé una conversación con mi profesor en la puerta de la clase y la terminé dos metros más allá, cada vez que él se aproximaba para hablarme yo retrocedía un paso. No podía entender que no hubiera un espacio entre los dos que a mí me parecía normal.

Eric Barrow (EE UU).

Petra Bozich (Austria).

Un amigo español me contó que en España si llegas a una casa de visita y te ofrecen algo de comer o beber y quieres ser educado, debes decir que no. La anfitriona o anfitrión insistirá hasta que digas que sí. Si yo hiciera esto en Austria, me quedaría sin comer o beber pues no tenemos la costumbre de ofrecer una segunda vez.

d. ¿Hay algo que te haya llamado la atención?
Coméntalo con tus compañeros.

e. ¿Has tenido alguna vez algún malentendido
o algún problema con algún compañero de clase?
Aprovecha esta oportunidad para disculparte.

COMUNICACIÓN C

Disculparse

- *Espero que sepas/puedas disculparme.*
- *No sé cómo disculparme.*
- *Tienes que perdonarme, pero es que…*
- *Disculpa por…, si lo hubiera sabido…*

Responder a una disculpa

- *No te preocupes, no pasa nada.*
- *Nada, olvídalo.*

COMUNICACIÓN

Expresar diversión y aburrimiento

◆ *(Me) Lo paso de maravilla…; Me muero/parto de risa cuando…; Me muero de aburrimiento.*

Expresar vergüenza

◆ *Siento vergüenza de…; Me ruboriza/sonroja que…; Me pongo colorado cuando…; ¡Me da una vergüenza!; Me muero de vergüenza; ¡Qué vergüenza pasé cuando…!*

Expresar enfado e indignación

◆ *Me irrita…; Me pongo/pone enfermo/de un humor de perros…; Me agobia…; Me agobio mucho.*

Invitar a formular una hipótesis

Si/En el caso de que… ¿(qué/quién/dónde) + crees que + condicional simple?

◆ *Si no hubieras conocido a tu novio, ¿crees que ahora estarías sola o con otra persona?*

Si/En el caso de… ¿qué/quién/dónde + condicional compuesto?

◆ *Si no te hubieran llamado de ese trabajo, ¿qué habrías hecho?*

Agradecer

◆ *Muy amable por/de tu parte; No sé cómo pagártelo; Te estoy muy/francamente agradecido; No tenías que haberte molestado/haberlo hecho; Un millón de gracias; ¿Qué haría yo sin ti?*

Responder a un agradecimiento

◆ *No hay nada que agradecer; Nada, no te preocupes; Faltaría más; No hay de qué.*

Disculparse

◆ *Espero que sepas/puedas disculparme; No sé cómo disculparme; Tienes que perdonarme, pero es que…; Disculpa por…, si lo hubiera sabido…*

Responder a una disculpa

◆ *No te preocupes, no pasa nada; Nada, olvídalo.*

GRAMÁTICA

Oraciones condicionales

◆ *si* + indicativo, indicativo se usa para hacer referencia a hechos que el hablante piensa que pueden suceder.

◆ ***Si sentimos*** *que somos parte de un grupo, todo nos* ***resulta*** *más fácil.*

◆ *si* + imperfecto de subjuntivo, condicional simple se emplea para referirse a condiciones que no pueden darse (en el presente) o que es poco probable que se den (en el futuro).

◆ ***Si*** *no* ***quisiéramos*** *formar parte de una familia, de una comunidad, de una nación…,* ***sería*** *bastante preocupante.*

◆ *si* + pluscuamperfecto de subjuntivo, pluscuamperfecto de subjuntivo/condicional compuesto se usa para referirse a condiciones que no pudieron darse (en el pasado).

◆ ***Si hubiera nacido*** *en otra cultura o en otra familia, seguro que mi vida* ***habría sido*** *completamente distinta.*

Para expresar las consecuencias hipotéticas de esas condiciones en el presente o en el futuro, se emplea el condicional simple.

Si hubiéramos nacido en otro país, con otra lengua, otra cultura, ¿defenderíamos las mismas ideas?

Nexos y conectores condicionales

Si + indicativo/subjuntivo: ***Si*** *hubiéramos nacido en otro país, defenderíamos las mismas ideas.*

Gerundio: ***Perteneciendo*** *a un grupo, nos sentimos más seguros.*

Con tal (de) que, ***siempre que***, ***siempre y cuando***, ***mientras*** *y* ***con la condición de que*** + subjuntivo: ***Siempre que*** *formemos parte de un grupo, todo en nuestra vida será mucho más fácil.*

A no ser que, ***a menos que***, ***excepto que***, ***a excepción de que***, ***salvo que*** + subjuntivo y ***salvo si***, ***excepto si*** *y* ***menos si*** + indicativo/subjuntivo (imperfecto o pluscuamperfecto): *No estamos completos,* ***a menos que*** *formemos parte de una cultura que nos identifique.*

Como + subjuntivo: ***Como*** *me echen del grupo de teatro, la monto.*

Imperativo + ***y***: ***Haz*** *todos los deberes* ***y*** *esta tarde podrás chatear con tus amigos.*

En (el) caso de + infinitivo/sustantivo y ***en (el) caso de que*** + subjuntivo: ***En caso de*** *darte de baja a de la comunidad virtual, te vas a otra y ya está.*

VOCABULARIO

Los medios de comunicación

Información de primera mano/confidencial/contrastada…
Confirmar/Difundir una noticia/un rumor…

Prensa escrita

Suscribirse, abonarse; publicar/vender/pactar una exclusiva; en portada, en primera página…; prensa amarilla/rosa…

Radio y televisión

Antena parabólica, descodificador; programación, parrilla; informativo, serie, culebrón, publirreportaje…

Expresiones y frases hechas

Ser un gallina, ser una hormiguita, ser una víbora, ser un lince, ser un rata, ser un zángano…

Relaciones sociales

Iniciar/Cortar una relación, tener una relación pasional/tortuosa/duradera…
Mantener una relación de dependencia/conveniencia/amor-odio…

Presentación

Vais a presentar una campaña publicitaria para prevenir la obesidad infantil.

Instrucciones

1. Formad grupos de tres o cuatro personas.
2. Cada grupo realiza las actividades propuestas.
3. Finalmente, cada grupo presenta su proyecto al resto de la clase.

Vais a necesitar:

- Cartulinas
- Rotuladores y lápices de colores
- Tijeras, papel y pegamento
- Revistas con fotografías
- Ordenadores y conexión a Internet

Antes de empezar

a. Observad estos anuncios y contestad a estas preguntas:

- ¿Qué tipo de publicidad es?
- ¿Cuáles son los objetivos de este tipo de publicidad?
- ¿Qué temas suele tratar este tipo de publicidad?
- ¿Creéis que es útil?
- ¿Cómo es en vuestro país?

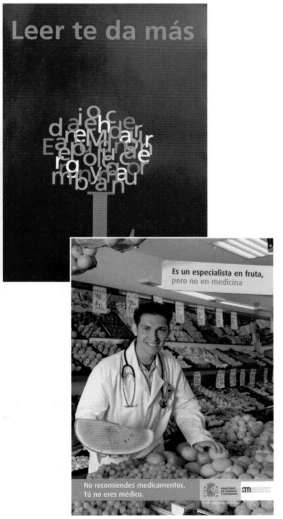

1. Documentación

a. Lo primero para llevar a cabo una buena campaña de publicidad es documentarse sobre el tema y plantearse cuáles son los factores que están produciendo que cada vez haya más niños y adolescentes obesos.

Estas son algunas de las preguntas que nos podemos plantear antes de empezar a realizar nuestra campaña publicitaria. Entre todos, intentad contestarlas y tomad notas de lo que os parezca más interesante.

¿Qué papel juegan el profesorado y las familias en la prevención de la obesidad infantil y juvenil?

¿Están padres y educadores sensibilizados respecto a las enfermedades que pueden derivarse de la obesidad?

¿Cuáles son las principales causas que pueden estar provocando que la obesidad infantil esté aumentando?

¿Cuáles son los principales peligros para la salud?

¿Cuál es la solución a este problema?

¿Cómo se puede convencer a un niño de que realizar ejercicio físico y llevar una dieta equilibrada es fundamental para su salud cuando ven que la sociedad que los rodea y que les sirve de modelo lleva una vida sedentaria que consume cada vez más comida basura?

b. Leed estos textos en los que se dan algunas de las respuestas a las preguntas anteriores y completad vuestras notas.

La familia tiene un papel fundamental, eso es indudable. Hay quien afirma que una parte del problema proviene de la crisis que estamos viviendo en la familia sobre su papel como educadores primarios. Hay muchos niños y niñas que no reciben la atención educativa necesaria dentro del seno familiar, niños y niñas que pasan muchas horas solos, que seleccionan ellos mismos lo que comen, y son en una buena medida educados por los referentes de la televisión, que ven durante varias horas al día.

La causa de esta verdadera epidemia (que puede tener consecuencias muy negativas en el futuro) es, básicamente, el cambio de hábitos. Y sobre todo en lo referente a la alimentación y el sedentarismo. Los niños, en gran parte por influencia de los padres, abandonan el consumo de frutas, verduras, legumbres y pescado, en favor de la comida rápida, chucherías y bollería. Por lo que respecta al sedentarismo, las actividades físicas tradicionales se están cambiando por la televisión y los videojuegos.

Para una gran parte de las personas el sobrepeso y la obesidad es principalmente un problema estético, lo que por otra parte es en sí mismo un problema de salud. Sentirse bien es un problema de salud, y sentirse bien en nuestro propio cuerpo es fundamental para sentirse sano. Esta es la cara de la moneda relevante del problema que nos ocupa, pero en el revés de la misma moneda se sitúa el crecimiento de los trastornos de la conducta alimentaria (TCA) (anorexia, bulimia, etc.). Estas patologías se encuentran además asociadas con la adaptación social de los niños. Los niños y niñas obesos tienen mayores problemas de integración social y a menudo se sienten rechazados en sus grupos de referencia, lo que puede llevar a desarrollar problemas adyacentes de depresión, ansiedad e incluso bajo rendimiento académico.

Posiblemente no se le puede convencer. Lo que hay que hacer es educarlo, es decir, que para él hacer ejercicio físico habitualmente y comer correctamente sea lo normal y no lo excepcional. Es tan sencillo y tan difícil como eso. Evidentemente eso no lo puede hacer solo la escuela. Es más, se puede afirmar que si lo intenta hacer solo la escuela, fracasará.

2. Diseñar nuestra campaña publicitaria

a. En grupos, teniendo en cuenta la información anterior, pensad qué tipo de campaña queréis hacer, qué queréis transmitir, si esta campaña va ir dirigida a niños o a padres y educadores…

Tened en cuenta que la campaña publicitaria que vais a diseñar va a aparecer en la prensa escrita, en vallas publicitarias y en la radio.

b. Con la información anterior, pensad en uno o varios eslóganes para vuestra campaña. El eslogan tiene que tener oraciones llamativas, que se recuerden fácilmente y en las que se resuma el objetivo de la campaña. Mirad los recursos comunicativos que hemos visto en las unidades anteriores e intentad utilizar algunos.

Sidra el Gaitero, famosa en el mundo entero

AGF Seguros, porque el mañana se decide hoy

Alfa Romeo, la pasión de conducir

¿Hasta cuándo vas a esperar para vestirte de verano?

Descubre Madrid

c. Ahora imaginad que el anuncio va a aparecer en la prensa escrita y que tenéis toda una hoja de periódico para el anuncio. Buscad una imagen o varias imágenes que sirvan para transmitir vuestro mensaje. También podéis incluir:

- Testimonios de personas afectadas.
- Gráficos que ilustren el mensaje, por ejemplo, en un tono irónico, la evolución al «homo obesus».

d. Para el anuncio en vallas, necesariamente más visual que el del periódico, tendréis que buscar fórmulas para:

- Atraer la atención de la gente.
- Armonizar imagen y texto: que una lleve al otro o viceversa, pero que no se hagan la competencia.
- Combinar formas y colores de manera atractiva.

e. 25 El anuncio en radio es quizá más complicado porque carece de apoyos visuales. Escuchad algunos anuncios radiofónicos y anotad los aspectos que os parezcan más interesantes. Además, os damos algunas ideas.

- Dramatizar un diálogo.
- Recurrir al humor y hacer una parodia, por ejemplo, describir una comida rápida como un partido de fútbol en el que la salud recibe goles.
- Testimonios de personajes famosos.

f. Cuando hayáis decidido cómo va a ser, escribid el guión y grabadlo.

3. Otras iniciativas

a. Además de la propaganda en los medios de comunicación, vamos a propiciar otras iniciativas para divulgar nuestra campaña. Fíjate, por ejemplo, en la llevada a cabo por el Ayuntamiento de Pamplona. ¿Qué otras iniciativas se os ocurren?

Restauradores y nutricionistas enseñarán a niños de Pamplona durante esta semana cómo cocinar recetas sanas

Desde mañana hasta el 14 de abril, coincidiendo con las vacaciones escolares de la semana de Pascua, los niños tienen una cita en los mercados de Pamplona. Allí, de 11 a 13 horas, un cocinero y un nutricionista enseñarán a los menores a cocinar recetas fáciles y saludables.

Los cursos comenzarán con la confección de la lista de la compra, luego los niños irán adquiriendo en el mercado los productos necesarios para sus recetas y finalmente las prepararán, siempre tutelados por un equipo formado por un cocinero y un nutricionista.

Está previsto que a media mañana almuercen, para lo que se preparará un paquete bien con un pequeño bocadillo, bien con una pieza de fruta y un yogur.

(...)

Todas las actividades programadas en los mercados pretenden transmitir a los niños a través del juego hábitos de vida saludable para prevenir futuras enfermedades y, en especial, hacen hincapié en las dolencias asociadas con la obesidad infantil. Este problema sanitario es uno de los más extendidos entre la población infantil, ya que el 40 por ciento de la población más joven de España sufre alteraciones de peso.

(Fuente: http://www.diariodenavarra.es/ actualidad/noticia.asp?not=2007040911533545&dia =20070409&seccion=navarra&seccion2=sociedad)

4. La presentación de nuestra campaña

a. Presentad la campaña que habéis diseñado al resto de vuestros compañeros. Antes de todo explicadles cuál es el objetivo que perseguís y a quién va dirigida.

b. Escuchad las presentaciones de vuestros compañeros y tomad nota de algunos de estos aspectos para luego dar vuestra opinión.

- ¿Crees que se ha conseguido el objetivo?
- ¿Crees que es adecuada teniendo en cuenta el público al que va dirigida?
- ¿Cada anuncio se ajusta al medio en el que va a aparecer?
- ¿Qué opinas del eslogan? ¿Qué papel juega la imagen?
- ¿El anuncio para la radio transmite bien el mensaje? ¿Por qué?
- ¿Las iniciativas que acompañan a la campaña publicitaria son originales? ¿Se ajustan al resto de la campaña?

Propuestas de ocio 7

En esta unidad vas a aprender:

- ■ A hablar de las actividades de ocio que se pueden hacer dentro y fuera de casa

- ■ A proponer y sugerir actividades de ocio y tiempo libre

- ■ A aceptar y rechazar propuestas de actividades de ocio y tiempo libre en diferentes situaciones y con diferentes interlocutores

- ■ A escribir una crítica de un espectáculo

- ■ A describir tus mejores vacaciones

COMUNICACIÓN	GRAMÁTICA	VOCABULARIO	CULTURA Y SOCIOCULTURA	TEXTOS
Preguntar y hablar de la habilidad para hacer algo	Presente de subjuntivo para proponer planes y hacer sugerencias	Actividades de ocio	Opciones para disfrutar del tiempo libre	Tertulias radiofónicas sobre ocio y viajes
Ofrecer, invitar, proponer y sugerir una actividad	Pretérito imperfecto de subjuntivo en oraciones subordinadas que expresan deseos	Juegos de mesa	Deportes tradicionales en algunos países hispanoamericanos	Textos informativos
Aceptar una propuesta, un ofrecimiento o una invitación	Perífrasis verbales de infinitivo, gerundio y participio	Deportes	Los hábitos de viaje de los españoles	Información sobre espectáculos
Rechazar una propuesta, un ofrecimiento o una invitación	Oraciones temporales: *antes de (que)*, *nada más*, *mientras*...	Heridas y traumatismos		Conversación telefónica para quedar
	El modo en las oraciones temporales			Crítica de un espectáculo
				Diario de un viaje
				Conversación cara a cara sobre un viaje

1. El ocio y el tiempo libre

a. V Ocio y tiempo libre son conceptos que van unidos. ¿Qué significa cada uno de ellos? Escribe una definición para cada uno de los términos.

b. ▢ Lee las siguientes afirmaciones. ¿Estás de acuerdo con ellas? ¿Corregirías algo de las definiciones que has escrito antes? Coméntalo con tus compañeros.

El ocio es el conjunto de actividades que realizamos en nuestro tiempo libre con el objetivo de divertirnos, entretenernos o desarrollarnos a nosotros mismos. Muchas sociedades actuales se caracterizan por un incremento de la insatisfacción, el estrés, el aburrimiento, la falta de actividad física, la falta de creatividad y la alienación en el día a día de las personas. Todas estas características pueden ser aliviadas mediante conductas satisfactorias de ocio.

En el tiempo libre se realiza una serie de actividades que, aunque no son laborales, pueden ser obligatorias: las labores domésticas cotidianas, las compras de primera necesidad, etc. Hoy en día tenemos más horas libres de las que somos conscientes.

La Asociación Internacional de Ocio y Recreo (WLRA) define el ocio como un derecho básico, como lo son la educación, el trabajo y la salud, del que nadie debería ser privado por razones de edad, raza, religión, salud, discapacidad o condición económica.

c. ㉖ Escucha un fragmento de un programa radiofónico y completa esta tabla.

	Nacho	Carlos	Gabriela
Problema que expone.			
¿Qué se le da bien hacer?			
¿Qué piensan los locutores?/ ¿Qué consejos le dan?			
¿Qué consejos darías a cada uno de ellos?			

COMUNICACIÓN C

Preguntar por la habilidad para hacer algo

◆ *¿Eres bueno en/para…?*
◆ *¿Tienes facilidad para…?*
◆ *¿Eres capaz de* + infinitivo?
◆ *¿Eres hábil para…?*
◆ *¿Qué tal se te da…?*
◆ *¿Se te da bien/mal…?*

Hablar de la habilidad para hacer algo

◆ *No hay quien me gane a* + infinitivo/sustantivo
◆ *No hay quien me gane* + gerundio
◆ *Soy un hacha/fiera/fenómeno…*
◆ *Soy un manitas.*
◆ *Soy muy patoso/torpe.*

d. C ¿Qué consejos darías tú a cada uno de las personas del ejercicio anterior? Teniendo en cuenta sus habilidades, ¿qué crees que podrían hacer en su tiempo libre? Completa la última fila de la tabla.

e. En grupos de tres, comparad lo que habéis escrito y decidid qué actividad sería la más adecuada para cada uno de ellos.

f. C Y tú, ¿en qué eres un manitas? ¿Y en qué eres un poco patoso? Pregunta a tus compañeros a ver si encuentras a alguien con el que tengas algo en común.

◆ *A mí no hay quien me gane jugando al póquer. Soy un hacha.*
◆ *Pues a mí todos los juegos de cartas se me dan fatal. Nunca me entero de las reglas, pero soy muy manitas en casa. Todo lo que se estropea en casa, lo arreglo yo.*

2. La cultura del ocio

a. 🗨️ Hoy en día se habla de ocio pasivo y de ocio activo.
¿Cuáles crees que son las diferencias entre uno y otro?
¿Y las ventajas y desventajas de cada uno? Coméntalo
con tu compañero.

b. 📖 V Lee este artículo sobre a qué dedican los españoles
su tiempo libre cuando están en casa y señala todas
las actividades de ocio que aparecen. ¿A qué tipo de ocio dedican
más tiempo los españoles?

¿A qué dedicas el tiempo libre?

En contra de lo que suele pensarse, cuando llega el fin de semana, la mayoría de los españoles decide disfrutar de su tiempo libre en casa. Esta es una de las muchas conclusiones que se desprenden de una encuesta realizada con el objetivo de averiguar a qué dedican los españoles su tiempo de ocio en el hogar durante el fin de semana. Navegar por Internet, los medios audiovisuales, la lectura y la cocina recreativa son sus actividades preferidas.

El tiempo medio del fin de semana que los españoles dedican a disfrutar de sus aficiones en casa se sitúa en 21 horas y 39 minutos, una cantidad nada desdeñable si tenemos en cuenta que se han descontado las horas que utilizamos para las tareas domésticas, el cuidado de los hijos y las horas de sueño. De esas 21 horas, casi el 60 % prefiere ver la televisión, escuchar la radio, navegar por Internet, leer y escuchar música. Si hablamos de tareas más activas, lo que más les gusta a los españoles es la cocina recreativa, a la que dedican el 8 % de su tiempo libre con 1 hora y 41 minutos, la jardinería (1 hora y 9 minutos), la decoración (1 hora y 8 minutos), el cuidado de las mascotas (1 hora y 6 minutos) y el bricolaje (59 minutos).

Por sexos, las mujeres siguen dedicando más tiempo a las tareas domésticas que los hombres, concretamente tres horas más. También dedican más tiempo al ocio en casa, una hora más que los hombres.

Por tramos de edad, tanto los muy jóvenes (18 a 25 años) como los más mayores (46 a 65) experimentan una tendencia a dedicar su ocio a actividades más sedentarias: consumo de medios audiovisuales y lectura, con 14 horas y 17 minutos y 13 horas y 20 minutos, respectivamente, frente a los tramos de edad de 26 a 45 años, que reducen este tiempo libre sedentario a 12 horas y 11 minutos, respectivamente. Este grupo utiliza más horas en tareas como cocina, jardinería, decoración, cuidado de mascotas y bricolaje.

Respecto a preferencias por estado civil, los casados o con pareja prefieren emplear ese tiempo de ocio activo en el hogar, disfrutando de la jardinería; los separados o divorciados prefieren la decoración; los solteros, el cuidado de sus mascotas, y los viudos, la jardinería.

Si tuviéramos más tiempo libre, ¿en qué actividad lo invertiríamos? Según la encuesta, a los españoles nos gustaría reducir el tiempo dedicado al consumo de medios audiovisuales y a hablar por teléfono, para aumentarlo en aficiones como la decoración, el bricolaje, la jardinería o la cocina recreativa.

c. 🗨️ Cs ¿Qué datos del texto te han llamado más la atención?
¿Crees que en tu país serían parecidos? Coméntalo con tus compañeros.

d. 🗨️ V En parejas, pensad en otras actividades de ocio que se puedan hacer
sin salir de casa. Poned en común vuestros resultados con el resto de la clase.

3. Ocio sin salir de casa

a. 📖 **Los juegos de mesa y de cartas son una opción de ocio para casa. Lee estos textos y relaciona cada uno con la imagen que le corresponde.**

1 Es un juego de los que se englobarían dentro de los llamados juegos de carreras. Es una variante casi idéntica del ludo, introducido en Inglaterra en 1896. Este juego, como el ludo, son herederos directos de un juego de origen indio. En su país de origen, la India, se juega sobre un tablero de paño en forma de cruz extendido sobre el suelo o sobre una mesa. Existen en los palacios de Agra y de Allahabad grandes tableros de este juego con casillas de mármol rojo y blanco, en los que un emperador utilizaba a las concubinas de su harén a modo de fichas vivientes.

2 Es un juego de mesa para dos personas. Se cree que proviene del juego llamado chaturanga, que se practicaba en la India en el siglo VI.

Es uno de los juegos más populares del mundo. Se considera no solo un juego, sino un arte, una ciencia y un deporte mental. Esto último es muy apropiado, dado que se juega a menudo de forma competitiva. Su enseñanza puede ser útil como forma de desarrollar la mente. Es jugado tanto recreativa como competitivamente en clubes, torneos, en Internet, e incluso por correo.

3 Surgió hace mil años en China a partir de los juegos de dados. No parece que la forma actual de 28 fichas dobles y rectangulares fuese conocida en Europa hasta que, a mediados del siglo XVIII, la introdujeran y extendieran los italianos por todas partes. El nombre del juego es de origen francés y fue tomado de una capucha negra por fuera y blanca por dentro.

Su popularidad en los países latinoamericanos es inmensa, particularmente en la zona del caribe (Venezuela, Colombia, República Dominicana, Puerto Rico, Cuba, Panamá, etc.).

4 Algunos investigadores creen que se fabricaron por primera vez en España en 1392 para entretenimiento del rey Carlos VI. En todo caso, estos juegos ya se practicaban en la Antigüedad, primero con símbolos mágicos y luego simbolizando batallas. Hay diferencias de opiniones sobre si se originaron en la India o si se usaron primero en China y Egipto, pero se considera que desde el Lejano Oriente fueron introducidas en Europa por los Cruzados.

Las primeras menciones en Europa datan de los siglos XIII y XIV y en ocasiones se usaron para entretener a los niños, en papeles realizados a mano. En 1397 un decreto dictado en París prohibió jugar a los naipes a las clases trabajadoras en días de labor.

b. 💬 **¿Cuál es tu juego de mesa favorito? Coméntalo con tus compañeros y si no lo conocen, explícales en qué consiste.**

◆ *A mí me encanta jugar a las damas.*

◆ *¿A las damas? ¿Cómo se juega?*

◆ *Se juega sobre un tablero y cada jugador tiene ocho piezas, uno blancas y otro negras. Las piezas se ponen en las casillas blancas de las tres primeras filas y el juego consiste en comerte las fichas del otro.*

4. Ocio activo

a. 🅥 **¿Conoces estas actividades? ¿Practicas o te gustaría practicar alguna de ellas? Coméntalo con tus compañeros.**

tai-chi	yoga	danza del vientre	artes marciales
pádel	pilates	*rafting*	piragüismo
paracaidismo	barranquismo	espeleología	tirolina

b. 🔲 Cs De las actividades anteriores, ¿alguna está de moda en tu país? ¿Hay alguna otra actividad o deporte que se haya puesto de moda en gimnasios y centros deportivos? ¿Cuál? ¿En qué consiste? Coméntalo con tus compañeros.

◆ *En mi país ahora se ha puesto muy de moda el pilates y la danza del vientre.*

c. 📖 Cs Lee estos textos sobre el deporte nacional de dos países hispanoamericanos y complétalos con las palabras del recuadro.

Los dos _____ que intervienen tienen que _____ caballos de raza chilena pura y deben llevar las ropas y _____ tradicionales de los huasos chilenos y sobre sus caballos deben _____ y atajar un novillo en tres oportunidades consecutivas, sobre dos atajadas acolchadas. En el siglo XVII, el rodeo comenzó a _____ y se establecieron normas que permitían apreciar la conducción del jinete y la _____ del caballo y en 1962 fue declarado deporte nacional, _____ al Comité Olímpico de Chile.

En Argentina en 1953 se declaró como deporte nacional el juego del pato. Es un deporte similar al _____.
Se juega entre dos _____ formados por cuatro jugadores y consiste en _____ el pato, una pelota de cuero, en un _____ que está colocado perpendicularmente sobre un _____ que tiene unos dos metros y medio de altura. Originalmente era un pato, de ahí el nombre del juego.

DESTREZA
JINETES
INTRODUCIR
EQUIPOS
ATUENDOS
POSTE
REGLAMENTARSE
MONTAR
POLO
AFILIADO
ARO
ARREAR

d. 🔲 Cs ¿Cuál es el deporte más popular en tu país? ¿Hay alguno que haya sido declarado deporte nacional? Explícales a tus compañeros en qué consiste, cómo se juega, qué se necesita para el juego...

5. El riesgo de practicar deporte

a. V ¿Qué les ha pasado a estas personas mientras practicaban deporte? Relaciona los dibujos con los textos.

El fin de semana pasado fuimos a hacer barranquismo y cuando me estaba poniendo el traje, me caí y mira... Me tuvieron que dar puntos y todo.
stiches

El año pasado me hice un esguince jugando al voleibol y tuve que estar quince días de baja.

El domingo iba con la bici y me pegué un tortazo... Mira qué chichón tengo en la frente, y eso que me puse hielo para que bajara la inflamación. ¡Ay, no me toques!

1

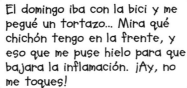
2

3

> **VOCABULARIO** V
> **Heridas y traumatismos**
>
> Sufrir/hacerse/tener una lesión grave/leve...
>
> Recuperarse/Restablecerse de una lesión
>
> Hacerse un esguince
>
> Salir un bulto/un cardenal/ un chichón
>
> Tener que coser una herida/dar puntos en una herida

b. 🔲 V ¿Te ha pasado alguna vez algo practicando deporte? Cuéntaselo a tus compañeros.

6. Tu guía del ocio

a. (27) Juan está mirando en Internet qué puede hacer este fin de semana y llama a su amiga Rosa para proponerle algún plan.
Escucha la conversación y señala lo que deciden hacer al final.

CINE

La carta esférica, cine de aventuras en español. Es una adaptación de la novela de Pérez-Reverte.

DANZA

Después de recorrer el mundo con gran éxito de crítica y público llega el último espectáculo de Sara Baras.

RESTAURANTE

Versiones actuales de los platos más populares de la cocina tradicional española en **El Vivo.**

TEATRO

Hilarante pieza basada en el clásico de Molière *El enfermo imaginario.*

MÚSICA

Alejandro Sanz recala en la capital entre una gran expectación por sus dos conciertos.

NOCHE

Urban Madrid, discoteca cosmopolita con un estilo inspirado en las grandes metrópolis.

MÚSICA

Mayumaná vuelve a los escenarios con su nuevo espectáculo en el que dan lo mejor de ellos mismos.

CUERPO Y MENTE

Pensado para aquellas personas que quieren liberarse del estrés de toda la semana.

COMUNICACIÓN [C]
Ofrecer e invitar

◆ *No sé qué planes tendrás/Supongo que tendrás planes, ¿pero te apetecería…?*

Proponer y sugerir una actividad

◆ *¿Te apuntas/Te vienes a…?*
◆ *Te sugiero que vayas.*
◆ *¿No lo pasaríamos mejor si…?*
◆ *Si te parece, podemos/podríamos…*

---

b. (27) **Vuelve a escuchar la grabación anterior y contesta a estas preguntas.**

¿QUÉ ACTIVIDADES HA ACEPTADO?	¿CÓMO LAS HA ACEPTADO?	¿QUÉ ACTIVIDADES HA RECHAZADO?	¿CÓMO LAS HA RECHAZADO?

c. [ ] [C] **En el siguiente texto hay mezcladas dos conversaciones. Ordénalas.**

[ ] Ya, claro. Pues es que esta noche mis padres organizan una cena para celebrar su aniversario de boda y quería invitaros.

[ ] Carmen, ha llamado mi hermano. Que si vamos esta noche a cenar a su casa y a ver el partido de fútbol. Me ha dicho que también van a ir sus amigos.

[ ] No, no mucho. Se nota que es verano, porque no llama casi nadie.

[ ] Ni loca. No me apetece nada pasarme la noche del sábado sentada en un sofá viendo gritar a un grupo de personas.

[ ] Bueno, vale. Pero siempre que el domingo hagamos lo que yo quiera, ¿eh?

[ ] Pues yo siento perderme la cena de tus padres, pero es que ya tengo planes para esta noche. Lo siento.

[ ] Vale.

[ ] Uy, yo ni pensarlo. ¡Qué rollo! Una cena familiar. No te lo tomes a mal, Carlos, pero es que no aguanto las cenas familiares, son un petardo.

[ ] Hola, Ana, María, ¿estáis muy liadas?

[ ] Venga, mujer, que a mí me apetece mucho ver este partido.

d. C **Vuelve a leer los diálogos anteriores y contesta a estas preguntas.**

1. ¿Qué relación crees que hay entre los interlocutores?
2. ¿En qué diálogo alguna de las personas no contesta de forma adecuada al contexto?
3. ¿Qué hubieras dicho tú en esa situación?

e. C **Imagina que estas personas te proponen estos planes para el fin de semana, pero no puedes o no te apetece. ¿Qué dirías en cada caso? Sé convincente. Compara los resultados con tu compañero.**

Tu amigo del alma te ha invitado a ir a una fiesta que va a celebrar su abuela con sus amigas.	
Tu compañero de trabajo/clase te ha invitado a pasar unos días en su casa con toda su familia.	
Un/a chico/a que acabas de conocer te invita a una fiesta que va a celebrar en su casa.	
Tus padres han quedado con unos amigos para comer y echar unas partidas de cartas y te han dicho que vayas.	
Tu jefe/profesor te invita a una fiesta en su casa para celebrar el nacimiento de sus trillizos.	

7. Espectáculos

a. 📖 **Esta es una crítica del espectáculo *Sabores*, de Sara Baras. Léela, haz un esquema de cómo se organiza la información y toma notas de los datos que se recogen.**

Suma de Sabores

Madrid le ha cogido el gusto a Sara Baras y sus *Sabores*. Tras una larga y exitosa temporada en el madrileño Teatro Nuevo Apolo a finales del pasado año, la bailaora gaditana ha vuelto a la capital de España para abrir la programación de Suma Flamenca en el Teatro Albéniz. Con el cartel de «no hay entradas» colgado en la puerta, la Baras volvió a deleitar al público con su baile enérgico y su personal gracia flamenca.

Sabores ha regresado a Madrid muy rodado y pulido, un año y medio después de su estreno y tras una larga gira por medio mundo. Se trata de un espectáculo apto para todos los públicos, montado con sencillez pero con gran eficacia. Todo en él es muy correcto, desde la iluminación hasta las coreografías, del cuerpo de baile a los músicos. Todo bien medido para hacer llegar lo esencial del flamenco al patio de butacas.

En su último espectáculo, que cierra la trilogía que inició *Sensaciones* y continuó *Sueños*, Sara Baras combina a la perfección su doble faceta de bailaora y bailarina. Transmite alegría y entusiasmo, gira y hace volar su falda hasta el infinito, compone estampas de gran plasticidad y hace tronar las tablas con su intenso zapateado.

(Texto escrito por Juanjo Castillo para www.esflamenco.com)

b. 🗣 **Piensa en el último espectáculo, película, exposición... que hayas visto últimamente en la ciudad en la que estás y haz una crítica para tus compañeros.**

c. 📖 **Lee las críticas de tus compañeros y elige aquellas que te parezcan más interesantes. Después, hazles algunas preguntas para conseguir más información y decidir a cuál de los espectáculos irías.**

8. Ocio y vacaciones

a. 📖 Cs ¿Cuáles crees que son los hábitos de viaje de los españoles? Hemos sacado estos datos de una encuesta, ¿cómo los relacionarías?

El 64,8 % de los españoles…
El 62,8 %…
El 46,3 %…
Solo 1 de cada 10…

4. ha realizado viajes a un país exótico.

… prefiere pasar unos días en la playa.

… prefiere hacer un viaje cultural o ir de compras.

3. ha viajado un par de semanas a algún destino lejano.

b. 📖 Cs **Lee este texto y comprueba tus hipótesis.**

Los hábitos de viaje de los españoles

Hotels.com ha realizado un estudio entre 1000 españoles para desvelar las preferencias de estos en cuanto a las soñadas vacaciones. ¿Se sigue cumpliendo el mito de veranear en la playa durante los meses de verano o, por el contrario, fragmentamos cada vez más nuestros días de descanso, para poder disfrutar de pequeñas escapadas? Los datos desprendidos del estudio muestran que la tendencia en alza es realizar el máximo número de viajes posible a lo largo del año, en lugar de tomarse el mes de agosto de descanso.

Los viajes a grandes ciudades y los destinos de sol y playa, los más visitados por los españoles

El estudio muestra que los viajes culturales o de *shopping* de menos de una semana a las principales capitales son los que más han realizado los españoles últimamente, con un 64,8 % de los votos. Con una mínima diferencia, con el 62,8 %, se encuentran los viajes de descanso de una semana o más a la playa. Por otro lado, el 46,3 % de los encuestados ha podido disfrutar de un viaje de 2 a 3 semanas de descanso y diversión a un destino lejano y tan solo 1 de cada 10 ha podido realizar un viaje a un destino exótico.

(Fuente: http://www.laflecha.net/canales/curiosidades/noticias/los-habitos-de-viaje-de-los-espanoles)

c. 🗨 A continuación vas a escuchar un programa de radio sobre viajes alternativos. ¿Qué tipos de viajes alternativos conoces? Coméntalo con tus compañeros.

◆ *Yo he oído que hay gente que va a visitar los sitios en los que han ocurrido cosas misteriosas como apariciones de gente, avistamientos de ovnis…*

d. (28) **Escucha varios fragmentos del programa de radio y completa la tabla.**

TIPO DE VIAJE	CARACTERÍSTICAS	ALGUNOS DE LOS LUGARES DONDE SE PUEDEN REALIZAR
	Sitios para hacer yoga.	
viaje solidario		

e. 🗨 De los viajes anteriores, ¿cuáles te parecen más apetecibles? ¿Por qué? Coméntalo con tus compañeros.

f. 🗨 De los viajes que has hecho, ¿cuál ha sido el más alternativo, diferente, el más original o el mejor? ¿Por qué? ¿Qué hiciste? Coméntalo con tus compañeros. Elegid entre todos los dos viajes más interesantes.

9. El mejor viaje de mi vida

a. 📖 Todos tenemos en la memoria el recuerdo de unas vacaciones.
Lee este texto en el que se relata los recuerdos de unas vacaciones felices
y haz cinco preguntas a tu compañero para averiguar si lo ha entendido.

Felices días de vacaciones

Cada vez que vuelvo al pueblo de mis padres en vacaciones, me vienen a la cabeza muchos recuerdos. Debe de ser la edad o que ahora el ritmo trepidante de la vida urbana acaba por anular la capacidad de recordar. Recuerdos de los años 80, cuando mis padres empaquetaban de madrugada a cuatro niños en un coche pequeño, repleto de maletas y bártulos. Invertíamos prácticamente un día entero para llegar desde Madrid hasta el pueblo de mis padres en Córdoba.

Las carreteras antes no tenían nada que envidiar a cualquier montaña rusa. A mí me daban mucho miedo aquellas interminables curvas por las que el asfalto no tenía la anchura suficiente para que dos coches pasaran simultáneamente. Cuando llevábamos recorridos pocos kilómetros, mi madre ya tenía preparada una bolsa por si el aparato digestivo de mi hermano Tomás no aguantaba las curvas que nos íbamos encontrando durante ese largo viaje.

Pero merecía la pena pasar todas aquellas penurias, pues terminábamos llegando a casa de los abuelos y teníamos todo el mes de agosto para convivir con nuestras raíces. Estábamos todo el día en la calle de acá para allá haciendo la vida de la lagartija. Lo que ahora serían varios niños enganchados al móvil o a los videojuegos, entonces eran cuatro hermanos y varios primos haciendo turnos para echar a correr por los caminos con las dos únicas bicicletas que teníamos, saltando a las huertas de los vecinos de mis abuelos para coger fruta de los árboles, persiguiendo a algún perro callejero o cortando los rabos a las lagartijas para comprobar que después seguían moviéndose.

Para nosotros, cada año era todo nuevo y sorprendente: la casa de los abuelos que crujía por las noches y que los primeros días no nos dejaba dormir bien porque nos daba miedo, o cuando la abuela salía de la cocina con un cesto de mimbre y a los cinco minutos volvía con el cesto lleno de tomates, patatas, pepinos… que había cogido del huerto.

Cuando ahora vuelvo a visitar a mis padres, que tras la jubilación de mi padre se fueron a vivir allí, me doy cuenta de que hay cosas que acaban por someterse a los nuevos tiempos, por ejemplo, ahora en la cocina conviven la huerta y el hipermercado. Otras cosas en cambio siguen sin cambiar, como la hospitalidad de la familia que se empeña en atiborrarte de comida como si en la ciudad no comiéramos nunca, obsesión que de pequeña nunca alcancé a entender y que todavía me sigue costando un poco.

---

b. 📖 Vuelve a leer el texto y explica con tus propias palabras
las siguientes oraciones.

- El ritmo trepidante de la vida urbana.
- Nos pasábamos el día en la calle haciendo la vida de la lagartija.
- En la cocina conviven la huerta y el hipermercado.
- La hospitalidad de la familia que se empeña en atiborrarte de comida.

c. 🅖 Busca en el texto anterior ejemplos de perífrasis
y anótalos. Después, compara los resultados
con tu compañero y llegad a una explicación única.

EJEMPLOS EN EL TEXTO	EXPLICACIÓN
echar a correr por los caminos	comenzar/empezar una acción de repente

d. 🔈 Y tú, ¿cuando eras niño, dónde pasabas las vacaciones?
¿Qué recuerdos tienes de esos días? Escribe un texto contándolo.
Después, lee los textos de tus compañeros. ¿Hay algún texto
que se parezca al tuyo?

GRAMÁTICA 🅖
Perífrasis verbales

***Empezar/Comenzar a,
ponerse a, echar(se) a,
romper a, llegar a, meterse a,
acabar por, no alcanzar a,
venir a*** + infinitivo

- *El pueblo al que iba de
  vacaciones de pequeño
  cambió tanto que
  acabé por no **ir**.*

- *No lo he entendido muy
  bien, pero creo que **ha
  venido a decir** que nunca
  se lo pasó bien en
  vacaciones.*

***Andar, ir, venir, terminar/
acabar, seguir*** + gerundio

- *Todos los años en
  vacaciones **acabamos
  haciendo** lo mismo:
  ir a la playa.*

Tener, llevar, dejar +
participio

- *Ya **he dejado preparadas**
  las maletas.*

10. Un viaje a Salamanca

a. [BLA BLA BLA] Estas son algunas de las fotos del viaje que ha hecho María con sus amigos Pedro y Ángela a Salamanca. Imagina que tú también has hecho ese viaje con ellos. Ordena las fotos cronológicamente y cuenta a tu compañero el viaje.

- ◆ *Mira, esta es justo antes de salir, cuando Ángela estaba metiendo su maleta en el coche.*
- ◆ *¡Vaya maletón!*

b. (29) Escucha a María contar a unos compañeros de trabajo cómo fue el viaje y comprueba tus hipótesis.

c. (29) [C] ¿Te has fijado en cómo reaccionan los compañeros de María mientras escuchan el relato del viaje? Vuelve a escuchar la grabación y anota los recursos que usan para participar activamente en la conversación.

d. (29) [G] En la conversación anterior aparecen ocho oraciones que expresan tiempo. Vuelve a escucharla y anótalas.

1. Aquí estoy con Pedro y Ángela metiendo las cosas en el coche **antes de** salir rumbo a Salamanca.

2. _____

3. _____

4. _____

5. _____

6. _____

7. _____

8. _____

e. G ¿Qué expresan los conectores de las oraciones anteriores?
Intenta clasificarlos en esta tabla.

ANTERIORIDAD	POSTERIORIDAD	SIMULTANEIDAD	INICIO O LÍMITE DE UNA ACCIÓN

f. G Completa estas oraciones con el conector temporal adecuado.

1. No decidimos qué íbamos a hacer estas vacaciones, _hasta que_
   me dijeron en el trabajo cuándo podía cogérmelas.
2. _tan pronto como_ —cuando, estuve de baja aproveché para prepararme
   unas oposiciones.
3. _Cuando según_ al mismo tiempo voy conociendo a Juan, me voy dando cuenta
   de lo buena persona que es.
4. No nos vamos a la playa _a medida que_ hast que Paco no venga de su viaje
   de negocios. Sobre el quince de agosto.
5. No voy de vacaciones _Desde que_ dejé de trabajar porque
   no tengo ni un duro.
6. _Antes de que_ recibiéramos la noticia, ya habíamos decidido
   no ir al viaje porque nos parecía que no era el momento.

g. G En parejas, fijaos en las oraciones de 10. d. y 10. f. y completad
este esquema.

Modo de las oraciones temporales
antes de, _después de_____ + infinitivo
_____ + subjuntivo
_Cuando_____ + indicativo (cuando se refiere al presente
o al _____ futuro _____) / + subjuntivo (cuando _____)

h. G Lee estas oraciones y señala las que expresan tiempo.
Compara los resultados con tu compañero.

1. Me iré contigo este verano, mientras vayamos a algún sitio del norte. — cond.
2. Yo plancho, mientras que él se sienta a ver el fútbol. — +emp
3. Me acordaré de todos vosotros mientras estoy dándome un chapuzón en la playa. — cond +erp.
4. Tú vas a hacer la compra y yo, mientras, voy a la agencia a mirar — +emp
   lo de los viajes.
5. Mientras no hagas nada raro, nadie se dará cuenta de que estás. — cond
6. Entre semana, mientras yo baño al niño, ella le prepara la cena. — +emp.

i. Piensa en algún viaje que hayas hecho con amigos o con tu familia y anota
en un papel datos de ese viaje: alguna pequeña anécdota, algunos de los sitios
que visitasteis…

j. Lee los datos de tu compañero y ordena la información para después
contarle cómo fue el viaje. Utiliza los conectores temporales anteriores.
¿Has acertado muchos datos?

GRAMÁTICA G
Oraciones temporales
Conectores

Anterioridad: *antes de (que), antes que*

Posterioridad: *después de (que), después que, nada más, en cuanto, tan pronto como, apenas, en el momento (en) que, tras*

Simultaneidad: *cuando, mientras, al, en el mismo momento (en) que, mientras tanto, entretanto, al mismo tiempo que, en lo que, a medida que, conforme, según, gerundio*

Inicio o límite de una acción: *desde que, hasta que, hasta hace*

COMUNICACIÓN

Preguntar por la habilidad para hacer algo

◆ *¿Eres bueno en/para…?; ¿Tienes facilidad para…?; ¿Eres capaz de + infinitivo?; ¿Eres hábil para…?; ¿Qué tal se te da…?, ¿Se te da bien/mal…?*

Hablar de la habilidad para hacer algo

◆ *No hay quien me gane a + infinitivo/sustantivo; No hay quien me gane + gerundio; Soy un hacha/fiera/fenómeno…; Soy un manitas; Soy muy patoso/torpe.*

Ofrecer e invitar

◆ *No sé qué planes tendrás/Supongo que tendrás planes, ¿pero te apetecería…?*

Proponer y sugerir una actividad

◆ *¿Te apuntas/Te vienes a…?; Te sugiero que vayas; ¿No lo pasaríamos mejor si…?; Si te parece, podemos/podríamos…*

Aceptar una propuesta, un ofrecimiento o una invitación

◆ *No te voy a decir que no; No me puedo negar; Eso está hecho; Bueno, siempre que la próxima vez vengáis vosotros; Mientras no vayamos al cine…*

Rechazar una propuesta, un ofrecimiento o una invitación

◆ *Siento perdérmelo, pero…; Precisamente ese día no puedo, lo siento; Pues te voy a tener que decir que no, es que…; No es que no me apetezca, es que…; No te lo tomes a mal, pero es que tengo mucho trabajo. ¿Vamos otro día?; Ni hablar; Ni pensarlo; Ni loco; Ni atado.*

VOCABULARIO

Actividades de ocio

Ver la tele, navegar por Internet, jardinería, bricolaje…

Juegos de mesa

Parchís, ajedrez, dominó…

Tablero, tapete, ficha, dado, cubilete…; tirar el dado, comer una ficha…

Deportes

Tai-chi, yoga, pádel, pilates, piragüismo, barranquismo…

Torneo, encuentro…; final, semifinal…; hincha, forofo, seguidor…; disputar un partido/un torneo/un encuentro

Heridas y traumatismos

Sufrir/hacerse/tener una lesión, hacerse un esguince, salir un bulto/un cardenal/un chichón, tener que coser una herida…

GRAMÁTICA

Presente de subjuntivo para proponer planes y hacer sugerencias

◆ *Te sugiero que **vayas** a ver la última película de Almodóvar.*

◆ *Te propongo que **vayamos** al concierto de Alejandro Sanz.*

Pretérito imperfecto de subjuntivo en oraciones subordinadas que expresan deseos

◆ *Me haría mucha ilusión que **fuéramos** a ver un espectáculo de danza.*

◆ *Sería estupendo que **hubiera** entradas para el concierto.*

Perífrasis verbales

Empezar/Comenzar a, ponerse a, echar(se) a, romper a, llegar a, meterse a, acabar por, no alcanzar a, venir a + infinitivo

◆ *El pueblo al que iba de vacaciones de pequeño cambió tanto que **acabé por** no **ir**.*

◆ *No lo he entendido muy bien, pero creo que **ha venido a decir** que nunca se lo pasó bien en vacaciones.*

Andar, ir, venir, terminar/seguir, acabar + gerundio

◆ *Todos los años en vacaciones **acabamos haciendo** lo mismo: ir a la playa.*

Tener, llevar, dejar + participio

◆ *Ya **he dejado preparadas** las maletas.*

Oraciones temporales

Conectores

Anterioridad: *antes de (que), antes que*

Posterioridad: *después de (que), después que, nada más, en cuanto, tan pronto como, apenas, en el momento (en) que, tras*

Simultaneidad: *cuando, mientras, al, en el mismo momento (en) que, mientras tanto, entretanto, al mismo tiempo que, en lo que, a medida que, conforme, según, gerundio*

Inicio o límite de una acción: *desde que, hasta que, hasta hace*

El modo en las oraciones temporales

Antes de, después de, nada más, tras, al + **infinitivo**

Antes de que, después de que + **subjuntivo**

Todas las demás (*cuando, hasta que, desde que, mientras, en cuanto…*) + **indicativo** (cuando se refieren al presente o al pasado)/+ **subjuntivo** (cuando se refieren al futuro).

En esta unidad vas a aprender:

- A desenvolverte cuando te invitan a una casa

- A pedir, dar y denegar permiso

- A dar tu opinión sobre las medidas que se incluyen en algunos planes de vivienda

- A referirte a normas y a prohibiciones

- A pedir información relacionada con un préstamo hipotecario

- A quejarte del funcionamiento de un servicio de forma oral

- A escribir una carta de reclamación

COMUNICACIÓN	GRAMÁTICA	VOCABULARIO	CULTURA Y SOCIOCULTURA	TEXTOS
Pedir permiso	Usos del subjuntivo	Tareas domésticas	Costumbres y comportamientos cuando te invitan a una casa	Textos informativos
Dar y denegar permiso	Oraciones concesivas: *aunque, a pesar de (que), por mucho que…*	Expresiones y frases hechas		Conversaciones cara a cara
Prohibir		Compra y alquiler de una vivienda		Programa de radio sobre el acceso a la vivienda
Rechazar una prohibición	El modo en las oraciones concesivas		Comportamientos y convenciones relacionados con el hecho de compartir casa	Normas de convivencia
Advertir	Cuantificadores: *la mitad, todo, cuanto…*			Noticias relacionadas con los planes de vivienda
Amenazar			La vivienda en España	
Expresar alivio			Casas de personajes famosos españoles e hispanoamericanos	Foro de Internet sobre los servicios de atención al cliente
Quejarse del funcionamiento de un servicio				Conversación telefónica con un servicio de atención al cliente
Reclamar				Carta de reclamación

1. Donde fueres…

a. 🔳 ¿Sabes lo que significa este refrán: *Donde fueres haz lo que vieres?* ¿Puedes poner un ejemplo de cuándo crees que se puede utilizar? Coméntalo con tus compañeros.

b. 🔳 Cs Lo que se considera educado y correcto cuando somos invitados a una casa varía de un país a otro. Lee estas costumbres, ¿de dónde crees que son? Relaciona un elemento de cada columna.

En muchos países asiáticos…	… las comidas y las cenas suelen ser abundantes, así que, si te invitan, es mejor no comer nada de antemano.
En España o Francia es habitual…	… el intercambio de pequeños regalos está muy extendido.
En los países árabes…	… dar dos besos a tu anfitrión cuando llegas a su casa.
En todo el trópico…	… si te invitan por la tarde, la cena no suele estar incluida.
En los Países Bajos…	… es una norma elemental de educación descalzarse al entrar en casa de tu anfitrión.
En los países orientales…	… no debes rechazar nunca una invitación a tomar té.

c. 📖 Cs Lee este texto sobre cómo comportarse en algunas culturas cuando te invitan a una casa y comprueba tus hipótesis.

Donde fueres haz lo que vieres

Lo que se considera como educado y correcto varía de un país a otro. Puede fijarse en lo que hacen los nativos, aunque muchas veces no podrá evitar meter la pata.

En muchos países asiáticos, cuando le invitan a una casa, descalzarse es una norma elemental de educación. Esta costumbre es frecuente también en países como Rusia, Polonia, Finlandia o Suecia, donde la nieve nos obliga a dejar las botas mojadas en la puerta y acceder al interior en calcetines. Y es que una de las situaciones donde el choque cultural suele ser más frecuente es justamente cuando estamos invitados a una casa.

Como huéspedes extranjeros no conocemos las pautas sociales de la cultura de nuestro anfitrión y eso nos hace mostrar una torpeza tal que en los casos más extremos llevaría a pensar a la persona que nos ha invitado que no merecemos su confianza. En el mismo umbral de la puerta tenemos que decidir cómo saludar. Un simple apretón de manos puede hacernos parecer desde indiferentes a frívolos, dependiendo de donde nos encontremos. No se equivoque pensando que los españoles son los únicos que dan besos al llegar a una casa. En Francia también es habitual y el número varía según la región entre 2, 3 o 4.

Si se encuentra en los Países Bajos y ha sido invitado por la tarde, no prolongue su visita, pues la cena no suele estar incluida y sería una falta de discreción por su parte. Si le han invitado en un país oriental y la invitación incluye comida o cena, no se le ocurra comer nada de antemano, pues seguramente la comida será exquisita y abundante.

El intercambio de pequeños regalos es algo muy extendido en las culturas tropicales. Lo mismo sucede con las invitaciones. En todo el trópico hay una gran tradición hospitalaria, más de una vez le invitarán desinteresadamente a entrar en una casa a tomar algo (aunque esto sucede cada vez menos). Hasta que no sepa si el ofrecimiento es de buena fe, mantenga una postura de cortesía, pero sin caer en una situación de dependencia.

Cuando en un país árabe invitan a té, no hay que rechazarlo; se supone que debe quedarse un rato de charla. Los tuaregs le servirán tres vasos seguidos, si le ofrecen un cuarto, es que ya es el momento de marcharse.

d. 🔳 Cs ¿Qué comportamientos del texto anterior te llaman más la atención? ¿Cuáles de los comportamientos que aparecen en el texto consideras tú que son de mala educación? Coméntalo con tus compañeros. ¿Coincidís?

◆ *A mí que alguien entre descalzo a mi casa no me parece nada bien.*

◆ *Pues en mi país es algo muy normal.*

e. Cs ¿Has compartido casa alguna vez con alguien de otra cultura?
¿Tuviste algún malentendido cultural? Coméntalo con tus compañeros.

◆ *Yo hace dos años estuve viviendo en casa de una familia inglesa*
y al principio pasé mucha hambre, porque el desayuno era muy fuerte
y la comida era muy ligera y yo estoy acostumbrada a desayunar
poco y comer mucho.

f. Jane ha venido a España para mejorar su español
y se aloja en casa de la familia Martínez. Tiene muchas dudas
sobre lo que puede o no puede hacer y está preparando una lista
con todas sus peticiones. De estas peticiones, ¿para cuáles le darías
permiso tú y para cuáles no? ¿Por qué? Coméntalo con tus compañeros.

- Ducharse todos los días

  Señora Martínez, ¿le importa que me duche todos los días?
- Llamar por teléfono a sus padres dos veces a la semana

  _____
- Fumar

  _____
- Tener en casa el gato de un amigo que está en el hospital

  _____
- Comer en la habitación

  _____
- Andar descalza por la casa

  _____

COMUNICACIÓN C

Pedir permiso

◆ *¿(Te) Molesto si…?*
◆ *¿Es/Sería/Será mucha molestia que/si…?*
◆ *¿Hay/Tienes (algún) problema/inconveniente en/con que…?*
◆ *¿Me das (tu) permiso/autorización para…?*
◆ *¿Te importa que* + presente de subjuntivo?
◆ *¿Te importaría que* + pretérito imperfecto de subjuntivo?
◆ *¿Me dejas que* + presente de subjuntivo?

Dar permiso

◆ *Eso ni se pregunta.*
◆ *Por supuesto, faltaría más.*
◆ *Tienes/Cuentas con/Te doy mi autorización/permiso/consentimiento para…*
◆ *Si no queda/hay otro/más remedio.*
◆ *Sí, vale, pero que* + subjuntivo
◆ *No, a menos que me asegures que…*

Denegar permiso

◆ *Ni pensarlo.*
◆ *Ni hablar.*
◆ *Ni lo sueñes.*
◆ *Ni lo pienses.*
◆ *Ni se te ocurra.*
◆ *En modo alguno.*
◆ *No te permito que* + presente de subjuntivo

g. C Jane está ensayando cómo puede hacer sus peticiones
a la señora Martínez. ¿Puedes ayudarla?

h. 30 Escucha una conversación entre Jane y la señora
Martínez y comprueba tus respuestas anteriores.

i. 30 C Vuelve a escuchar la conversación anterior.
¿Para qué cosas le da permiso y para cuáles no? Anótalo.

LE DA PERMISO PARA…	NO LE DA PERMISO PARA…

j. 30 C Vuelve a escuchar la conversación y anota los recursos
que usa la señora Martínez para denegar permiso a Jane.

k. ¿Crees que la señora Martínez ha sido correcta en todas sus respuestas?
¿Cuáles de sus respuestas consideras que no han sido muy adecuadas? ¿Por qué?
¿En qué contextos crees que se podrían utilizar? Coméntalo con tus compañeros.

2. Compartir casa

a. (31) Escucha un programa de radio sobre un problema que preocupa a muchos españoles: el acceso a una vivienda y contesta a estas preguntas.

1. ¿Por qué la canción *Un piso de 30 metros* ha tenido tanto éxito?
2. Según el locutor, ¿qué es lo que está fallando?
3. ¿Por qué los gobiernos autonómicos y los partidos políticos están introduciendo medidas en sus planes de vivienda?
4. ¿Cuál es el sueño de Marga y de Eva? ¿Consiguen realizarlo? ¿Por qué?

b. [BLA BLA] [Cs] En la grabación se dice que en España hay mucha gente que no puede comprar ni alquilar, ¿ocurre lo mismo en tu país? ¿Has estado en algún país donde exista el mismo problema? Coméntalo con tus compañeros.

◆ *En mi país la vivienda también es carísima y los jóvenes, sobre todo, tienen muchos problemas para encontrar una vivienda que puedan pagar, aunque allí muy poca gente se plantea comprar.*

c. (31) Vuelve a escuchar las historias de Marga y de Eva y anota los datos más importantes para resumirlas.

d. ◁ ¿Te ha ocurrido alguna vez algo parecido a lo que les ha pasado a Marga y a Eva? Vamos a hacer las historias de la clase relacionadas con la búsqueda de una vivienda. Escribe en un papel tu historia o la de alguien conocido.

e. 📖 Lee las historias de tus compañeros. ¿Encuentras aspectos comunes? ¿Cuáles? Coméntalo con tus compañeros.

3. Problemas de convivencia

a. [V] Muchos problemas de convivencia los causan las tareas domésticas. ¿Sabes qué palabras combinan con cada verbo? Escríbelas.

- pasar *el aspirador,* _____
  _____
- fregar _____
  _____
- hacer _____
  _____
- limpiar _____
  _____
- tender _____
  _____
- poner _____
  _____
- quitar _____

la comida
una limpieza a fondo
la lavadora
el aspirador
el suelo
la mesa
el lavavajillas
el polvo
la fregona
los cristales
la ropa
el plumero

b. 📖 **G** Claudio va a compartir casa con unos amigos y para evitar problemas de convivencia ha redactado algunas normas. ¿Podrías completarlas?

Normas de convivencia

1. Cada día se encargará uno de elegir el menú, hacer la comida, de poner y quitar la mesa y recoger la cocina, *a menos que* no pueda por motivos de trabajo, con lo que podrá cambiar su turno.
2. La aspiradora se pasará una vez a la semana, _____ por alguna circunstancia (fiesta) consideremos que hay que pasarla alguna otra vez.
3. Se podrán hacer fiestas _____ todo el mundo esté de acuerdo y _____ el que organice la fiesta se encargue al día siguiente de limpiar y recoger todo.
4. Se podrá escuchar música o ver la tele hasta tarde _____ no se moleste a los demás.
5. El lavavajillas y la lavadora se pondrán _____ están llenos. Hay que ahorrar agua y energía.

c. ◁ En parejas, volved a leer las normas anteriores e intentad escribir al menos dos más.

4. Como Pedro por su casa

a. V ¿Qué crees que significan estas expresiones? Relaciona cada una con el significado que creas que le corresponde.

Ser como de la casa/de la familia:	Gastar una persona excesivo dinero.
Para/De andar por casa:	Hacérsele insoportable a una persona estar dentro de casa.
No parar en casa:	No estar una persona nunca en casa.
Caérsele a uno la casa encima:	Ser una persona de mucha confianza.
Barrer para casa:	Ropa para estar en casa y no salir a la calle./ Solución o explicación que es provisional y no tiene validez.
Tirar/Echar la casa por la ventana:	Obrar una persona interesadamente.

b. V Para comprobar si has comprendido el significado de las expresiones anteriores, escribe cada una de ellas en su contexto adecuado.

1. ◆ ¿Qué tal la boda de Emilio y Paz?
   ◆ Genial. La comida estupenda, los regalos de la madrina buenísimos…
   ◆ ¡Vamos! Que _____

2. ◆ Nada. No contestan al teléfono.
   ◆ Seguro que han salido a dar una vuelta.
   ◆ Es que _____

3. ◆ ¿No te importa dejar al nuevo huésped solo?
   ◆ ¡Qué va! Confío plenamente en él.
   Es _____

4. ◆ Mira qué vestido tan rebajado.
   ◆ ¡Pero adónde vas con eso! Está pasado de moda.
   ◆ ¡Qué más da! Total, es _____

5. ◆ Los domingos me encanta quedarme en casa. No salgo en todo el día.
   ◆ ¡Qué horror! A mí _____

6. ◆ ¿Qué te pareció el resultado del partido?
   ◆ ¡Fatal! Cómo se nota que el árbitro es de la misma ciudad que el equipo ganador.
   ◆ Sí, está claro que _____

c. 🔲 ¿Existe en tu lengua alguna expresión similar? Coméntalo con tu compañero.

5. El problema de la vivienda

a. 📖 Lee estas noticias relacionadas con algunas de las medidas que se incluyen en los planes de vivienda. ¿Cuáles te parecen más acertadas? ¿Por qué? ¿En tu país existe alguna medida de este tipo? Coméntalo con tus compañeros.

El Departamento de Vivienda quiere crear un canon autonómico para gravar los pisos vacíos, de manera que a sus propietarios les salga más rentable ponerlos en alquiler. El propósito de esta medida es cobrar al propietario un mínimo de nueve euros por cada día que la residencia permanezca cerrada (3285 euros al año), pero solo después de declararla desocupada mediante un procedimiento administrativo. Aun a sabiendas de que esta medida no va a ser bien recibida, están dispuestos a llevarla a cabo en abril o mayo de este año como muy tarde.

El gobierno vasco propone a los propietarios de una vivienda deshabitada o vacía que aun queriendo alquilar no lo hacen porque temen los riesgos del mercado que se la alquilen al gobierno vasco durante un período de cinco años. El gobierno vasco se compromete a pagar el alquiler durante este tiempo, garantiza a los dueños que cedan sus viviendas para su posterior alquiler a terceros, que les devolverá la vivienda en perfecto estado, y se hará cargo de las obras de reforma que resulten necesarias en la vivienda para hacer posible su habitabilidad.

Los jóvenes menores de 30 años que alquilen su primera vivienda recibirán el aval del Ejecutivo durante seis meses, además de una ayuda directa de 210 euros mensuales durante cuatro años y, además, recibirán un préstamo de 600 euros para el pago de la fianza. Tendrán acceso a estas ayudas todos los jóvenes ocupados de entre 22 y 30 años, cuyos ingresos anuales no superen los 22 000 euros. La ayuda se dará durante un máximo de 48 meses (cuatro años) y se prorrateará si se trata de un alquiler compartido (más de un titular del contrato de alquiler). A pesar de que muchos sectores de la población ven con desconfianza esta medida, los jóvenes han recibido esta noticia con gran alegría ya que esto podría ayudarlos a independizarse y vivir de forma un poco más desahogada.

La ministra expuso un paquete de medidas que acompañarán al aval y las ayudas al alquiler, lo que considera que impedirá que los propietarios encarezcan el precio del alquiler: «Daremos garantías a los propietarios: desperfectos, desahucios o impagos. Pondremos en alquiler el suelo público que tenemos. Y también aumentaremos el suelo privado en alquiler. Haremos más rentable el alquiler para aquellos propietarios que quieran hacer promociones y también vamos a regular los intermediarios. Será un paquete amplio de medidas».

GRAMÁTICA   G

Oraciones concesivas: nexos y conectores

(Aun) A sabiendas de que, si bien, y eso que, (con) el/la, la de + indicativo

◆ *Con la de* dinero que tiene y no se independiza.

Por mucho (a/os/as) (+ sustantivo) + *que, por (muy)* + adjetivo o adverbio + *que, aun a riesgo de (que)* + subjuntivo

◆ *Aun a riesgo de que* lo destrozen, lo voy a alquilar.

Aun, incluso + gerundio

◆ *Aun* queriendo alquilar no lo hace.

Aunque, a pesar de (que), pese a (que), por más (+ sustantivo) + *que, aun si, aun cuando, incluso cuando* + indicativo/ subjuntivo

◆ Rechazaron mi expediente *aun cuando* cumplía los requisitos.

Otras construcciones concesivas

Digan lo que digan, hagan lo que hagan; Con lo que + indicativo

---

b. G Vuelve a leer las noticias anteriores y subraya las oraciones en las que se plantea una dificultad. Compara los resultados con tu compañero.

c. G Lee estas oraciones extraídas de un foro en el que varias personas opinan sobre algunas de las medidas anteriores. Complétalas y pon el verbo en el tiempo correspondiente.

1. No sé, _____ medidas que (incluir) _____ los partidos políticos en sus planes de vivienda, creo que habría que empezar por acabar de una vez por todas con la burbuja inmobiliaria.

2. _____ algunas de las medidas no (ser) _____ muy bien acogidas y (ser) _____ poco electoralistas (como la de gravar los pisos vacíos), creo que son muy necesarias.

3. _____, creo que una ley que protegiera al arrendatario en el contrato de alquiler y que garantizase sus derechos sería suficiente, porque nadie quiere tener un piso vacío pudiendo alquilarlo.

4. A mí me parece muy bien que se intente solucionar un problema que nos afecta a todos y bienvenidas sean todas las medidas que se tomen al respecto _____ se (perder) _____ algunos votos.

5. A mí también me parecen bien todas las medidas de este tipo que se tomen, _____ no (estar) _____ nada mal que hicieran más casas de protección oficial.

d. 🗨 ¿Qué otras medidas crees que se podrían adoptar para intentar solucionar el problema de la vivienda? En grupos, pensad al menos otras dos y exponedlas al resto de la clase. Elegid las dos medidas que os parezcan más interesantes.

6. Aquí no hay quien conviva

a. En el piso de Claudio han empezado a tener algunos problemas entre ellos. Lee estas conversaciones y anota qué tipos de problemas están teniendo.

1
- ◆ *Oye, si no ibas a venir a comer, podías haber avisado antes, ¿no? Porque si lo sé no hago tanta comida y, además, no pierdo el tiempo. ¡Que yo también tengo que hacer muchas cosas!*
- ◆ *Bueno, no te pongas así, que no es para tanto. Pareces mi madre. Como comprenderás a estas alturas no voy a darte explicaciones de lo que hago o dejo de hacer.*
- ◆ *Oye, no te permito que me hables así. Yo solo pido un poco de respeto para la persona a la que ese día le toca cocinar.*

2
- ◆ *Estoy harto. Aquí cada uno hace lo que quiere.*
- ◆ *Bueno, Claudio, no te pongas así.*
- ◆ *Es que aquí no hay quien viva. Ya dijimos que quedaba terminantemente prohibido organizar fiestas en época de exámenes. Pues nada, Jorge va y organiza una fiesta el sábado pasado, cuando tú y Bea estáis hasta arriba, y se lo digo y encima se enfada y me dice que no va a dejar de hacer una fiesta porque yo lo diga. ¿Qué te parece?*
- ◆ *Ya…*
- ◆ *Ya le dije: «Allá tú, pero como sigas haciendo lo que te da la gana, te vas a quedar solo…».*
- ◆ *¿Y qué te dijo?*
- ◆ *Me dijo que quién era yo para ir amenazando a nadie.*

3
- ◆ *Tú verás lo que haces, pero yo ya no aguanto más. O dejas de saltarte las normas o ya puedes ir buscándote otra casa.*
- ◆ *Pero ¿qué normas me estoy saltando?*
- ◆ *Ah, ¿te parece bien estar hasta las dos de la mañana jugando a la consola con tus amigos en tu cuarto?*
- ◆ *De todas formas es que te molesta todo. Esta casa cada vez se parece más a una cárcel.*
- ◆ *Bueno, yo solo te digo que, si continúas comportándote de esta manera, nos veremos obligados a tomar una solución drástica, quedas avisado.*
- ◆ *Me voy a ir de aquí porque tú lo digas… De aquí no me echa nadie.*

4
- ◆ *¡Por fin se ha ido Jorge! Pensé que nunca se marcharía de esta casa.*
- ◆ *Sí, ya era hora, la verdad. Yo estaba harta de su caradura.*
- ◆ *Desde luego, no cogía un trapo ni aunque lo mataran.*
- ◆ *Sí, no sé cómo lo hacía, pero cuando tocaba hacer algo, desaparecía como por arte de magia.*
- ◆ *Yo ya le dije un día: «Tú sabrás lo que haces, pero así no se puede ir por el mundo».*

b. Vuelve a leer los diálogos anteriores y completa la tabla con las oraciones y expresiones que sirven para…

PROHIBIR	RECHAZAR UNA PROHIBICIÓN	ADVERTIR Y AMENAZAR	EXPRESAR ALIVIO

c. Además de los problemas que está teniendo Claudio con sus compañeros, ¿qué otros conflictos se te ocurre que se pueden producir entre personas que comparten una casa? Haz una lista con tu compañero.

El incumplimiento del reparto de tareas de la casa, la limpieza del piso…

d. Elegid una de las situaciones de la lista que habéis hecho y escribid un diálogo empleando algunas de las expresiones que habéis aprendido.

e. Representad los diálogos que habéis escrito. Buscad la entonación y los gestos adecuados.

7. Comprar una casa

a. [G] Claudio está harto de compartir casa, pero no sabe qué hacer, está hecho un lío. Estas son algunas de las cosas que se plantea. Léelas y complétalas.

> CADA UNO   LA MITAD   CUÁNTO   DE TODO   CUANTAS   CUALQUIERA

Más de _La mitad_ de mis amigos ya se ha independizado. A ver cuándo soy yo el siguiente.

Voy a hablar con Pilar, que ella sabe _de todo_: hipotecas, ayudas...

Todo _cuanto_ digas no son más que excusas. Tienes que tomar una decisión ya. No puedes seguir así.

Echa _cuantas_ cuentas quieras, pero no te salen. Tu sueldo está bien, pero meterte en una hipoteca tú solo. No sé...

Búscate de momento un estudio _cualquiera_ y date un poco más de tiempo antes de tomar una decisión.

Creo que al final no me voy a ir a vivir con Ester, es que es muy desordenada. Bueno, Claudio, no seas criticón, _cada uno_ en su casa hace lo que quiere.

b. (32) Claudio al final ha decidido comprarse un piso y ha ido a Caja Joven para obtener información sobre las hipotecas. Escucha la conversación que mantiene con una empleada de la <u>sucursal</u> y señala si las siguientes afirmaciones son verdaderas o falsas.

	V	F
1. Claudio puede pedir una hipoteca del valor total del piso que se quiere comprar.		✓
2. El banco, para decidir cuánto dinero concede, envía a la vivienda a una persona que se encarga de determinar el valor real del piso.	✓	
3. Claudio tiene que presentar un aval, su contrato, la última nómina y la declaración de la renta.	✓	✓
4. Claudio puede pedir más dinero del que le conceda el banco siempre y cuando presente un <u>aval</u>.	✓	
5. Claudio está obligado a contratar un seguro.	✓	

c. (32) [V] Vuelve a escuchar la conversación y, en parejas, haced una lista con todas las palabras que creáis que están relacionadas con la compra de una casa.

Pedir una hipoteca/un crédito hipotecario...

d. [V] Busca en la lista anterior las palabras que corresponden a estos significados y escríbelas.

hipo: Contrato por el que se garantiza el pago de un crédito mediante un bien inmueble.

aval: Firma que se pone al pie de una letra u otro documento de crédito para responder de su pago en caso de no efectuarlo la persona principalmente obligada a él.

_____: Aportación del dinero necesario para una empresa.

notario: Funcionario público autorizado para dar fe de los contratos, testamentos y otros actos extrajudiciales, conforme a las leyes.

Tasación: Estimación del valor de un bien o de un servicio.

8. Atención al cliente, ¿dígame?

a. 🔊 ¿Has tenido que llamar alguna vez al servicio de atención al cliente de una empresa? ¿Qué opinión tienes al respecto? Lee estas opiniones extraídas de un foro de Internet, ¿estás de acuerdo? Escribe tu opinión.

📄 **Harto** *Enviado 10-abril 13:00*	Los servicios de atención al cliente de las operadoras de telefonía rara vez solucionan tu problema y te hacen perder una cantidad de tiempo… Desde que llamas hasta que puedes hablar con alguno de los operadores tienes primero que hablar con una máquina que siempre da problemas y después tragarte varios minutos de una musiquita infernal. Es una vergüenza.
📄 **Mer384** *Enviado 10-abril 16:12*	Los servicios de atención al cliente de la mayoría de las operadoras, además de funcionar normalmente bastante mal, son muy injustos porque implican un coste añadido al cliente. ¿No se supone que este servicio debería ser gratuito?? Pues no entiendo por qué los números de atención al cliente son siempre un 902. No hay derecho a que nos engañen de esta forma.
📄 **Laura** *Enviado 11-abril 12:11*	¿Cómo es posible que todo el mundo con el que hablas ha tenido alguna vez algún problema con este tipo de servicios? Lo que no se puede tolerar es que te toreen de esa forma cada vez que tienes un problema y te pasen de un departamento a otro sin que nadie sepa cómo resolver tu problema. Lo que me da pena es que todos nuestros gritos se los llevan los pobres teleoperadores, que no tienen culpa de nada. Os pido mil disculpas.

b. ㉝ Claudio ya está viviendo en su nueva casa, pero está teniendo algunos problemas y llama al servicio de atención al cliente de Vivatel. Escucha la grabación y señala qué problema tiene.

☐ Tiene problemas con la facturación del teléfono y de la línea ADSL.

☐ No funciona el servicio de contestador automático.

☐ Tiene muchos problemas para conectarse a Internet.

☐ Le han cobrado unas tarifas telefónicas distintas a las que había contratado.

☐ Se dio de baja, pero sigue recibiendo facturas.

c. ㉝ Vuelve a escuchar la grabación y contesta a estas preguntas.

1. ¿Cuándo dio de baja Claudio el servicio que le prestaba Vivatel?
2. ¿Cómo se dio de baja?
3. ¿Qué es lo que quiere Claudio?
4. ¿Cuál cree el operador que puede ser el problema?
5. ¿Cómo se solucionaría el problema según el teleoperador?
6. ¿Qué opción le ofrece el teleoperador a Claudio para que no sigan cobrándole los servicios?

d. ㉝ C Imagina que te ha pasado algo parecido y que vas a llamar al servicio de atención al cliente. Vuelve a escuchar la grabación y anota los recursos que creas que podrían ayudarte.

e. 🔊 ¿Has tenido o ha tenido algún conocido problemas con el servicio de atención al cliente de alguna empresa? ¿Qué pasó? ¿Cómo se solucionó? Escribe en un papel un texto contando tu experiencia y cuélgalo en la pared.

f. 📖 Lee las experiencias de tus compañeros y selecciona el texto que más cosas en común tenga con tu historia. Coméntalo con tus compañeros.

COMUNICACIÓN C

Quejarse del funcionamiento de un servicio

◆ No puede ser que…

◆ No hay derecho a que…

◆ No se puede tolerar…

◆ Me parece increíble/ una vergüenza que…

◆ ¿Cómo es posible que…?

Reclamar

◆ Quería hacer una reclamación.

◆ Como no me hagan caso/ Si no me hacen caso, me veré obligado a…

◆ Me temo que no me queda más remedio que…

9. La carta de reclamación

a. 📖 V Claudio ha decidido al final escribir una carta de reclamación y se ha descargado este modelo de Internet. Léela y complétala con las palabras que faltan.

Viajes Volare
C/ Pío, 14
01010 - Teruel

Teruel, 2 de agosto de 2007
María Sarmiento
C/ Pío, 50
01010 - Teruel

_____ señor/a mío/a:

El pasado mes de julio mi hermana y yo fuimos durante una semana a la isla de Corfú (Grecia) en un viaje organizado por su agencia. Cuando lo contratamos, ustedes nos ofrecieron una serie de ventajas, como un hotel de tres estrellas cerca del mar y cerca del pueblo, guías que nos esperarían en los puntos de llegada y nos orientarían, etc.

_____, los problemas comenzaron cuando llegamos a Atenas, nuestro equipaje se había perdido y no había nadie de su compañía para ayudarnos. Al llegar al hotel de la isla de Corfú nos encontramos con una desagradable sorpresa. El hotel estaba en medio de la isla a varios kilómetros tanto del mar como del pueblo. Era de dos estrellas, estaba realmente sucio y solo hablaban griego.

_____, reclamamos daños y _____ por el no _____ de las condiciones ofrecidas por ustedes en este viaje. Les _____ los detalles del folleto del viaje que contratamos y nuestros datos.

_____ su respuesta, comunicándole que si en un plazo _____ no se produce, iniciaré otro tipo de _____.

Le saluda _____,

María Sarmiento

DESGRACIADAMENTE
EN CONSECUENCIA
ADJUNTO
ESPERO
PERJUICIOS
PRUDENTE
GESTIÓN
MUY
ATENTAMENTE
CUMPLIMIENTO

---

b. 📖 Vuelve a leer la carta y contesta a estas preguntas.

1. ¿A quién va dirigida esta carta de reclamación?
2. ¿El tono de la carta es cortés?
3. ¿Cuál es el objeto de su reclamación? ¿Está expresada de forma clara y concisa?
4. ¿En qué párrafo se explica cuáles han sido los problemas?
5. ¿Qué pide el consumidor en su carta?
6. Además de la carta, ¿María envía algo más?

c. ◁ Ahora imagina que eres Claudio. Escribe la carta de reclamación al servicio de atención al cliente de Vivatel.

d. 📖 Lee la carta de tu compañero y fíjate en estos aspectos: el tono que utiliza, si es claro y conciso en su exposición, si lo que pide es razonable… Si hay algo que crees que podría mejorar, coméntaselo.

e. 🗣 Cs ¿Has escrito alguna vez una carta de reclamación? ¿Para qué? ¿Conseguiste algo? ¿En tu país es normal que la gente reclame? ¿Crees que es útil reclamar? Coméntalo con tus compañeros.

ESTRATEGIAS E

Cuando decidimos escribir una carta de reclamación, hay que: identificar a la persona o entidad a la que va dirigida, utilizar un tono cortés pero exigente, redactar una reclamación con la que puedas convencer y probar los hechos de los que te quejas, incluir toda la documentación relacionada con los hechos que se quieren reclamar (facturas, presupuestos, notas, cartas…), solicitar una solución razonable a tu queja (indemnización, devolución o reparación de un artículo, pago de una cuantía por daños…), etc.

10. Casas con historia

a. [BLA BLA BLA] [Cs] ¿Has visitado alguna vez la casa de algún personaje famoso?
¿De quién? ¿Cómo era? ¿Te gustó? ¿Qué es lo que más te llamó la atención?
Coméntalo con tus compañeros.

> ◆ *Yo una vez estuve de vacaciones en Granada y fui a visitar la casa*
> *de Federico García Lorca, que está en Fuentevaqueros.*

b. [📖] [Cs] Estas son las casas museo de algunos personajes famosos
españoles e hispanoamericanos. Lee los textos, ¿cuál visitarías? ¿Por qué?
Coméntalo con tus compañeros.

Está situada en el inmueble que ocupó el escritor durante su estancia
en Valladolid entre los años 1604 y 1606. En su interior se intenta recrear el
ambiente que pudo respirar el escritor en una casa discretamente decorada,
de acuerdo con las posibilidades de un hidalgo español del siglo XVII.

La casa museo está formado por un patio posterior que conserva la
distribución original que se destina a la celebración de actos culturales
o talleres infantiles; un zaguán que está presidido por la misma lápida
que en 1866 se instaló en la fachada del edificio, en la que figura:
«Aquí vivió Cervantes». Y por último, la biblioteca, que al principio
se formó con un depósito de libros de la Biblioteca Nacional y una
aportación del marqués de la Vega Inclán.

El poeta compró La Sebastiana en obra gruesa, es decir, sin terminar,
junto a un matrimonio amigo.

Ellos se quedaron con los dos primeros pisos de un lado de la casa
y el poeta con los cinco pisos del otro lado. Cada propietario terminó
la construcción a su manera; el poeta la llenó de colores, rincones
y escaleras, como un Valparaíso hecho casa.

Desde ese día vino por períodos, como por ejemplo para la noche
de año nuevo. «Para vivir la noche de año nuevo, lo mejor es Valparaíso»,
recomendaba, pensando en el espectáculo pirotécnico que se realiza
en la bahía desde los barcos de la Armada y las embarcaciones
comerciales a partir de la medianoche.

(Fuente: http://www.lasebastiana-neruda.cl/)

Los padres de la pintora adquirieron en 1904 un terreno de 800 m^2 situado
en la esquina de las calles de Londres y Allende, que formó parte de la
Hacienda del Carmen, antigua propiedad de los carmelitas.

En este mismo año se inició la construcción de la casa de la familia, cuyo
plano original era de forma rectangular e incluía algunos espacios interiores
al aire libre. Recibe el nombre de la Casa Azul por el color de sus paredes.

En esta casa nació el 6 de julio de 1907 su hija, que recordaba cómo
durante su infancia, alrededor de 1913, presenció la lucha entre zapatistas y
carrancistas y vio cómo su madre abrió los balcones de la casa para atender
al ejército de Zapata. La pintora fue recluida en este inmueble por primera
vez en 1918, después de que se le diagnosticara poliomielitis.

c. [BLA BLA BLA] [Cs] En tu ciudad, ¿se puede visitar la casa museo de algún personaje
famoso? ¿De quién? ¿Cómo es la casa? Coméntalo con tus compañeros.

Pedir permiso

◆ *¿(Te) molesto si…?; ¿Es/Sería/Será mucha molestia si…?;*
¿Hay/Tienes (algún) problema/inconveniente en/con que…?;
¿Me das (tu) permiso/autorización para…?;
¿Te importa que + presente de subjuntivo?; ¿Te importaría
que + pretérito imperfecto de subjuntivo?; ¿Me dejas que +
presente de subjuntivo?

Dar permiso

◆ *Eso ni se pregunta; Por supuesto, faltaría más;*
Tienes/Cuentas con/Te doy mi autorización/permiso/
consentimiento para…; Si no queda/hay otro remedio;
Sí vale, pero que + subjuntivo; No, a menos que me
asegures que…

Denegar permiso

◆ *¡Ni pensarlo!; ¡Ni hablar!; ¡Ni lo sueñes!; ¡Ni lo pienses!;*
¡Ni se te ocurra!; En modo alguno; No te permito que +
presente de subjuntivo

Prohibir

◆ *No te permito que…; Queda terminantemente prohibido…*

Rechazar una prohibición

◆ *Digas lo que digas/Hagas lo que hagas/Te pongas como*
te pongas… + oración; Porque tú lo digas…

Advertir

◆ *Estás/Quedas avisado/advertido; Luego no digas*
que no te advertí; Tú verás/sabrás lo que haces…

Amenazar

◆ *Te arrepentirás; Allá tú (con lo que haces), pero…;*
Como no llegues a la hora…

Expresar alivio

◆ *¡Al fin!; ¡Por fin!; ¡Ya era hora!; ¡Me quedo mucho más*
tranquilo!

Quejarse del funcionamiento de un servicio

◆ *No puede ser que…; No hay derecho a que…; No se puede*
tolerar…; Me parece increíble/una vergüenza que…;
¿Cómo es posible que…?

Reclamar

◆ *Quería hacer una reclamación; Como no me hagan caso/*
Si no me hacen caso, me veré obligado a…; Me temo que
no me queda más remedio que…

Tareas domésticas

Pasar el aspirador/la mopa; fregar los platos/el suelo; planchar…

Expresiones y frases hechas

Ser de la casa, para andar por casa, no parar en casa…

Compra y alquiler de una vivienda

Solicitar/pedir/conceder/subrogar/cancelar/ampliar
una hipoteca; notaría, notario; aval, avalista…

Usos del subjuntivo

Con verbos de influencia para pedir y dar permiso e influir en los demás

Permitir, dejar, prohibir, mandar, tolerar, insistir en…
+ presente/pretérito imperfecto de subjuntivo

◆ *No te **permito** que me **hables** así; cuando tenía tu edad,*
tu abuelo tampoco me lo permitía a mí.

Para pedir permiso en oraciones subordinadas que dependen de verbos principales en presente o condicional

Importar, molestar + presente/pretérito imperfecto
de subjuntivo

◆ *¿Te **importa** que Juan y Marga **vengan** a casa?*
◆ *¿Te **importaría** que Juan y Marga **vinieran** a casa?*

Oraciones concesivas: nexos y conectores

***(Aun) A sabiendas de que**, **si bien**, **y eso que**, **(con) el/la**,*
***la de** + indicativo*

◆ ***Con la de** dinero que tiene y no se independiza.*

***Por mucho (a/os/as)** (+ sustantivo) + **que**, **por (muy)** +*
*adjetivo o adverbio + **que**, **aun a riesgo de (que)** + subjuntivo*

◆ ***Aun a riesgo de que** lo destrocen, lo voy a alquilar.*

***Aun**, **incluso** + gerundio*

◆ ***Aun queriendo** alquilar no lo hace.*

***Aunque**, **a pesar de (que)**, **pese a (que)**, **por más** (+ sustantivo) +*
***que**, **aun si**, **aun cuando**, **incluso cuando** + indicativo/subjuntivo*

◆ *Rechazaron mi expediente **aun cuando** cumplía los requisitos.*

Otras construcciones concesivas

***Digan lo que digan**, **hagan lo que hagan**…*

◆ ***Digan lo que digan**, pienso alquilar mi casa.*

***Con lo que** + indicativo*

◆ ***Con lo que** te ha costado comprar esta casa, ahora*
la vas a alquilar.

El modo en las oraciones concesivas

Se usa el indicativo cuando introducen una información nueva
y el subjuntivo cuando introducen información compartida
(que ya se ha mencionado antes o que los hablantes
comparten) o cuando el hablante no se compromete
con la verdad de la informacion porque no está seguro.

Cuantificadores

Partitivos: *la mitad/un tercio de los…; la mitad de la mitad*

Todo: *con valor generalizador inespecífico: Todo español*
sabe…; precedido de la preposición de: Sabe de todo.

Cuanto: *con o sin antecedente expreso: Di cuantas mentiras*
quieras, Come cuanto quieras; precedido de todo:
Todo cuanto digas me traerá sin cuidado.

Cada uno: *con valor impersonal: Cada uno en su casa,*
hace lo que quiere; con antecedente: ¿Te he hablado
de mis vecinos? Pues cada uno tiene lo suyo… no te creas.

Cualquiera: *con sustantivo: Un plato cualquiera;*
sin sustantivo con uno/a: Sí, uno cualquiera.

Rituales y tradiciones · 9

En esta unidad vas a aprender:

- A seguir actos públicos y ceremonias

- A desenvolverte en celebraciones y actos familiares

- A felicitar y expresar buenos deseos

- A comprender y comparar diferentes tradiciones culturales centradas en rituales y ceremonias

COMUNICACIÓN	GRAMÁTICA	VOCABULARIO	CULTURA Y SOCIOCULTURA	TEXTOS
Felicitar	La concordancia *ad sensum* (según el sentido)	Celebraciones, fiestas y acontecimientos familiares	Tradiciones de la cultura hispánica asociadas a momentos clave en la vida de una persona: nacimiento, bautismo, boda...	Conversaciones cara a cara
Formular buenos deseos	Asíndeton y polisíndeton			Reportajes y tertulias radiofónicas
Expresar nerviosismo	*Al* + infinitivo			Textos informativos
Dar el pésame	Variaciones en el orden oracional sujeto-verbo-objeto (SVO)		Tradiciones asociadas a la Navidad	Discursos en acontecimientos familiares y sociales
Expresar resignación			La pintura de Dalí	Canción *Soy gitano*, de Camarón de la Isla
Tranquilizar y consolar				
Expresar halagos, cumplidos y piropos				

1. Mis mejores deseos para todos

a. 🔊 Cs Fíjate en estas imágenes. ¿Qué crees que están celebrando en cada caso? Coméntalo con tu compañero.

C

COMUNICACIÓN
Felicitar

- *Mis felicitaciones.*
- *Felicidades.*
- *(Mi) Enhorabuena.*
- *(Creo que) Estás de enhorabuena.*
- *Choca esos cinco/Chócala(s)*.*

* Expresión utilizada normalmente por niños o jóvenes, no por adultos.

En un cumpleaños

- *Felicidades.*
- *Feliz cumpleaños.*
- *Que cumplas muchos más.*
- *Que cumplas muchos más y que (los demás) lo veamos/estemos todos para celebrarlo.*

En fiestas y celebraciones

- *Felices fiestas.*
- *Felices Navidades/Feliz Navidad y próspero Año Nuevo.*
- *Os deseo lo mejor en/para estas fiestas (tan señaladas).*
- *Mis mejores deseos en/para estos días (tan señalados).*

Formular buenos deseos

- *Te deseo toda la suerte/el éxito del mundo.*
- *Mis mejores deseos para/en…*
- *Mucha suerte.*

b. V Completa las siguientes palabras relacionadas con distintas celebraciones. Si lo necesitas, puedes usar el diccionario.

1. EN _ _ C _   MAT _ _ M _ N _ _ L
2. _ _ M P L _ A _ O _
3. B _ U _ I Z _
4. F _ N   DE   C _ R R _ _ A
5. _ A _ TO
6. C _ N _   DE   E _ P _ ES _
7. INA _ G _ R _ C _ _ N
8. _ NI _ E _ SA _ _ O

c. V ¿Cuáles de las anteriores palabras relacionas con las imágenes de 1. a?

d. C En parejas. Fijaos en el cuadro de comunicación. ¿Qué expresiones se podrían utilizar en las celebraciones de 1. a?

e. C Elige o inventa dos buenas noticias y comunícaselas a tu compañero, que debe felicitarte.

Me ha tocado la lotería.   He conseguido el trabajo que buscaba.

Tengo un coche nuevo.   Ha nacido mi primer hijo.

- *Pablo, acaban de aceptar mi proyecto.*
- *¡Genial! ¡Enhorabuena!*

f. 🔊 Cs ¿En qué ocasiones se suelen enviar en tu país tarjetas de felicitación? ¿Se envían por correo o por vía electrónica? ¿Qué textos suelen aparecer? Coméntalo con tus compañeros.

2. Tómatelo con calma

a. [C] Fíjate en el cuadro de comunicación y piensa en qué situaciones se pueden emplear esas expresiones. Coméntalo con tus compañeros.

b. (34) Escucha ahora varias conversaciones o declaraciones. ¿Qué se expresa en cada una y por qué?

c. (34) Vuelve a escuchar las conversaciones o declaraciones, si es necesario, y responde a las preguntas.

1. ¿De qué tiene miedo Ernesto?
2. ¿Por qué está triste Rosalía?
3. ¿Por qué tiene que volver Tomás al restaurante?
4. ¿Qué se destaca de las personas fallecidas?
5. ¿Qué le pasa a Ricardo?

d. (34) [C] Vuelve a escuchar las conversaciones o declaraciones y toma nota de las expresiones del cuadro de comunicación que se emplean en cada una.

e. [C] Fíjate en los dibujos y completa los bocadillos.

COMUNICACIÓN	C

Expresar nerviosismo
- Me va a dar algo/un ataque.
- Estoy al borde de un ataque de nervios.
- Estoy como un flan.
- Estoy de los nervios.
- Me ha puesto de los nervios.

Dar el pésame
- Lo siento mucho.
- ¡Cuánto lo siento!
- Lo lamento profundamente.
- Estoy contigo/a tu lado.
- Ya sabes dónde me tienes.
- Quisiera/Quiero expresarle mi más sentido/sincero pésame*.

* Expresión muy formal.

Expresar resignación
- Me resigno a…
- No hay/queda otro/más remedio.
- ¡Que sea lo que Dios quiera!
- ¡Que sea lo que tenga que ser!

Tranquilizar y consolar
- Tranquilo/a.
- Bueno, bueno…
- Venga, venga…
- Venga, hombre/mujer.
- Vamos, vamos.
- Tómatelo con calma/paciencia.
- Lo superarás.
- Por lo menos…
- No te lo tomes así/tan en serio.
- No te preocupes.
- Intenta alegrar esa cara, anda.

Quisiera expresarle _____

...armen y Pedro tampoco vienen a la fiesta, ¡qué mala suerte!

Tranquila, no _____

Gracias, muchas gracias.

Ya me toca a mí; estoy como _____

_____

¿Entonces tienes que trasladarte a Sevilla?

Pues sí, no hay _____

f. [C] En parejas. Elegid una de las escenas y escribid la continuación de la conversación. Después podéis representarla para el resto de la clase. No olvidéis que los gestos son muy importantes en estas situaciones.

3. ¡Que seáis muy felices!

a. 🔲 Cs ¿Has estado alguna vez en una boda en España?
Comenta con tus compañeros: ¿qué crees que prefieren los españoles?:
¿casarse por lo civil o por la iglesia?, ¿muchos o pocos invitados?,
¿vestido de novia blanco o de color?, ¿pétalos de rosa o arroz al final
de la ceremonia?

b. 📖 Cs Busca y relaciona
la información sobre algunas
tradiciones relacionadas
con las bodas.

	A	B
1. LANZAR EL RAMO Una costumbre muy extendida en los países anglosajones es lanzar el ramo de la novia	en el dedo anular de la mano derecha. En Cataluña se coloca en la mano izquierda.	a la persona que haya decidido de antemano como recuerdo. Hay quien prefiere llevar el ramo a una iglesia y ofrecérselo a la Virgen.

	C	D
2. TIRAR ARROZ La práctica de tirar arroz comenzó en Oriente. A los novios se les tira arroz para desearles que tengan muchos hijos	significados que las culturas conceden a los colores. Para los musulmanes es el negro el color de la pureza, mientras que en las culturas occidentales se asocia el dolor y el luto con este color.	a la cima y allí tenían que besarse. El resultado era que la tarta se caía estrepitosamente al suelo. De ahí que se decidiera sustituirla por un pastel gigante. Los pasteles simbolizan la fertilidad y la buena suerte para la pareja.

	E	F
3. MARCHA NUPCIAL Cuando la novia entra en la iglesia y cuando los novios salen ya convertidos en esposos, suena la marcha nupcial. El origen	de esta costumbre hay que situarlo en 1858, en la boda de la Princesa Victoria de Inglaterra con Federico Guillermo de Prusia. La princesa eligió	entre las mujeres solteras que asisten a la boda. En España, la costumbre es que la novia entregue el ramo

	G	H
4. EL PASTEL DE BODAS El pastel de bodas tiene su origen en la Roma Antigua. Para simbolizar la fertilidad, los romanos partían un pan sobre la cabeza de la novia;	ya que en estos países el arroz es símbolo de fertilidad. En Europa existe esta costumbre	la reina Victoria quien cambió la costumbre e impuso el blanco en el traje de novia como símbolo de la pureza. Es curioso comprobar los diferentes

	I	J
5. ARRAS Y ANILLOS El intercambio de arras es de origen mozárabe. Quiere decir que los novios van a compartir sus bienes en su nueva vida en común.	desde la Edad Media. En la actualidad muchos prefieren los pétalos de rosa para desear a los novios un futuro feliz.	los invitados recogían las migajas y se las comían. En el siglo XVII Inglaterra modificó esta costumbre. Decidieron hacer pequeñas tartas que juntaban formando una pequeña montaña. Los novios subían

	K	L
6. VESTIDO DE NOVIA La mayoría de las mujeres se casa de blanco, pero antes del siglo VI las novias elegían el color plateado para su vestido. Fue	En total son 13 monedas que simbolizan los meses del año. La moneda que sobra recuerda a los novios que deben compartir su riqueza con los pobres. En España el anillo de casado se suele colocar	la marcha nupcial de Mendelssohn para que la acompañara desde su entrada hasta el altar de la iglesia.

c. (35) **Escucha los resultados de una encuesta sobre las bodas en España y marca la opción correcta.**

1. Según la grabación, un tercio de los solteros encuestados prefiere:
   a. casarse por lo civil.
   b. casarse por la iglesia.
   c. vivir juntos.

2. Más de la mitad de las personas encuestadas prefieren celebrar la boda:
   a. en palacios exóticos.
   b. en un hotel.
   c. en contacto con la naturaleza.

3. Según la grabación, a la mayoría de los novios le gustaría celebrar una boda:
   a. multitudinaria.
   b. con pocos invitados.
   c. solo con amigos.

4. El día de la boda, el 9 % de los novios prefiere:
   a. que le tiren arroz a la salida de la iglesia.
   b. llevar traje de etiqueta en la ceremonia.
   c. sentarse en el banquete con sus padres y padrinos.

5. Para la mayoría de los encuestados:
   a. un CD es un buen regalo para los novios.
   b. los novios deben sentarse con personas de su edad.
   c. es divertido que la novia lance el ramo.

d. [BLA BLA BLA] [Cs] **Comenta con tus compañeros lo que ocurre actualmente en tu país con las bodas, cómo se celebran y qué tradiciones se siguen.**

◆ *Yo creo que ahora la mayoría de la gente se casa por lo civil, no por la Iglesia, y muchas novias ya no visten de blanco.*

e. [G] **Fíjate en el cuadro de gramática. A continuación tienes fragmentos de las fórmulas que se utilizan en la celebración de una boda. Señala los casos de asíndeton o polisíndeton que encuentres.**

1. Yo, Sergio, te recibo a ti, Palmira, como esposa y me entrego a ti y prometo serte fiel en la prosperidad y en la adversidad, en la salud y en la enfermedad, y así amarte y respetarte todos los días de mi vida.

2. Así pues, y visto vuestro consentimiento, y en virtud de las facultades que legalmente me han sido otorgadas, os declaro desde este momento marido y mujer.

f. [G] **Lee los siguientes comentarios de los asistentes a una boda y señala los sujetos de las construcciones** *al* + **infinitivo.**

1. Al entrar Palmira en la iglesia, todo el mundo miró hacia el pasillo central.

2. Mira cómo sonríe Sergio al ver a Palmira llegar al altar.

3. Al salir los novios, los invitados les tiraron pétalos de rosa.

4. Al sonar el órgano, tía Paquita empezó a llorar.

g. [G] **Cambia el orden habitual de los elementos de las oraciones para poner más énfasis en los comentarios de estas personas.**

1. Los camareros reservaron el sitio a los invitados que llegaron más tarde.
   A los invitados que llegaron más tarde, los camareros les reservaron el sitio.

2. El fotógrafo sacó varias fotos a los que estábamos sentados en aquella mesa.

3. La novia le dio el ramo a su prima.

4. Conocí a los amigos de Inés en la fiesta.

5. Los padrinos nos entregaron un regalo a todos los que fuimos a la boda.

GRAMÁTICA

Asíndeton y polisíndeton

El polisíndeton es un recurso estilístico que consiste en el uso de más conjunciones (*y, o, ni, pero…*) de las necesarias para dar mayor lentitud al texto y que resulte más solemne.

En cambio, el asíndeton es la omisión de conjunciones para dar al texto más movimiento y rapidez.

***Al* + infinitivo**

Cuando el sujeto de la construcción *al* + infinitivo es distinto al de la oración principal, este se suele colocar después del infinitivo.

◆ *Al entrar* la familia en la iglesia, todos se callaron.

Variaciones en el orden oracional sujeto-verbo-objeto (SVO)

En español, el orden habitual de los elementos en una oración es sujeto-verbo-objeto (SVO). Sin embargo, en muchas ocasiones este orden se altera para dar más énfasis o importancia a otra información.

◆ *A los invitados*, los novios les entregaron un recuerdo de la boda.

Fíjate que cuando se antepone el OD, hay que poner el pronombre objeto.

◆ *Al novio lo* he visto encima de la mesa.

4. Las bodas en otras culturas

a.  [BLA][Cs] ¿Conoces el nombre de algún cantaor flamenco?
¿Has visto alguna vez una actuación suya? Coméntalo con tus compañeros.

b. [BLA][Cs] Vas a escuchar un fragmento de la canción de Camarón
Soy gitano, pero antes comenta estas preguntas con tus compañeros.

- ¿Qué sabéis de las tradiciones gitanas?
- ¿Conocéis alguna?

c. (36) Escucha el fragmento de la canción y contesta.

1. ¿De qué ceremonia se habla en la canción?
2. El cantaor dice que va a hacer algo especial, ¿qué?
3. Buscad información sobre las tradiciones gitanas en las bodas, ¿cuáles siguen vigentes?

5. Otras tradiciones

a. [📖][Cs] Observa esta foto y contesta a estas preguntas.
Después comenta tus hipótesis con tus compañeros.

- ¿Qué crees que están haciendo estas personas?
- ¿A qué país crees que puede corresponder?
- ¿Hay algo que te llame la atención?

b. [📖][Cs] Lee este texto y comprueba tus hipótesis.

Fiesta de quince años

Al parecer el origen de esta costumbre muy extendida en Hispanoamérica hay que buscarlo en las culturas aztecas y mayas que realizaban ritos para indicar la entrada a la vida _____ de las niñas. La conquista de los españoles supuso la introducción de la misa y en el siglo XIX el emperador Maximiliano y su esposa introdujeron el _____ y los vestidos.

Hoy en día, la _____ celebra su fiesta con un traje de color rosa, azul claro o blanco. Lleva también una _____ y se pone, por primera vez, los zapatos de _____ que su padre le regala para ese día.

La fiesta empieza con una _____ en la iglesia en la que la joven da gracias a Dios por todo lo recibido hasta ese día y le pide su ayuda y guía en su vida _____.

Después, el vals indica el comienzo de la gran fiesta. La quinceañera baila primero con su padre y después con los quince muchachos invitados. Cada chico le entrega una _____ roja.

En México la música corre a cargo de un _____, cuyos componentes van vestidos con su traje charro (chaquetilla, pantalón negro con bordados de plata y un gran sombrero mexicano). La canción tradicional para esta ocasión es *Mi niña bonita*. El cantante coloca su _____ sobre la cabeza de la chica.

c. [📖] Vuelve a leer el texto y complétalo con estas palabras.

| corona | rosa | vals | quinceañera | sombrero |
| futura | ceremonia | adulta | tacón | mariachi |

d. [BLA][Cs] ¿En tu cultura el hecho de cumplir una edad determinada tiene algún significado especial? ¿Hay alguna celebración similar? Coméntalo con tus compañeros.

6. Creencias y tradiciones

a. [V] Lee estos textos en los que se da información relacionada con algunas creencias y tradiciones y complétalos con estas palabras. Hay varias palabras que se repiten.

> NACIMIENTO BAUTIZO RITO CEREMONIA CELEBRAR FUNERALES
>
> REENCARNACIÓN RENACER HONRAS ESPÍRITU BANQUETE LUTO

1. En ____, el _____ de un hijo se celebra cuando este ya tiene un mes de vida. Los amigos y familiares acuden a felicitar a los padres y les ofrecen regalos como amuletos y ropas bordadas. Al niño se le corta el pelo por primera vez y sus cabellos se guardan envueltos en un papel rojo. Ese mismo día el abuelo paterno o materno le impone un nombre que no puede ser el mismo que el de los parientes más cercanos.

2. En ____ y ____ se asocia el _____ con el color negro, pero no es lo mismo en todas las culturas. En ____ es el blanco el color del _____, ya que con este color simbolizan la felicidad y prosperidad en la vida futura de la persona fallecida. Los ____ prefieren el rojo, símbolo de energía. Los ____ asisten a los _____ vestidos de blanco porque creen que las personas que se comportaron bien en la vida se transforman en aves blancas.

3. El _____ de un niño o niña, según el _____ católico, supone además de una _____ religiosa, un sacramento. En ____ antes se hacía en los treinta primeros días después del _____ del bebé, pero en la actualidad no hay un período de tiempo establecido. Hay niños que van andando a su _____. Antes, estas ceremonias tenían un carácter más familiar, participaban en ella los parientes más próximos. Hoy en día se ha convertido en un acontecimiento social con _____ y gran número de invitados.

4. Los ____ creen en la _____, por eso para ellos los _____ no son motivo de llanto ni de lamento. Utilizan símbolos como el arroz que para ellos significa _____. Por otra parte, como creen en la reencarnación consideran horrible la muerte violenta de un familiar. Piensan que en estos casos la mente del fallecido está llena de malos pensamientos y que así no es posible lograr una buena reencarnación.

5. En ____ se denomina día *samchil* al 21.º día siguiente al _____ de una persona. *Chil* significa siete en coreano y es un número que se cree que trae suerte. En ese día, la familia y los amigos se reúnen para _____ el _____ del bebé y animar a la madre tras el parto. Ella toma una sopa de algas con un caldo de ternera.

6. En ____, el _____ de los antepasados cumple un papel fundamental en la vida de muchas familias, pues las guían y orientan. Para que un _____ de los antepasados pueda realizar esta tarea, la persona fallecida debe ser objeto de _____ fúnebres y un _____ tradicional especial. Un _____ que no ha sido honrado no tiene reposo ni calma, y lleva mala suerte a la familia y a toda la comunidad.

b. [Cs] ¿De dónde crees que son estas tradiciones? ¿Quiénes crees que las celebran? Para averiguarlo completa los textos con las palabras de los cuadros. Después, compara los resultados con tus compañeros.

> AMÉRICA ESPAÑA
>
> EUROPA CHINA
>
> COREA ZIMBABUE

> MUSULMANES
>
> BUDISTAS
>
> GITANOS

c. [Cs] Comenta con el resto de la clase los aspectos que más te han sorprendido y cómo se suelen celebrar los nacimientos y los funerales en tu país.

7. Celebrando la Navidad

a. 🔲 Cs Fíjate en las fotografías. ¿Qué te sugieren? ¿Qué elementos relacionados con la Navidad ves reflejados?

b. 📖 Cs Lee la información de tu tarjeta en la que se explica cómo se celebra la Navidad en varios países de Centroamérica; después toma nota de los datos más importantes y con tu compañero buscad semejanzas y diferencias en las tradiciones de los distintos países.

Alumno A

Costa Rica

En Costa Rica existe la tradición de los portales, representación del nacimiento de Jesús en el Portal de Belén. La noche del 24 de diciembre, la figura del niño Jesús se coloca en el portal. Además de las celebraciones religiosas típicas de estas fechas, las fiestas populares tienen un papel muy importante en este período de vacaciones. El día de Navidad toda la ciudad de San José se ilumina de forma especial, hay fuegos artificiales, bengalas, cohetes. Las fiestas y bailes populares que se inician tras la cena de Nochebuena dan paso a las múltiples diversiones de la localidad de Zapote: parques de atracciones, corridas de toros mansos con toreros aficionados, partidos de fútbol, carreras ciclistas…

Panamá

Se inicia la celebración de estas fiestas con la asistencia a la Misa del Gallo, a la que le sigue la cena familiar. El pavo, jamón, tamales, ensaladas de papas, rosca de huevo y frutas son algunos de los platos típicos de esta cena. Después se abren los regalos.

Honduras

El Warini es el gran protagonista de las fiestas navideñas de Honduras. El Warini es un personaje cubierto con una máscara que baila por las calles acompañado de cantantes y tamborileros. Los lechoncitos y el pavo relleno son los platos típicos de la cena de Nochebuena.

Alumno B

Guatemala

El ambiente navideño ya empieza a notarse con la festividad del 12 de diciembre, día de Nuestra Señora de Guadalupe, patrona de México y de las Américas.

En recuerdo del pueblo maya, a los niños se les viste como a los indígenas y tocan un tambor muy especial, hecho con caparazón de tortuga. En estas fiestas beben atole, bebida con sabor a chocolate o aromatizada con frutas.

La Misa del Gallo y demás celebraciones religiosas católicas ocupan un lugar preponderante en estos días.

El Salvador

Cuando se acercan estas fechas, las familias empiezan a engordar el pavo o las gallinas que se servirán en Nochebuena. Además se limpia la casa a fondo, así que los muebles viejos se amontonan en los patios de las casas y se hace una fogata para purificar el hogar.

Tanto en las iglesias como en los parques se representan las pastorelas, pequeñas obrillas de teatro relacionadas con el nacimiento de Jesús, cuyos orígenes hay que buscarlos en la España Medieval.

Para la cena de Nochebuena se sirve pavo o gallina. También se comen pupusas, tortillas con tomate, especias y carne. Después de la cena, los católicos van a la Misa del Gallo.

c. 🔲 Cs Comenta con tus compañeros cómo se suelen pasar las fiestas de Navidad y Año Nuevo en tu país y cómo las sueles pasar tú.

8. Discursos

a. (37) **Escucha un discurso que da el director de una revista en su fiesta de despedida porque se va a jubilar y haz los ejercicios propuestos.**

1. **Completa los siguientes fragmentos del discurso.**

   Quiero que _____ que los mejores años de mi carrera profesional los he pasado aquí.

   Me _____ mucha ilusión que todos _____ hoy la alegría y satisfacción que yo siento.

   Querido Alfredo, te deseo que _____ todo el _____ del mundo.

   Sería estupendo que cuando tú, dentro de muchos años, te retires, _____ sentir la emoción que yo _____ .

2. **Toma nota de los halagos que aparecen en el discurso.**

3. **Comenta este fragmento con el resto de la clase: ¿se emplean recursos para dar más rapidez a lo que se dice y para enfatizar el discurso?**

   Los tiempos han ido cambiando, el progreso nos ha ido llevando por nuevos caminos y nuestra revista se ha ido adaptando a todas estas transformaciones, pero yo, con los años, me he ido haciendo mayor y ya ha llegado para mí el momento de tomarme las cosas con un poquito más de calma.

b. ◁ E **Prepara el guión de un breve discurso (80-100 palabras) para uno de los acontecimientos siguientes.**

- una cena de empresa
- una fiesta familiar
- una reunión de antiguos estudiantes
- una fiesta de fin de curso
- una inauguración de un congreso, curso o exposición…
- la boda de unos amigos
- …

ESTRATEGIAS   E

En una exposición oral hay que tener en cuenta una serie de factores para que sea clara, dinámica y amena.

Hemos de procurar en todo momento una sensación de **naturalidad**: la posición del cuerpo y la expresión facial han de ser lo más distendidas posibles. A la vez es importante controlar nuestros **gestos**: no debemos caer en una gesticulación histriónica, pero sí remarcar con los ademanes oportunos aquello que estamos diciendo. También es un elemento fundamental la **mirada**, que conviene dirigir al conjunto del público y no a una persona concreta o al vacío.

Nuestra **pronunciación** ha de ser esmerada y el volumen de voz adecuado para que el mensaje llegue con nitidez al auditorio. Debemos evitar hablar en voz demasiado baja o gritar.

c. BLA E **Dirigid vuestros discursos al resto de la clase.** **Debéis observar a vuestros compañeros y luego comentar los distintos aspectos de su exposición. Para poder hacer también un ejercicio de autocrítica, puede resultar muy útil grabar en vídeo las exposiciones.**

Aspectos de la exposición oral
- Uso del lenguaje corporal (la mirada, los gestos, la naturalidad…).
- La expresividad de la voz (pronunciación, entonación, velocidad…).
- El texto en sí (atrae o no la atención del público, quedan o no claras las ideas principales…).

9. Permanece en la memoria

a. [BLA BLA BLA] [Cs] **¿Conoces la figura de Salvador Dalí? Comentad cuáles de las siguientes palabras creéis que pueden definir mejor su obra. Justificad vuestra respuesta.**

surrealismo   sexo   enigma   sueño
creatividad   genio   innovación   subconsciente

b. [📖] [Cs] **En los siguientes textos, Dalí comenta aspectos de su vida que pueden servir para entender mejor sus cuadros. Léelos e indica de qué obsesiones habla.**

«Cuando era un niño en Cataluña me gustaba salir al campo y pararme a descansar bajo el sol mientras soñaba. Pero había algo que solía estropear esos paseos: la gran cantidad de langostas que saltaban sobre mí. Las odiaba y las temía porque frustraban mi placer. Mi padre también me frustraba en muchos de mis deseos. Era un notario estricto y lleno de viejas ideas que no deseaba que su hijo se convirtiera en un artista. A medida que yo iba creciendo, mi padre me resultaba cada vez más antipático y en mi cabeza sustituí su imagen por la de una langosta.»

(Fuente: FANÉS, FÉLIX, *El gran masturbador*, Electa, 2000)

«Mi psiquiatra preferido, Pierre Roumeguère, afirma que, identificado por fuerza con un muerto, yo no tenía otra imagen verdaderamente sentida de mi cuerpo más que la de un cadáver putrefacto, blando, corrompido, lleno de gusanos. Exacto. Mis más lejanos recuerdos de existencia fuerte y verdadera se vinculan a la muerte (el murciélago muerto por mi primo, el erizo…). Mis obsesiones sexuales están unidas a unas blandas turgescencias. Sueño con formas cadavéricas, senos alargados, carnes que se ablandan y funden como la gelatina, y las muletas que adopté como objeto de sacralización son, tanto en mis sueños como en mis cuadros, instrumentos indispensables para mantener en equilibrio mi débil noción de la realidad.»

(Fuente: DALÍ, SALVADOR y PARINAUD, ANDRÉ, *Confesiones inconfesables*, Bruguera, 1975)

c. [Cs] **Fíjate en estos cuadros y anota en la tabla el nombre de los elementos que se repiten. Escribe en la columna correspondiente lo que crees que pueden simbolizar.**

ELEMENTO	SIMBOLIZA

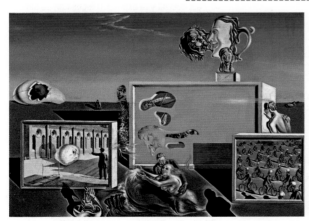

Los placeres iluminados (1929).

Retrato de Paul Éluard (1929).

d. [38] [Cs] **Escucha la grabación de un audio-guía en la que se comenta uno de los cuadros anteriores, señala de qué obra se trata y corrige o completa la tabla anterior.**

10. Creencias en torno al aprendizaje de una lengua

a. E ¿Crees que la actitud de un estudiante hacia una lengua extranjera puede influir en su aprendizaje? ¿Hasta qué punto piensas que las creencias pueden favorecerlo o dificultarlo? Anótalo.

b. E Lee las afirmaciones de varios expertos en torno a este tema. ¿Coincide con lo que habías anotado en el apartado anterior? ¿Estás de acuerdo con ellas? Coméntalo con tus compañeros.

«Hay muchos tipos de creencias del alumno que afectan el aprendizaje de una segunda lengua: sobre la lengua (es *sencilla, complicada, bonita, fea*), sobre el proceso de aprendizaje (*hay que ir al país donde se habla, hay que memorizar reglas gramaticales*), y sobre los hablantes de la lengua (*son interesantes, son antipáticos*). Pero tal vez la creencia más condicionante es sobre uno mismo (*no tengo capacidad para aprender, puedo llegar a hablar y entender bien la lengua*). Un alumno que tiene la creencia de que no puede aprender tiene razón, no puede... a menos que cambie esta creencia.»

(Fuente: ARNOLD MORGAN, JANE, «Los factores afectivos en el aprendizaje del español como lengua extranjera», en *Antologías de textos de didáctica del español*, http://cvc.cervantes.es/obref/antologia_didactica/default.htm)

«Las percepciones de los alumnos sobre sus puntos fuertes y débiles pueden influir en el uso que hacen de las oportunidades que se les presentan para aprender la lengua extranjera y en las prioridades que se establecen ellos mismos.»

(Fuente: RICHARDS, J. & LOCKHART, C., *Estrategias de reflexión sobre la enseñanza de idiomas*, Cambridge University Press, 1994)

«La ansiedad es posiblemente el factor afectivo que obstaculiza con mayor fuerza el proceso de aprendizaje. Está asociada a sentimientos negativos tales como el desasosiego, la frustración, la inseguridad, el miedo y la tensión.»

(Fuente: ARNOLD, J. & BROWN, H., *La dimensión afectiva en el aprendizaje de idiomas*, Cambridge University Press, 1999)

◆ *Yo no sabía que las creencias que uno tiene sobre el país y los hablantes de la lengua que estudia pueden tener cierta influencia en su aprendizaje.*

◆ *Yo tampoco. Suena lógico, aunque no creo que sea determinante.*

c. E Lee los testimonios de estos estudiantes. ¿Te identificas con alguno? ¿Hay alguno con el que estés totalmente en desacuerdo? ¿Crees que hay creencias equivocadas que pueden perjudicar su aprendizaje? Toma notas y coméntalo después con tus compañeros.

Para un adulto es muy difícil aprender una lengua extranjera.
Bob (Estados Unidos).

Las personas de mi país son buenas aprendiendo lenguas.
Rutgen (Holanda).

Todo el mundo es capaz de aprender una lengua extranjera.
Carlos (Brasil).

Si ya has aprendido una lengua extranjera, es más fácil aprender otra.
Ulrich (Dinamarca).

Yo creo que solo se puede aprender una lengua yendo a un país donde se hable.
Jun Ji (Corea).

Lo más importante a la hora de aprender una lengua extranjera es el vocabulario.
Simone (Francia).

COMUNICACIÓN

Felicitar

◆ Mis felicitaciones; Felicidades; (Mi) Enhorabuena; (Creo que) estás de enhorabuena; Choca esos cinco/Chócala(s)* .

* Expresión utilizada normalmente por niños o jóvenes, no por adultos.

En un cumpleaños

◆ Felicidades; Feliz cumpleaños; Que cumplas muchos más; Que cumplas muchos más y que (los demás) lo veamos/estemos todos para celebrarlo.

En fiestas y celebraciones

◆ Felices fiestas; Felices Navidades/Felices Navidades y próspero Año Nuevo; Os deseo lo mejor en/para estas fiestas (tan señaladas); Mis mejores deseos en/para estos días (tan señalados).

Formular buenos deseos

◆ Te deseo toda la suerte/el éxito del mundo; Mis mejores deseos para/en…; Mucha suerte.

Expresar nerviosismo

◆ Me va a dar algo/un ataque; Estoy al borde de un ataque de nervios; Estoy como un flan; Estoy de los nervios…; Me ha puesto de los nervios.

Dar el pésame

◆ Lo siento mucho; ¡Cuánto lo siento!; Lo lamento profundamente; Estoy contigo/a tu lado; Ya sabes dónde me tienes; Quisiera/Quiero expresarle mi más sentido/sincero pésame*.

* Expresión muy formal.

Expresar resignación

◆ Me resigno a…; No hay/queda otro/más remedio; ¡Que sea lo que Dios quiera!; ¡Que sea lo que tenga que ser!

Tranquilizar y consolar

◆ Tranquilo/a; Bueno, bueno…; Venga, venga…; Venga, hombre/mujer; Vamos, vamos; Tómatelo con calma/paciencia; Lo superarás; Por lo menos…; No te lo tomes así/tan en serio; No te preocupes; Intenta alegrar esa cara, anda.

Expresar halagos, cumplidos y piropos

◆ ¡Lo felices que están los novios!; ¡Lo bien que estuvo la fiesta!; ¡Qué banquete!

GRAMÁTICA

La concordancia *ad sensum* (según el sentido)

Los cuantificadores del tipo *la mayoría de, la mayor parte de, la mitad de, el resto de, el cinco por ciento de, un grupo de, un montón de…* pueden concordar en singular o en plural con el verbo: *La mayoría de los españoles cree/creen que…* Sin embargo, cuando el verbo de la oración es *ser* o *estar* la concordancia suele ser en plural: *La mayor parte de los españoles mayores de 30 años están casados.* Los cuantificadores que no van precedidos de determinante, como *multitud de*, concuerdan obligatoriamente en plural: *Multitud de parejas prefieren no casarse.*

Con los nombres colectivos (*gente, familia, matrimonio…*) existen algunos usos incorrectos de concordancia *ad sensum* que se deben evitar: *La gente piensan…, La familia están…*

Asimismo, es incorrecta la concordancia en plural del verbo impersonal *haber: Habían unas veinte personas.*

Asíndeton y polisíndeton

El polisíndeton es un recurso estilístico que consiste en el uso de más conjunciones (*y, o, ni, pero…*) de las necesarias para dar mayor lentitud al texto y que resulte más solemne.

En cambio, el asíndeton es la omisión de conjunciones para dar al texto más movimiento y rapidez.

Al + infinitivo

Cuando el sujeto de la construcción *al* + infinitivo es distinto al de la oración principal, este se suele colocar después del infinitivo.

◆ ***Al entrar*** *la familia en la iglesia, todos se callaron.*

Variaciones en el orden oracional sujeto-verbo-objeto (SVO)

En español, el orden habitual de los elementos en una oración es sujeto-verbo-objeto (SVO). Sin embargo, en muchas ocasiones este orden se altera para dar más énfasis o importancia a otra información.

◆ ***A los invitados****, los novios les entregaron un recuerdo de la boda.*

Fíjate que cuando se antepone el OD, hay que poner el pronombre objeto.

◆ ***Al novio lo*** *he visto encima de la mesa.*

VOCABULARIO

Celebraciones, fiestas y acontecimientos familiares

Cumpleaños, boda, bautizo, santo, aniversario, primera comunión…; lanzar el ramo, arras y anillos, pastel de bodas…

Presentación

Vais a escribir una escena de una obra de teatro y a representarla.

Instrucciones

1. Formad grupos de tres o cuatro personas.

2. Cada grupo realiza las actividades propuestas.

3. Finalmente, cada grupo representa la escena que ha escrito.

Vais a necesitar:

■ **Folios**

■ **Rotuladores, lápices y bolígrafos**

■ **Una videocámara, si queréis representar y grabar vuestra escena.**

Antes de empezar

Lee estos textos y coméntalos con tus compañeros: ¿estás de acuerdo con las ideas presentadas? Justifica tu respuesta.

El Instituto Nacional de Evaluación y Calidad del Sistema Educativo, dependiente del Ministerio de Educación, ha publicado los resultados de una investigación centrada en la evaluación de la Expresión Oral en Educación Primaria en 2003. El estudio apunta aspectos positivos que pueden mejorar el nivel de esta capacidad expresiva, como el gusto por la lectura o el hecho de realizar debates o dramatizaciones en clase.

(Fuente: http://www.educaweb.com/ EducaNews/interface/asp/web/ NoticiesMostrar.asp? NoticiaID=1742&SeccioID=1763)

Hay cada vez más pruebas de que el aprendizaje resulta más eficaz cuando se incluyen el cuerpo y los movimientos. Varios estudios sobre estilos de aprendizaje han demostrado que algunas personas son especialmente cinéticas y aprenden mejor cuando interviene el movimiento; sin embargo, todos los alumnos se benefician de la atención cada vez mayor que se presta al movimiento.

Cuanto más profundamente consideremos la elaborada interacción existente entre el cerebro y el cuerpo, con mayor claridad surge un tema apremiante: el movimiento resulta esencial para el aprendizaje. El movimiento despierta y activa muchas capacidades mentales. El movimiento integra y afianza la nueva información y la nueva experiencia en nuestras redes neurológicas. (Hannaford, 1995, pág. 96)

(Fuente: ARNOLD, J. y BROWN, H.: *La dimensión afectiva en el aprendizaje de idiomas*, Cambridge University Press, 2000)

(...) Es conveniente, por tanto, convertir la clase en contexto de interacción social donde se propicien actividades lúdicas que potencien el trabajo con EC* (...). De la misma forma, el tratamiento de situaciones disímiles en las que los estudiantes se verán inmersos en el entorno social, implica que hay que valerse, inteligentemente, de actividades de simulación, juegos de roles, situaciones auténticas y dramatizaciones, que además de propiciar el dinamismo y la creatividad al proceso, permitan la puesta en práctica, de manera espontánea, de los recursos comunicativos para conseguir entender y ser entendido, sin prestar atención a que el discurso pueda o no estar correcto lingüísticamente en términos de lengua extranjera.

(Fuente: http://www.mec.es/redele/revista5/tardo.shtml)

* Estrategias de comunicación

1. Una escena de teatro

a. Leed esta escena de la obra *Tres sombreros de copa* de Miguel Mihura y comentad de qué puede tratar la obra.

DIONISIO.— *(La besa nuevamente.)* ¡Paula! ¡Yo no me quiero casar! ¡Es una tontería! ¡Ya nunca sería feliz! Unas horas solamente todo me lo han cambiado… Pensé salir de aquí hacia el camino de la felicidad y voy a salir hacia el camino de la ñoñería y de la hiperclorhidria…

PAULA.— ¿Qué es la hiperclorhidria?

DIONISIO.— No sé, pero debe de ser algo imponente… ¡Vamos a marcharnos juntos…! ¡Dime que me quieres, Paula!

PAULA.— ¡Déjame dormir ahora! ¡Estamos tan bien así…!

(Pausa. Los dos, con las cabezas juntas, tienen cerrados los ojos. Cada vez hay más luz en el balcón. De pronto se oye el ruido de una trompeta que toca a diana y que va acercándose más cada vez.
Luego se oyen unos golpes en la puerta del foro.)

DON ROSARIO.— *(Dentro.)* ¡Son las siete, don Dionisio! ¡Ya es hora de que se arregle! ¡El coche no tardará! ¡Son las siete, don Dionisio!

(Él queda desconcertado. Hay un silencio. Y ella bosteza y dice.)

PAULA.— Son ya las siete, Dionisio. Ya te tienes que vestir.

DIONISIO.— No.

PAULA.— *(Levantándose y tirando la manta al suelo.)* ¡Vamos! ¿Es que eres tonto? ¡Ya es hora de que te marches…!

DIONISIO.— No quiero. Estoy muy ocupado ahora…

PAULA.— *(Haciendo lo que dice.)* Yo te prepararé todo… Verás… El agua… Toallas… Anda. ¡A lavarte, Dionisio…!

DIONISIO.— Me voy a constipar. Tengo muchísimo frío…

(Se echa en el diván, acurrucándose.)

PAULA.— No importa… Así entrarás en reacción… *(Lo levanta a la fuerza.)* ¡Y esto te despejará! ¡Ven pronto! ¡Un chapuzón ahora mismo! *(Le mete la cabeza en el agua.)* ¡Así! No puedes llevar cara de sueño… Si no, te reñiría el cura… Y los monaguillos… Te reñirán todos…

DIONISIO.— ¡Yo tengo mucho frío! ¡Yo me estoy ahogando…!

PAULA.— Eso es bueno… Ahora, a secarte… Y te tienes que peinar… Mejor, te peinaré yo… Verás… Así… Vas a ir muy guapo, Dionisio… A lo mejor ahora te sale otra novia… Pero… ¡oye! ¿Y los sombreros de copa? *(Los coge.)* ¡Están estropeados todos…! No te va a servir ninguno… Pero ¡ya está! ¡No te apures! Mientras te pones el traje yo te buscaré uno mío. Está nuevo. ¡Es el que saco cuando bailo el charlestón…!

(Fuente: http://roble.pntic.mec.es/~msanto1/lengua/2teatro.htm)

b. Este es el argumento de la obra. Leedlo y comprobad vuestras hipótesis.

> La acción se desarrolla en una habitación de un hotel de provincias en donde Dionisio, el protagonista, pasa su última noche de soltero. Se va a casar al día siguiente con una muchacha perteneciente a una familia tradicional de provincias. En el mismo hotel se hospeda una compañía de artistas de variedades. Dionisio se enamora de una bailarina, Paula. Paula y Dionisio piensan que pueden ser felices juntos; pero el orden establecido es más fuerte que su amor y sus sueños y vuelven a la rutina de una vida que no les gusta.

ESTRATEGIAS E

Para averiguar el carácter de cada uno de los personajes de una obra de teatro te puedes fijar en la extensión de las intervenciones, en las acotaciones, en el léxico que usa, en los puntos suspensivos…

c. Volved a leer la escena anterior y describid cómo creéis que es cada uno de los personajes, su carácter, su tono de voz…

d. Ahora, contestad a estas preguntas.

- ¿Qué está tratando de reflejar en esta obra Miguel Mihura? ¿Cuál es el conflicto básico de esta pieza?
- ¿Crees que la situación de Paula y Dionisio se da o se puede dar en nuestra sociedad?
- ¿Cómo crees que los convencionalismos sociales influyen en nuestra vida?

2. Los personajes

a. Para crear vuestro texto dramático tenéis que partir de estas fotos. Podéis elegir una solo o jugar con varias de ellas.

Equipo naranja

Equipo azul

Equipo verde

3. El guión

a. Pensad el tema sobre el que va a tratar vuestro texto dramático y qué queréis transmitir y manifestar a través de él.

b. Fijaos en los personajes que aparecen en las fotos que habéis elegido y decidid cómo es su carácter, qué relaciones hay entre ellos (son amigos, son pareja...) e imaginad el conflicto que hay entre ellos.

PERSONAJE 1	PERSONAJE 2	PERSONAJE 3	PERSONAJE 4

c. Elaborad un esquema en el que expliquéis brevemente las principales escenas siguiendo esta estructura:

1. Presentación de los personajes y del argumento
2. Desarrollo
3. Desenlace

d. Elegid una de las escenas y redactad el guión de la escena elegida. Tened en cuenta los siguientes puntos:

1. Detallad al máximo los gestos y movimientos de los personajes añadiendo todas las acotaciones que sean necesarias.
2. Prestad atención a la lengua que usa cada uno de los personajes.
3. Revisad los recursos comunicativos y el vocabulario que se han visto en las unidades anteriores e intentad utilizar todos los que podáis.

e. Cuando tengáis escrita vuestra escena, leedla detenidamente y corregidla.

f. Una vez corregida, ensayad su lectura y representación. Podéis grabar vuestra representación en vídeo, después verla y hacer los ajustes que creáis necesarios.

> **ESTRATEGIAS** E
>
> Grabaos en vídeo representando vuestra escena, después verlo y analizarlo, os puede ayudar para corregir los gestos y algunos errores de expresión, entonación, pronunciación, etc.

4. El día del estreno

a. Representad vuestra escena ante el resto de la clase.

b. Cuando hayáis visto todas las representaciones, cada uno debe elegir cuál es, desde su punto de vista, el mejor guión, el mejor actor y la mejor actriz de la clase. Escríbelo en un papel y dáselo a tu profesor.

c. Es la hora de la entrega de premios. Vuestro profesor leerá las votaciones y alguno de vosotros irá apuntando el número de votos en la pizarra. ¿Quiénes han sido los ganadores?

En esta unidad vas a aprender:

- A participar con eficacia y fluidez en conversaciones relacionadas con el trabajo y las relaciones laborales

- A ampliar el vocabulario referido a la actividad profesional

- A comprender y comentar textos informativos especializados (escritos y orales)

- A expresar tus sentimientos y sensaciones

- A prepararte para una entrevista de trabajo

COMUNICACIÓN	GRAMÁTICA	VOCABULARIO	CULTURA Y SOCIOCULTURA	TEXTOS
Expresar hartazgo Expresar decepción Expresar arrepentimiento Expresar sorpresa y extrañeza Aconsejar Animar	Oraciones finales: *para (que), a fin de (que), con el propósito de (que)…* El modo en las oraciones finales Los artículos definidos e indefinidos	Expresiones y frases hechas relacionadas con el trabajo Medidas de conciliación de la vida laboral y familiar El trabajo Profesiones	Medidas de conciliación de la vida laboral y familiar en algunos países hispanoamericanos Aspectos relacionados con el trabajo: horarios, condiciones laborales…	Testimonios relacionados con el trabajo Cuestionario sobre la actitud en el trabajo Textos informativos Programa radiofónico sobre la conciliación laboral Mensaje de correo electrónico Titulares de periódicos Entrevista radiofónica

1. El trabajo de cada día

a. Lee estos textos que han aparecido publicados en la revista *Tú y el trabajo*, elige dos de los testimonios y resume el contenido a tu compañero. Después, poned un título a cada uno.

CUÉNTANOS TUS PROBLEMAS CON EL TRABAJO

Hace ocho meses cambié de trabajo. La verdad es que en ese trabajo estaba a gusto, las condiciones eran buenas, había buen ambiente, pero me aburría soberanamente y me daba miedo quedarme estancada. Así que decidí cambiarme. ¡En qué hora! El trabajo es más interesante, pero los horarios son interminables y no hay nada de compañerismo porque se fomenta mucho la competitividad. En fin, que no debería haber cambiado de trabajo. Si pudiera dar marcha atrás, no dejaría mi antiguo empleo. Bego.

Mi trabajo está bien: está al lado de mi casa, mis compañeros son muy majos, el trabajo es entretenido, tiene un horario que me permite pasar las tardes con mis hijos... Bueno, hay alguna cosilla que se podría mejorar, pero como en todo, supongo. Pero hace poco me llevé una gran desilusión, porque mi jefe ha ofrecido a varios compañeros una subida de sueldo a cambio de aceptar más responsabilidades y a mí no me ha dicho nada, y eso que soy el que más tiempo lleva aquí. Esto no me lo esperaba de mi jefe, pensé que confiaba más en mí. Currante.

Lo único que merece la pena de mi trabajo es que no tengo que madrugar, porque mi sueldo es una birria (ya me gustaría a mí ser un mileurista), salgo a las mil, tengo media hora para comer, la relación con mis compañeros es prácticamente nula... El problema es que tampoco encuentro cosas mucho mejores y mejor lo malo conocido que lo bueno por conocer, ¿no? La verdad es que estoy hasta las narices de tener que tragar con este tipo de trabajos. Y lo más alucinante es que mucha gente se sigue sorprendiendo de que los jóvenes no nos independicemos, pero ¿cómo nos vamos a independizar? J.J.

Yo sufrí acoso laboral y no podía creerlo cuando me dijeron que eso era lo que me impedía vivir, dormir, soñar... Pensaba que era culpa mía, que era una inútil y que tenía que dar gracias por que me dejaran trabajar donde estaba, porque, claro, ellos me hacían el favor de «dejarme» trabajar pese a lo mal que lo hacía todo... A pesar de lo que viví, aún me echaba la culpa. Aguanté hasta que un día estallé y no volví. Parece mentira que a veces seamos capaces de aguantar situaciones desagradables durante tanto tiempo. Echando la vista atrás me arrepiento de no haber denunciado. Mirando hacia delante, me veo en un nuevo trabajo, lejos de aquello, y puedo decir que por fin respiro. ¡Ánimo a quienes sufren acoso! Ana65

b. Vuelve a leer los textos anteriores y contesta estas preguntas.

1. ¿Quién se siente decepcionado?
2. ¿Quién está sorprendido?
3. ¿Quién se arrepiente de haber tomado una decisión?
4. ¿Quién está harto de su situación laboral?

c. ¿Cómo crees que se sienten estas personas? Coméntalo con tu compañero.

Juan: Estoy hasta la coronilla del típico jefe que no da ni golpe, pero que se pone todas las medallitas de sus empleados.

Lola: Si pudiera volver a elegir qué estudiar, creo que hubiera hecho alguna FP, porque no consigo encontrar nada relacionado con mi carrera.

Jaime: Me quedé de piedra cuando me dijeron que tenía que trabajar ocho horas diarias de lunes a domingo por 700 euros brutos al mes. Es alucinante.

María: ¡Lo que hay que oír! Que dicen que el sueldo medio en la empresa es de 2050 euros, pero a quién han preguntado. Si aquí la mayoría no llegamos ni a mileuristas.

Santi: ¡Que han ascendido al inútil de José y a ti no! Nunca hubiera imaginado que tu jefe te haría eso. Parece que prefiere a los pelotas que a los trabajadores eficientes.

Pablo: ¡Que este año no nos van a subir ni siquiera el IPC! Hasta aquí hemos llegado, por ahí no paso.

d. C Vuelve a leer los testimonios de 1. a. y 1. c. y completa la tabla.

RECURSOS QUE SIRVEN PARA EXPRESAR QUE ALGUIEN ESTÁ HARTO	RECURSOS QUE SIRVEN PARA EXPRESAR ARREPENTIMIENTO	RECURSOS QUE SIRVEN PARA EXPRESAR SORPRESA Y EXTRAÑEZA

e. ◁ C ¿Qué consejos darías a las personas de 1. a? Elige uno de los testimonios y escribe una carta a la revista dando tus consejos. Luego, dásela a tu compañero para que adivine a quién va dirigida.

f. ¿Has tenido alguna vez un problema en el trabajo? ¿Qué te pasó? Coméntalo con tu compañero. También puedes hablar del caso de otra persona que conozcas.

2. Trabajar duro

a. V Estas son algunas expresiones referidas al ámbito del trabajo. ¿Cuáles crees que están relacionadas con la idea de trabajar mucho y cuáles con no trabajar nada?

trabajar de sol a sol
tumbarse a la bartola
tocarse las narices
no dar palo al agua

no dar ni golpe
no dar abasto
rascarse la barriga
ser un currante

vivir del cuento
romperse los cuernos
dar el callo
trabajar como un burro/una mula

TRABAJAR MUCHO

TRABAJAR POCO O NADA

b. V Completa estas oraciones con alguna de las expresiones anteriores. Puede haber varias posibilidades.

1. Yo sola no _____ para atender el negocio. Tengo que plantearme contratar a otra persona.
2. Mi padre es tan _____ que apenas se ha cogido vacaciones desde que empezó a trabajar.
3. Mi compañero me pone histérica, es que los viernes ha decidido que no _____.
4. No me extraña nada que le hayan quedado cinco para septiembre porque este año no _____.
5. Hay muchos famosillos que _____ y no tienen una profesión conocida.
6. Con lo que me pagan no querrán encima que me _____ para que el trabajo salga a tiempo.
7. Lo mejor que sabe hacer este chico es _____, porque yo no lo he visto trabajar nunca.

c. V Piensa en tus familiares, conocidos, gente con la que has trabajado o estudiado y anota quién es un currante, quién se toca las narices, quién vive del cuento… Coméntalo con tus compañeros.

◆ Yo tenía un compañero en la universidad que era la persona más currante que yo he conocido. Se dejaba los cuernos en cada trabajo.

3. ¿Trabajar para vivir o vivir para trabajar?

a. ¿Trabajas para vivir o vives para trabajar?
Para averiguarlo, haz el siguiente test.

1. **¿Cumples tu horario regularmente?**
   a. ¿A qué hora se sale?
   b. A veces.
   c. Sí, siempre.

2. **¿Sueles llevarte trabajo a casa?**
   a. Sí, casi todos los días.
   b. A veces.
   c. No, gracias. Con el jardín ya tengo bastante.

3. **¿Te llaman por teléfono de tu trabajo a casa?**
   a. Todo el tiempo.
   b. A veces.
   c. Si me llaman es porque ha pasado algo muy gordo.

4. **¿Cuando sales a tu hora, sientes que estás haciendo algo incorrecto?**
   a. Sí, es como si hiciera novillos.
   b. A veces.
   c. No, siento que me voy con los deberes hechos.

5. **¿En tu agenda hay más teléfonos de compañeros de trabajo que de amigos?**
   a. Sobre todo amigos, a ver, déjame pensar, dos…
   b. Pues así, así.
   c. Tengo un par de colegas, el resto amigos.

6. **¿Notas que te falta algo si dejas tu portátil en la oficina?**
   a. Y tanto, vuelvo a buscarlo.
   b. Depende de si tengo algo importante.
   c. Sí, que me falta peso, je, je, je…

7. **¿Las vacaciones te resultan pesadas e interminables a partir de la primera semana?**
   a. Desde luego, pesadísimas.
   b. Pues no.
   c. ¿Largas? Si 30 días no dan para nada, ¿no?

8. **¿Te quejas continuamente de que te falta tiempo?**
   a. Es que los días deberían tener más horas, ¿no?
   b. A veces, cuando tengo muchas cosas que hacer.
   c. Pues la verdad es que me las arreglo.

9. **¿Tus conversaciones suelen ser sobre el trabajo o predominan otros temas: aficiones, cultura, política…?**
   a. Es que mi trabajo me llena.
   b. Depende, si estoy con compañeros, sí.
   c. ¿Trabajo? ¿Quién habla de trabajo?

10. **¿Crees que eres imprescindible?**
    a. Sí, si no estoy yo, ¿quién lo hace?
    b. A veces.
    c. Pues no me lo había planteado.

b. Ahora, suma las *a* y las multiplicas por 5; las *b* las multiplicas por 2 y las *c* por 0, y lee los resultados. ¿Estás de acuerdo? Coméntalo con tus compañeros.

Puntuaciones:

De 30 a 50 puntos: Cambia de trabajo o de actitud ya. En serio, reflexiona sobre los valores y necesidades que tenéis tú y tu gente. Exige un espacio y un tiempo para ti. Al final ganan todos: tu empresa, tu familia y tú.

De 10 a 30 puntos: Bueno, estás en la media. Vamos, como casi todo profesional que lucha por ese equilibrio entre la vida laboral y personal. No bajes la guardia y sé exigente con respecto a tu tiempo, a tu vida.

De 0 a 10 puntos: Pues no me lo creo, o has sumado mal, o has multiplicado mal, o es lo que sueñas pero no alcanzas. Ahora en serio. Si realmente has contestado con sinceridad y te sale esa puntuación, enhorabuena y dinos tu secreto.

c. Vuelve a leer las respuestas del test, ¿cuáles crees que están expresadas en un tono irónico? Coméntalo con tus compañeros.

d. **V** Una solución para que mucha gente empiece a trabajar para vivir es la conciliación de la vida laboral y personal. En parejas, haced una lista con todas las medidas de conciliación que una empresa puede implantar.

e. [BLA BLA] [Cs] Estas son algunas de las medidas de conciliación que se llevan a cabo en algunos países de Hispanoamérica; ¿podéis añadir alguna más a vuestra lista? ¿Cuáles de estas medidas te parecen más beneficiosas para el trabajador? Coméntalo con tus compañeros.

Ecuador
- Jornada laboral máxima de 8 horas diarias, pero las partes pueden acordar voluntariamente una jornada menor.
- Durante las dos semanas anteriores al parto y diez posteriores, está prohibido trabajar. La madre, durante los nueve meses posteriores al parto, tendrá jornada de seis horas si el centro no cuenta con guardería.
- Se pueden acumular vacaciones durantes tres años y disfrutarlas en el cuarto año.
- Las empresas con más de 50 trabajadores deben establecer un servicio de guardería infantil.
- Se instalará comedor si la empresa estuviera situada a más de 2 kilómetros de la población más cercana.

Colombia
- Licencia de maternidad de doce semanas remuneradas, seis de ellas después del parto.
- Descanso por lactancia de una hora diaria dividida en dos partes en los seis primeros meses del bebé.
- Licencia de paternidad: si ambos padres cotizan son ocho días hábiles, y si no, son cuatro días.
- El artículo 89 del Código Sustantivo del Trabajo define un contrato de trabajo en el que el trabajador presta habitualmente servicios remunerados en su propio domicilio.
- Existe una flexibilidad máxima diaria de dos horas.

México
- Permiso de maternidad de doce semanas, seis anteriores y seis posteriores al parto, con el 100 % del salario. Este período se puede alargar en caso de imposibilidad para trabajar a causa del embarazo o del parto con el 50 % del salario. Derecho a regresar al puesto de trabajo que se desempeñaba, siempre que no haya transcurrido un año desde el parto.
- Servicio de atención infantil durante las horas de trabajo para las madres que trabajan y trabajadores viudos o divorciados que necesiten que alguien cuide a sus hijos a partir de los 43 días de nacidos hasta los cuatro años.
- Semana laboral comprimida y jornada laboral reducida.

f. (39) Escucha un fragmento de un programa de radio en el que se trata este tema y toma notas para responder a estas preguntas. Después, compara lo que has escrito con tu compañero, ¿habéis entendido lo mismo?

¿Cuál es la situación en España en materia de conciliación entre vida laboral y personal?

¿Cuáles son los problemas a los que se enfrentan muchos trabajadores?

¿Qué crítica hace a la Administración Pública?

¿Qué cree el IESE que se debería hacer?

g. [BLA BLA] Nuria Chinchilla habla del certificado Empresa Familiarmente Responsable para las empresas conciliadoras. ¿Qué empresas de las que tú conoces se merecería un certificado de este tipo? ¿Por qué? Coméntalo con tus compañeros.

4. Trabajar en otro país

a. 📖 César es hijo de españoles que emigraron a Alemania y hace unos meses decidió venir a trabajar a España. Lee el mensaje de correo electrónico que le envía a una prima contándole su experiencia. ¿Qué temas trata en el correo? Haz un resumen de cada uno de ellos.

Hola, Mercedes.

¿Qué tal estás? Yo adaptándome poco a poco a mi nueva vida. No te imaginas lo difícil que me está resultando acostumbrarme a algunas cosas, sobre todo a los horarios, y eso que ya me habías puesto sobre aviso, pero hasta que no lo vives no te das cuenta. He tenido reuniones importantes ¡a las seis de la tarde! Y la pausa que tenemos para comer a mediodía es de dos horas. No sé para qué queremos tanto tiempo. Yo preferiría tener menos tiempo para la comida y salir antes, pero en los horarios no tenemos mucha flexibilidad. Y a veces tengo CENAS DE TRABAJO, es increíble, ¿no?

Oye, muchas gracias por explicarme todo lo relacionado con el sueldo y los contratos, me vino fenomenal porque cuando me hablaron en la entrevista de las condiciones, me enteré de todo. No tuve mucha oportunidad de negociar ni el sueldo ni las condiciones, pero aun así creo que son buenas. Me han hecho un contrato de seis meses en prácticas y después, si les gusto, ya me harán un contrato indefinido. En cuanto al sueldo bruto es de 40 mil euros al año, bueno no llega a 40 mil euros pero casi, y con las retenciones el sueldo neto al mes es de unos 2200 euros, más o menos. Luego, tengo dos pagas extra, una en Navidad y otra en julio. En cuanto a las vacaciones, tengo 30 días naturales y cuatro días de libre disposición. No está nada mal, ¿no? Los cuatro días libres he pensado cogerlos en Navidad con idea de que Silke, la niña y yo podamos pasar unos días en Múnich. Coméntaselo a Markus, para que, en cuanto tenga un rato, busque un hotel allí, ¿vale? Porque, te pongas como te pongas, todos en tu casa es un follón.

No sé qué más contarte del trabajo. ¡Ah, sí! Ayer pasó una cosa en la oficina… Mi jefe nos convocó a una reunión con vistas a que todos estemos al corriente de los proyectos que se están haciendo, de quién se encarga de cada proyecto, de sus características y de los problemas que están surgiendo, me imagino que con idea de que, si en algún momento hay alguien de baja, cualquiera de nosotros se pueda hacer cargo de su trabajo sin muchos problemas. Bueno, pues estaba una compañera presentando sin ninguna gana lo que ella hacía, se iba por las ramas y contaba cosas que no tenían nada que ver con el proyecto y todo esto mirando fijamente a mi jefe. La verdad es que no había que ser muy listo como para darse cuenta de que esta persona le estaba buscando las cosquillas. Así que va mi jefe y le dice que para qué nos estaba contando esas cosas. Entonces, va esta chica y dice gritando a mi jefe: «Para que te enteres, estoy harta. Harta de que se me haga el vacío, de que se me congele el sueldo… No sé si sabes que eso se puede considerar acoso laboral». Bueno, no sabíamos dónde meternos. Luego ella siguió gritando a mi jefe que a qué había ido ella a la reunión si a nadie de la empresa le interesaba lo que ella hacía, que si solo se lo había pedido para tranquilizar su conciencia. Bueno, no sabes la discusión que tuvo con el jefe. ¡Alucinante! Ya te iré contando más cosas, porque aquí hay historias para dar y tomar.

Muchos besos,

César

b. 📖 Vuelve a leer el mensaje y marca como verdaderas o falsas estas afirmaciones y corrígelas cuando sea necesario.

	V	F	Lo cierto es…
1. Mercedes había puesto al corriente a César sobre algunos aspectos relacionados con las costumbres en el trabajo de los españoles.	☐	☐	
2. A César le parece estupendo que se organicen cenas de trabajo.	☐	☐	
3. Según César, su compañera con su actitud estaba intentado agradar a su jefe.	☐	☐	
4. La compañera de César se queja de que no tiene espacio y de que no le suben el sueldo.	☐	☐	
5. Según César, en su nuevo trabajo ocurren muchas cosas sorprendentes.	☐	☐	

c. [V] ¿Sabes qué significan estas palabras y expresiones relacionadas con el mundo del trabajo? Búscalas en el mensaje de correo de César y con tu compañero escribe una definición para cada una de ellas.

sueldo bruto

estar de baja

retención

acoso laboral

congelar el sueldo

paga extra

sueldo neto

día de libre disposición

contrato indefinido

d. [V] Lee estos titulares de prensa relacionados con el mundo laboral y complétalos con alguna de las palabras y expresiones anteriores.

El coste salarial más elevado se registró en la industria, con un _____ medio por trabajador y mes de 1906,66 euros

Iberia quiere _____ de sobrecargos y azafatas cuatro años

Recibirá 30 000 euros de indemnización por el _____ de su jefa

Los trabajadores con _____ se implican más en el trabajo

Las facturas entre autónomos llevarán una _____ del 1 %

Algunas empresas usan detectives para investigar a las personas que _____

e. [G] Vuelve a leer el mensaje de correo y señala en el texto todas las oraciones que sirven para expresar finalidad. Después, completa el cuadro de gramática con la información que falta.

f. [G] Completa estas oraciones con un conector final y pon el verbo en la forma correspondiente. Ten en cuenta que puede haber varias posibilidades.

1. Durante la carrera estudió italiano en la Escuela oficial de idiomas _____, cuando terminara, (irse) _____ a trabajar a Roma.

2. La empresa Animación arranca _____ (promocionar) _____ la animación audiovisual.

3. Díselo, _____, en cuanto lo sepa, (informar) _____ al jefe.

4. Tu compañero es demasiado listo como _____ no (darse) _____ cuenta de que algo pasa con su renovación.

5. No sé _____ (esforzarse) _____ tanto en mi trabajo, si luego no me lo reconocen de ninguna forma.

6. ¿_____ me pides que (ir) _____ a esa reunión? Si no se va a tratar ninguno de los temas que yo llevo.

7. Bienvenidos a todos. Quiero aclararles que esta reunión ha sido convocada _____ los directivos de las diferentes delegaciones (poder) _____ intercambiar información sobre lo que están haciendo en sus respectivas áreas.

g. [BLA] [Cs] César en su correo habla de los problemas que está teniendo con algunas costumbres. Si alguien extranjero quisiera trabajar en tu país, ¿acerca de qué aspectos le pondrías sobre aviso para que no le sorprendieran al llegar?

GRAMÁTICA [G]

Oraciones finales: Nexos y conectores

Para (que): Díselo, *para que*, en cuanto lo sepa, informe al jefe.

A fin de (que), *con el propósito de (que)*, *con la finalidad de (que)*, _____, *con la intención de (que)*, _____:
Voy a hacer ese máster *con la intención de que* me asciendan en mi trabajo.

_____: _____

Con + sustantivo: _____

El modo en las oraciones finales

Se usa el infinitivo cuando el sujeto de la oración principal y de la oración subordinada es el mismo, y el subjuntivo, cuando son distintos.

◆ *Me contrataron para* **cubrir** *el puesto de una persona que estaba de baja.*

◆ *Estoy en Recursos Humanos para que me* **cuenten** *los cambios en el horario.*

Verbos como *elegir, seleccionar, nombrar, designar, proponer, llamar, escoger, llevar, traer,* pueden construirse con infinitivo aunque su sujeto sea distinto del verbo principal.

◆ *Eligieron a Rosa para* **hacer** *las entrevistas a los nuevos candidatos.*

---

5. Y tú, ¿a qué te dedicas?

a. [V] Vas a leer un texto en el que se habla de profesiones que no son fáciles de cubrir. ¿Qué profesiones crees que se mencionarán? ¿Por qué? Coméntalo con tus compañeros.

b. [] [V] Lee el texto y comprueba tus hipótesis. Puedes buscar en el diccionario las profesiones que no conozcas. ¿Hay algún dato que te haya llamado la atención?

Doble lectura en la nueva lista de Ocupaciones de Difícil Cobertura

Esta semana ha sido publicado por el INEM el Catálogo de Ocupaciones de Difícil Cobertura (CODC) correspondientes al primer trimestre de 2007 con el objeto de constatar que el mercado laboral español adolece de significadas lagunas en lo referente a la capacitación o disposición de su mano de obra para asumir determinados puestos de trabajo.

El hecho de que una determinada actividad sea catalogada como ocupación de difícil cobertura puede deberse o a que realmente falten personas tan cualificadas como para realizar este tipo de trabajos en nuestro país, o a que los trabajadores españoles no estén dispuestos a realizarlas por su dureza, peligro o por su baja remuneración.

Llama la atención, por ejemplo, los problemas que existen en España para cubrir los puestos de deportista profesional o entrenador deportivo. Todo viene a raíz de la imposición del Consejo Superior de Deportes que, con el propósito de controlar la oferta real, exige desde hace años a clubes y centros deportivos publicar en el INEM la demanda de tales perfiles antes de contratar a futbolistas y entrenadores extranjeros. Por tanto, se trataría de una demanda un tanto ficticia.

En lo que de verdad sí existen problemas es para encontrar empleados del hogar, figura en el listado de más de 30 provincias españolas y muy particularmente en Barcelona y Madrid, cocineros (escasos en Segovia o Vizcaya, por ejemplo), albañiles, camareros, conductores de camión, fontaneros, carniceros-matarifes y panaderos.

Otras ocupaciones en las que también hay problemas son la de peón agrícola, ganadero, instalador electricista, cristalero, encofrador, o incluso pastor (se echan en falta en Cuenca, Ciudad Real, Palencia o Burgos).

Anecdótico es el caso de profesiones como las de minero, sepulturero, quesero, cajero de banca, guía de turismo o preparador de pistas de nieve, que solo aparecen en una o dos provincias. En el CODC se incluyen otras ocupaciones muy llamativas por lo marginal o incluso por lo exótico, como guardeses, vendedores ambulantes, peluqueros de perros, lavacoches, esquiladores, payasos, músicos instrumentistas o grabadores de tatuajes. Más convencionales, aunque también escasos, tenemos a pintores de vehículos o estuquistas.

Este informe permite a los empresarios contratar a trabajadores extranjeros no comunitarios para aquellas ocupaciones que sean de difícil cobertura y en las que no existan demandantes de empleo nacionales. De este modo, el empresario que esté interesado en contratar en origen a un trabajador extranjero podrá consultar este catálogo para saber si el puesto que necesita que sea cubierto no tiene candidatos suficientes en nuestro país. Si esa ocupación aparece en el catálogo, el empresario podrá solicitar la autorización de residencia y trabajo para el trabajador extranjero que quiere contratar, y en ese caso no es necesario presentar una oferta de trabajo en los servicios públicos de empleo.

(Fuente: http://www.aprendemas.com/ Noticias/html/N1952_F12012007.HTML)

c. [] Vuelve a leer el texto y contesta a estas preguntas.

1. ¿Cuáles son las razones por las que una ocupación puede llegar a formar parte del CODC?
2. ¿Por qué la demanda de deportistas profesionales o entrenadores deportivos es ficticia?
3. ¿Cuáles son los objetivos de la publicación de este informe?

d. [BLA BLA BLA] En parejas, escoged dos de las profesiones que se mencionan en el texto y escribid el perfil que creéis que debe tener una persona que se dedique a esa profesión.

6. Buscando un futuro mejor

a. 🔊40 **¿Has oído hablar del síndrome de Ulises?
Lee este texto. Después, escucha a Norberto y complétalo
con la información que falta.**

> **El síndrome de Ulises afecta a la mayoría de los inmigrantes**
>
> Los psiquiatras han detectado un nuevo trastorno mental que afecta
> a la mayoría de los inmigrantes «sin papeles». Se trata del denominado
> síndrome de Ulises, que se caracteriza por el estrés crónico y múltiple
> que padece el inmigrante al afincarse en su nuevo país.
>
> Para conocer bien esta patología, debemos situarnos, según el psiquiatra
> Joseba Achótegi, en la vida de cualquier extranjero que llega a un país que
> no es el suyo sin la regulación pertinente. Según este psiquiatra, el síndrome
> de Ulises se caracteriza por los siguientes focos de tensión:
>
> 1. _____
>
> 2. _____
>
> 3. Viven situaciones muy duras en la lucha por la supervivencia.
>   Su preocupación principal es dónde comer y dónde dormir.

7. El valor del trabajo

a. 🔊 **Lee este texto extraído de la Constitución. ¿Crees que se cumplen
en los distintos países las ideas que expresa este texto? ¿Qué medidas
propondrías para evitar la discriminación en el trabajo? Coméntalo
con tus compañeros.**

> **Artículo 35**
>
> Todos los españoles tienen el deber de trabajar y el derecho al trabajo,
> a la libre elección de profesión u oficio, a la promoción a través del
> trabajo y a una remuneración suficiente para satisfacer sus necesidades
> y las de su familia, sin que en ningún caso pueda hacerse
> discriminación por razón de sexo.

b. G **¿Te has fijado cuándo se usan los artículos y cuándo
no en el texto anterior? Ahora corrige las oraciones
que consideres incorrectas.**

1. A Juana Arce la han ascendido a la directora de *marketing*.
2. Ella es una amiga de verdad y lo demás son tonterías.
3. Tiene la manera de hablar que no puedo entender nada.
4. Pobre Ramón, se ha quedado sin trabajo después de seis años.
5. Hace mucho que no practico el deporte. Antes jugaba al tenis.
6. No puedo tomar el café porque me pone muy nerviosa.
7. Tengo un dolor de cabeza horrible.
8. Sábados por la tarde cierran las tiendas.
9. ¡Qué alto está Jaime! Está hecho hombre.
10. Hablé con un tal Enrique que me dijo que llamara más tarde.

GRAMÁTICA
Artículos definidos e indefinidos

Artículo definido

- Usos:
  - Enfático: **La** *cara que puso*,
    Lo *mal que lo hizo.*
  - Sustantivador: **El** *trabajar así no es
    bueno, Me preocupa* **el** *que no
    hayamos recibido noticias.*
- Distribución sintáctica:
  - Con *poco* y *mucho*: *Se junta con* **los**
    pocos *compañeros con los que no se
    lleva mal del todo.*
  - Casos especiales con *hay*: *Si es que en
    esta empresa* **hay el** *lío de siempre.*

Artículo indefinido

- Usos:
  - Enfático: acompañado de la entonación:
    ¡Es **un** *señor!*; con significado
    consecutivo: *Tiene* **una** *forma de
    trabajar que yo no comparto*; con
    nombres no contables: *¡Hace* **un** *frío…!*
- Distribución sintáctica:
  - Con nombres propios: *Vino* **un** *tal José
    Durán,* **Un** *Bill Gates solo hay uno entre
    un millón.*

Ausencia de artículos

- Con complementos predicativos con
  verbos como *nombrar, declarar…*:
  La han nombrado jefa de área.
- Para categorizar (*ser* + sustantivo/
  adjetivo): *Cuando termine la universidad
  quiero ser médico.*
- Cuando nos referimos en singular al
  concepto o a la categoría: *Todavía no
  tengo ordenador.*
- Precedido de las preposiciones *en, a* y
  con (para expresar medio o modo): *ir
  en tren; escribir a máquina/con
  bolígrafo.*
- En aposiciones: *Európolis, ciudad
  empresarial.*

8. La selección de personal

a.  Estas son algunas de las preguntas que te pueden hacer en una entrevista de trabajo. ¿Alguna de ellas te haría sentir incómodo? ¿Por qué? Coméntalo con tus compañeros.

1. ¿Cuál fue su nota media en la universidad?
2. ¿Cuáles son sus cualidades y sus defectos como trabajador?
3. ¿Cuánto salario cree que debería cobrar por este puesto?
4. ¿Qué cobraba en su último empleo?
5. ¿Cuál es el último libro que ha leído?
6. ¿Cómo se costeó los estudios?
7. ¿Cuál es su estado civil?
8. ¿Cómo son sus relaciones familiares?
9. ¿Qué puede aportar a la empresa?
10. ¿En qué empresas ha trabajado?
11. ¿Qué asignaturas le gustaban más? ¿En cuáles destacaba?
12. ¿Por qué abandonó su anterior trabajo?
13. ¿Qué espera de nosotros?
14. ¿Por qué cree que le deberíamos contratar a usted y no a otra persona?

b. En grupos pequeños, intentad agrupar las preguntas anteriores en los siguientes apartados.

| estudios | personalidad | remuneración |

| experiencia laboral | inquietudes | motivación | disponibilidad |

c. Ahora intentad añadir a cada uno de los apartados anteriores por lo menos dos preguntas más.

d. Actualmente, las empresas utilizan cada vez más el método de la entrevista en grupo para seleccionar a los candidatos para sus ofertas laborales. ¿Has realizado alguna vez una entrevista en grupo? ¿Cuál crees que es el objetivo? ¿Cómo crees que hay que actuar? Coméntalo con tus compañeros.

e. Lee el siguiente texto sobre las entrevistas en grupo y comprueba tus hipótesis.

■ **¿Qué mide una dinámica de grupo?**
Con esta técnica los departamentos de recursos humanos tratan de medir la capacidad de liderazgo y de comunicación de los participantes, que deben saber expresar opiniones de forma clara.
En las dinámicas de grupo participan entre cinco y diez personas y se les plantea un tema de actualidad para que ellos debatan y lleguen a un acuerdo, o bien se plantea una situación para resolver entre los participantes o un juego de rol. En este tipo de entrevistas el evaluador observará y evaluará aspectos como el grado de participación, la capacidad de liderazgo y comunicación, la iniciativa y la capacidad de relacionarse con los demás. Además, en el desarrollo de la entrevista, el evaluador intentará provocar cambios en la actitud del grupo introduciendo elementos de distorsión.
■ **¿Cómo salir airoso de una dinámica de grupos?**
Lo más importante es centrarse en el tema, escuchar las exposiciones y opiniones de los demás, expresar de forma sencilla y clara nuestros argumentos, llamar a los compañeros por su nombre, participar y ser activo, hablar con convicción y claridad, ser positivo, buscar el avance del grupo en la tarea más que el lucimiento personal, utilizar oraciones del tipo: ¿qué os parecería si…? Hay que evitar ser tajante, inflexible en la postura que se está defendiendo y no cerrarse en banda.

f. 🔲 En grupos, cada equipo va a diseñar una prueba para hacer una entrevista en grupo para el resto de compañeros.
Pensad qué prueba queréis plantear. Os damos algunos ejemplos.

A veces, el grupo tiene que resolver problemas como cómo sacar adelante un barco que se hunde o dar de comer a un grupo de personas en una isla desierta.

Durante una hora los candidatos a este puesto tienen la oportunidad de convertirse en consultores de la firma. La primera tarea consiste en desarrollar, de manera individual, un producto o servicio desconocido ligado a la marca de la cadena de distribución con vistas a un futuro desarrollo comercial. Después, de manera conjunta, tienen que exponer todas las ideas y valorar la más rentable, creativa y realista. Una vez elegido el servicio, tienen que poner en marcha un plan de negocio.

Entre los universitarios se utiliza un tipo de ejercicio que consiste en pedirles que ordenen en una escala de valores a qué tipo de puesto de trabajo quieren acceder, así se matan dos pájaros de un tiro: se evalúa su capacidad de liderazgo y se averigua qué es lo que quieren para su trabajo, si prefieren un puesto cerca de casa, pero en el que sea difícil la promoción, o al contrario.

La prueba consiste en fingir que perteneces a una nave espacial que se iba a reunir con la nodriza en la Luna, pero hay un problema y aterrizas a 350 kilómetros del lugar al que querías llegar. Así pues, deberás seleccionar por orden de preferencia los 15 objetos que te llevarías para llegar hasta la Luna y, así, poder sobrevivir. Los objetos entre los que puedes escoger son algunos como cerillas, comida, oxígeno, un paracaídas, agua, etc.

g. 🔲 Plantead vuestra prueba al otro grupo. Tomad notas de la participación de cada uno de los candidatos y, al final, decidid quién o quiénes son los candidatos que han pasado la prueba y por qué.

h. 🔲 **E** Ahora vais a analizar vuestro funcionamiento como grupo. Completa esta ficha y compara tus respuestas con las de tus compañeros para llegar a una respuesta única. Después, completad la última fila.

Reflexiones sobre el grupo y establecimiento de objetivos de mejora
Nombre de los miembros del grupo:
¿Cómo funciona nuestro grupo?
¿Qué ha aportado cada uno de los miembros?
¿Termina el grupo las tareas?
¿Utiliza el tiempo adecuadamente?
¿Practica las habilidades sociales?
¿Qué es lo que hace especialmente bien?
¿Qué debemos mejorar?
Objetivos que nos proponemos:

ESTRATEGIAS **E**

Intenta contribuir positivamente al trabajo en equipo participando y ayudando a tus compañeros. Negocia con tus compañeros para llegar a acuerdos durante la realización de las tareas colectivas, aunque no siempre estés de acuerdo. Intenta adaptarte a la forma de trabajar de tus compañeros y trata de que tus valoraciones sean positivas y tus críticas sean constructivas.

COMUNICACIÓN

Expresar hartazgo

◆ *Estoy hasta las narices/la coronilla/aquí de…;*
Hasta aquí hemos llegado; Por esto/ahí no paso.

Expresar decepción

◆ *¡Menuda desilusión!; ¡Vaya desilusión/decepción!;*
Esto no es lo que (me) esperaba/imaginaba; ¡Vaya, hombre!

Expresar arrepentimiento

◆ *Me arrepiento de…; No debí…; (No) Debería/Debía +*
infinitivo; *Si tuviera una segunda oportunidad;*
Si pudiera dar marcha atrás; Si volviera a elegir…

Expresar sorpresa y extrañeza

◆ *Me sorprendo/asombro con/de…; Alucino con/de…;*
¡Alucina!; Me alucina; Me sorprende/asombra/alucino con…;
Me quedo/Me dejas atónito/alucinado/de piedra/con la boca
abierta; Parece mentira; ¡Nunca lo hubiera imaginado!;
¡Es alucinante!; ¡Qué me dices!; ¡Lo que hay que oír!

Aconsejar

◆ *¿(Me) Aceptas un consejo?; Lo más aconsejable/*
recomendable (en estos casos) es…; Te sugeriría…;
Lo único que puedo aconsejarte/recomendarte/sugerirte
es que…; Siempre puedes/podrías/queda el recurso de…;
Ni se te ocurra…

Animar

◆ *¡A por ello/todas!; ¿Qué puede/podría pasar si…?*
El «no» ya lo tienes; ¿Vas a aceptar el nuevo trabajo o qué?;
(No sé) A qué esperas…; ¡Adelante!; ¡No te cortes!;
¡Lánzate!

VOCABULARIO

Expresiones y frases hechas relacionadas con el trabajo

Trabajar de sol a sol, no dar ni golpe, vivir del cuento, tumbarse
a la bartola, trabajar como un burro/una mula…

Medidas de conciliación de la vida laboral y familiar

Permiso de maternidad más largo, guarderías en los trabajos,
flexibilidad de horarios…

El trabajo

Sueldo bruto/neto, retención, día de libre disposición, paga
extra, congelar el sueldo…

Profesiones

Panadero, cocinero, deportista profesional, albañil, camarero,
conductor de camión, fontanero…

GRAMÁTICA

Oraciones finales: Nexos y conectores

Para (que): *Díselo,* **para que***, en cuanto lo sepa,*
informe al jefe.

A fin de (que), con el propósito de (que), con la finalidad
de (que), con (la) idea de (que), con la intención de (que),
con el fin de (que): *Voy a hacer ese máster* **con la intención**
de que *me asciendan en mi trabajo.*

A (que): *Ha ido* **a que** *el jefe le explique lo del nuevo proyecto.*

Con + sustantivo: *Trabajó mucho* **con vistas a** *un ascenso.*

El modo en las oraciones finales

Se usa el infinitivo cuando el sujeto de la oración principal
y de la oración subordinada es el mismo, y el subjuntivo
cuando son distintos.

◆ *Me contrataron para* **cubrir** *el puesto de una persona*
que estaba de baja.

◆ *Estoy en Recursos Humanos para que me* **cuenten**
los cambios en el horario.

Verbos como *elegir, seleccionar, nombrar, designar, proponer,*
llamar, escoger, llevar, traer, pueden construirse con infinitivo
aunque su sujeto sea distinto del verbo principal.

◆ *Eligieron a Rosa para* **hacer** *las entrevistas*
a los nuevos candidatos.

Artículos definidos e indefinidos

Artículo definido

• Usos:

– Enfático: ***La*** *cara que puso,* ***Lo*** *mal que lo hizo.*

– Sustantivador: ***El*** *trabajar así no es bueno,*
Me preocupa **el** *que no hayamos recibido noticias.*

• Distribución sintáctica:

– Con *poco* y *mucho: Se junta con* **los pocos** *compañeros*
con los que no se lleva mal del todo.

– Casos especiales con *hay: Si es que en esta empresa*
hay el *lío de siempre.*

Artículo indefinido

• Usos:

– Enfático: acompañado de la entonación: *¡Es* **un** *señor!;*
con significado consecutivo: *Tiene* **una** *forma de trabajar*
que yo no comparto; con nombres no contables:
¡Hace **un** *frío…!*

• Distribución sintáctica:

– Con nombres propios: *Vino* **un** *tal José Durán,*
Un *Bill Gates solo hay uno entre un millón.*

Ausencia de artículos

– Con complementos predicativos con verbos como *nombrar,*
declarar…: La han nombrado jefa de área.

– Para categorizar (*ser* + sustantivo/adjetivo): *Cuando termine*
la universidad quiero ser médico.

– Cuando nos referimos en singular al concepto
o a la categoría: *Todavía no tengo ordenador.*

– Precedido de las preposiciones *en, a* y *con* (para expresar
medio o modo): *ir en tren; escribir a máquina/con bolígrafo.*

– En aposiciones: *Európolis, ciudad empresarial.*

Ciudadanos activos

En esta unidad vas a aprender:

- A interaccionar con un agente de tráfico en situaciones en las que se te recrimina por no haber respetado el código de circulación

- A completar un parte de accidente

- A comprender con detalle información general y específica de documentos escritos que presentan un grado importante de especialización

- A comprender el contenido general e información específica de textos relacionados con la actualidad política de distintos países

- A entender y transmitir declaraciones de diferentes personas relacionadas con la política

- A opinar sobre algunas de las políticas sociales que se están llevando a cabo en España

COMUNICACIÓN	GRAMÁTICA	VOCABULARIO	CULTURA Y SOCIOCULTURA	TEXTOS
Responder a una orden, petición o ruego accediendo o negándose a su cumplimiento y eludiendo el compromiso Expresar aprobación y desaprobación Preguntar si se está de acuerdo Invitar al acuerdo Expresar acuerdo Expresar desacuerdo Presentar un contraargumento	Adverbios en *-mente* Estilo indirecto: cambios en los tiempos verbales	Campañas de concienciación Infracciones Incidentes Acciones relacionadas con la burocracia Instituciones políticas Cargos públicos Verbos que interpretan y resumen enunciados e intenciones	Campañas de concienciación y prevención al volante en Argentina El DNI El sistema electoral en España Sistema político de España y México Políticas sociales	Textos informativos Anuncios radiofónicos Conversaciones formales e informales Declaración amistosa de accidentes *Blog* sobre el sistema electoral español Declaraciones de políticos Debate radiofónico Noticias

1. Precaución al volante

a. 📖 Cs Estas son algunas de las acciones de concienciación y prevención que está llevando a cabo el Instituto de Seguridad Vial (ISEV) de Argentina. ¿Cuál te parece que puede ser más eficaz? ¿Y la más innovadora? ¿Qué otras acciones de concienciación conoces? Coméntalo con tus compañeros.

Consejos con humor

El tríptico *Riesgos en la conducción de camiones* tiene como objetivo concienciar acerca de los principales riesgos en la conducción y aporta los consejos básicos para evitar accidentes.

Desde el recurso de la caricatura y el humor se abordan temas como el uso del cinturón, descanso del conductor, adelantamiento en curvas, señales de tránsito, qué hacer en caso de niebla, etcétera.

El cuadernillo es útil para prevenir conductas de riesgo, para complementar la capacitación y para presentar de un modo diferente la política de prevención de la empresa.

Docentes de Berazategui le dicen «no» a los siniestros viales

Protección Mutual de Seguros con su Proyecto Escuela Segura acaba de concluir una nueva etapa de capacitación de docentes de la Provincia de Buenos Aires. Esta vez el trabajo de capacitación (que se encuentra pedagógicamente a cargo del ISEV) tuvo como protagonistas a docentes de la localidad de Berazategui.

De esta forma, continúa en marcha el proyecto de llevar la educación vial a las escuelas, convencidos de que uno de los más valiosos aportes que se pueden realizar para combatir el flagelo de los siniestros viales comienza en los alumnos de hoy, que serán los futuros conductores del mañana.

La seguridad vial en juego

El ISEV pone a disposición de aquellos interesados en formar hábitos seguros un juego de 40 naipes españoles con consejos para desarrollar una conducción segura.

En el juego, al igual que en el tránsito, los participantes deben conocer y cumplir determinadas reglas que, en caso de ser infringidas, perjudican al resto de los jugadores. Y es que son innumerables las coincidencias que confluyen en torno a estas dos actividades. En ambos casos nos encontramos con personas que se encuentran en un espacio común, lo que les requiere ser tolerantes, prudentes y saber administrar el riesgo que cada acción implica, entendiendo que si uno rompe las reglas, no acaba ganando nadie y el juego termina mal.

ComunicArte Prevención Vial 2007

En el marco del Año de la Seguridad Vial en Argentina, el Consejo Directivo del ISEV, Instituto de Seguridad y Educación Vial, invita a artistas plásticos a participar en el Segundo Certamen de Pintura, Escultura, Fotografía y Arte Digital impreso, para expresar su compromiso con la cultura y extender su interés y responsabilidad ante la comunidad sobre el tema de la seguridad vial donde el accidente de tránsito no es «accidental sino causal».

(Fuente: http://www.isev.com.ar/?s=acciones_prevencion)

b. 🗨️ Cs Estos son algunos de los temas sobre los que se pueden hacer campañas de concienciación. ¿Cuáles crees que son más necesarias en tu país? ¿Habría que concienciar sobre algún tema que no aparezca aquí? ¿Cuál? Coméntalo con tus compañeros.

- mantener la distancia de seguridad
- controlar la velocidad
- uso del casco
- uso del cinturón de seguridad y de sistemas infantiles de retención
- distracciones al volante
- no conducir cuando se ha bebido alcohol

c. 🔊41 Escucha varios anuncios que ha hecho la Dirección General de Tráfico para concienciar a los conductores y contesta a estas preguntas.

1. ¿Sobre qué temas tratan de concienciar?
2. ¿Crees que todos los anuncios pertenecen a la misma campaña o pertenecen a campañas diferentes?
3. ¿El tono de todos los anuncios es el mismo?
4. ¿Crees que van todos dirigidos al mismo sector de población? ¿Qué te ha ayudado a contestar a esta pregunta?

d. 🗨️ ¿Cuál es tu opinión acerca de este tipo de anuncios para concienciar a los conductores? ¿Crees que este tipo de campañas es efectivo? Coméntalo con tus compañeros.

◆ *A mí me parece muy fuerte cuando dicen eso de que vas a matar a los hijos que aún no has tenido, te entra un no sé qué por el cuerpo…*

2. Infracciones al volante

a. [V] Estas son algunas de las infracciones por las que te pueden poner una multa. Relaciona las dos columnas. Hay más de una posibilidad.

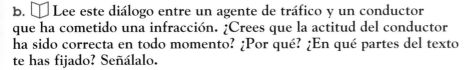

saltarse	el carril bici
rebasar	las luces antiniebla averiadas
aparcar	un semáforo en rojo
hacer	la calle indebidamente
llevar	el límite de velocidad permitido
invadir	un ceda el paso
cruzar	en una zona de carga y descarga
	una maniobra peligrosa

b. ☐ Lee este diálogo entre un agente de tráfico y un conductor que ha cometido una infracción. ¿Crees que la actitud del conductor ha sido correcta en todo momento? ¿Por qué? ¿En qué partes del texto te has fijado? Señálalo.

- *Buenos días.*
- *Buenas.*
- *El radar ha detectado que usted estaba circulando por esta travesía a una velocidad superior a la permitida.*
- *¿Sí? Supongo que será por poco.*
- *Mire, el radar ha señalado que usted iba a 70 cuando, como bien sabe, el límite en travesías es de 50 kilómetros por hora.*
- *¿Lo ve? Ya se lo decía yo, que seguro que era por muy poco.*
- *Ya, ya, pero las normas del código de circulación están para cumplirlas. De todos modos, esta infracción no conlleva la retirada de puntos y la sanción económica es de las menos gravosas, la multa asciende a 100 euros.*
- *¡100 euros!*
- *Sí, 100. Y si los abona en un plazo no superior a 15 días, se reduce en un 30 %, es decir, serían 70 euros.*
- *¿Y no podría hacer la vista gorda por esta vez? Yo soy un conductor responsable, además, es que ahora mismo no puedo hacer frente a ese pago.*
- *Lo siento, señor, pero me temo que eso no va a poder ser. La próxima vez tenga más cuidado. Por favor, déjeme su permiso de conducir y la documentación del vehículo.*
- *Faltaría más. Un segundo, aquí tiene.*
- *¿Desea usted firmar la multa?*
- *¡Ni lo sueñe! Intentaré recurrirla por si acaso hay un defecto de radar...*
- *Como quiera, está en su derecho. También me he dado cuenta de que lleva una de las luces antiniebla averiadas.*
- *¡Ah, sí! Pues no lo sabía. No se preocupe, agente, en cuanto salga de trabajar, me paso por el taller.*
- *Sí, arréglela cuanto antes porque ahora en invierno es peligroso.*
- *Una pregunta, ¿puedo dar la vuelta aquí?*
- *Me temo que no va a ser posible. En esta zona no hay mucha visibilidad.*

COMUNICACIÓN [C]

Responder a una orden, petición o ruego

Accediendo a su cumplimiento
- *(Por mi parte) No hay inconveniente.*
- *(Eso) Está hecho.*
- _____
- *Sin problemas.*

Eludiendo el compromiso
- *Veré lo que puedo hacer.*

Negándose a su cumplimiento
- _____
- *Sintiéndolo mucho, me es/ resulta imposible.*
- *Se ponga como se ponga, eso no lo pienso hacer.*
- *No tengo la menor intención de + infinitivo*
- _____
- *¡Cómo que + orden anterior!*

c. [C] Vuelve a leer el texto y completa el cuadro de comunicación con los recursos que faltan.

d. 🔲 ¿Te han puesto alguna vez una multa o te ha parado la policía por algún motivo? ¿Por qué? Coméntalo con tus compañeros. Si te ha parado alguna vez la policía, recrea la conversación que mantuviste con el policía.

3. Pequeños percances al volante

a. [V] Elige uno de estos dibujos y describe a tu compañero lo que ha pasado con el mayor detalle posible. Él tiene que averiguar a qué dibujo te refieres.

b. (42) Eugenia Torres ha tenido un pequeño accidente con el coche y se lo está contando a un amigo. ¿Qué le ha pasado?

c. [G] Estas son algunas oraciones extraídas de la conversación anterior. ¿Para qué crees que sirven los adverbios destacados?

Nos bajamos los dos de los coches, él parecía **visiblemente** más asustado que yo, así que intenté que se calmara un poco y, después de comprobar que **afortunadamente** a ninguno de los dos nos había pasado nada,…

Me dijo que estaba hablando por el manos libres, que, **sinceramente**, no se había percatado de la señal de ceda el paso. Y, **francamente**, creo que no se merecía que le montara ningún número.

Pues, **fundamentalmente**, que se despistó y se saltó un ceda el paso.

Es que, **personalmente**, no entiendo a la gente que monta esos pollos cuando pasa algo así.

Obviamente su compañía de seguros tendrá que pagar todos los gastos.

d. [G] Completa estas oraciones con los adverbios del cuadro.

APARENTEMENTE   DURAMENTE   SEGURAMENTE   DESGRACIADAMENTE   CORRECTAMENTE

1. Las leyes deberían penalizar _____ a los conductores temerarios que ponen en peligro la vida o la integridad de las personas.
2. ¿Que a Fernando le han quitado cuatro puntos? _____ será una confusión, él respeta a rajatabla el código.
3. La última campaña para concienciar de los riesgos de una mala conducción parece, _____, ser menos dura que las anteriores, pero la verdad es que está muy bien pensada y tiene mucho fondo.
4. Si deseas aprender a conducir el coche _____, déjate de pamplinas de que tu novia te enseña y que te ahorras un dinerillo, te aconsejo que vayas a una autoescuela.
5. _____, las campañas de concienciación cada vez son más duras porque el número de accidentes no disminuye.

e. **V** Este es un modelo de parte de accidente que facilitan las compañías de seguros. Léelo y resuelve las posibles dudas de vocabulario que te surjan.

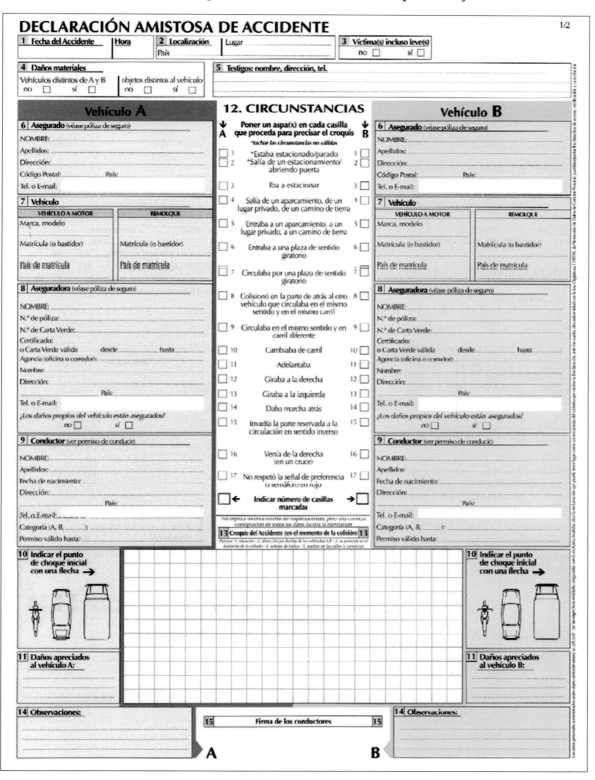

f. **42** Vuelve a escuchar lo que le ocurrió a Eugenia Torres y toma nota de los datos que consideres pertinentes para rellenar el parte de accidente. No te olvides de dibujar el gráfico en la parte cuadriculada. Luego, compara tus datos con los de tu compañero.

4. Su identificación, por favor

a. ▢ Cs Vas a leer un artículo sobre el documento nacional de identidad que se utiliza en España. Antes, señala si crees que estas afirmaciones son verdaderas (V) o falsas (F).

			ANTES DE LEER	DESPUÉS DE LEER

ANTES DE LEER

V   F

1. Es obligatorio poseerlo a partir de los 18 años.
2. La Familia Real no tiene DNI.
3. En el DNI, además de los datos personales, figura los nombres de los padres del titular.
4. Debido a que solo pueden figurar ocho cifras en el DNI, algunos números asignados pertenecieron a personas ya fallecidas.
5. El número 13 fue excluido por razones de superstición.
6. El DNI tradicional está siendo sustituido por un documento electrónico.

DESPUÉS DE LEER

V   F

b. ▢ Cs Lee este texto y comprueba tus respuestas.

España

NOMBRE
MARIA
PRIMER APELLIDO
LOPEZ
SEGUNDO APELLIDO
LOPEZ

EXPED. 11-09-2006   VAL. 11-09-2011
IDESP
555555555-T   Ministerio del Interior

La denominación habitual es DNI y también se le denomina carné o carné de identidad. Se trata de una tarjeta plastificada donde se detalla el nombre y apellidos del titular, fecha de nacimiento, dirección, progenitores, sexo, dirección de residencia, localidad y provincia de nacimiento, y contiene una fotografía y un número de identificación formado por 8 cifras más una letra de control. Generalmente, se denomina número de identificación fiscal (NIF) a esta combinación de números y letra, y DNI solo a los números. Es obligatorio poseerlo a partir de los 14 años, aunque puede solicitarse desde los 3 meses de edad.

No es cierta la leyenda urbana que afirma que se asignan números de DNI de personas fallecidas, ya que se utiliza un sistema numérico válido para varias generaciones.

Hasta los 30 años, el DNI tiene validez por 5 años. De los 30 a los 70 años, tiene validez por 10 años, siendo permanente a partir de los 70 años.

Actualmente se está implantando el DNI electrónico, que tiene un *chip* que permite garantizar la identidad de la persona que lleva a cabo las gestiones y transacciones electrónicas que se realicen con él. También permite al ciudadano firmar digitalmente documentos de forma reconocida.

Como curiosidad se puede comentar que en España el DNI n.º 1 fue asignado a Francisco Franco y que los números del 10 al 99 están reservados a los miembros de la Familia Real: el 10 para Juan Carlos I de España, el 11 para Sofía de Grecia y el 15 para Felipe de Borbón y Grecia. El número 13 fue excluido por razones de superstición.

c. ▢ V Completa este texto en el que se explica cómo obtener el DNI con las palabras del cuadro.

Cómo obtener el DNI

- El ciudadano que desee _____ o solicitar por primera vez su Documento Nacional de Identidad deberá _____ a un Equipo de Expedición del DNI.
- En las Comunidades Autónomas con lengua cooficial (Cataluña, País Vasco, Galicia, Comunidad Valenciana e Islas Baleares) el Documento Nacional de Identidad se _____, además de en castellano, en el idioma cooficial de la respectiva Comunidad Autónoma.
- Si se trata de una primera inscripción, puede _____ en el citado Equipo con la documentación correspondiente, acompañado de la persona que lo represente si es menor o incapacitado.
- Si se trata de una solicitud por sustracción, extravío o deterioro, el ciudadano, una vez en el equipo expedidor, deberá _____ un impreso y _____ una fotografía que, junto a su firma y su impresión _____, servirá de comprobación de personalidad.

(Fuente: http://www.mir.es/SGACAVT/dni/obtencion_dni.html)

RELLENAR
DACTILAR
ADJUNTAR
EXPIDE
ACUDIR
COMPARECER
RENOVAR

d. V Estas palabras y expresiones pueden ser útiles a la hora de tramitar cualquier tipo de documentación. Relaciona un elemento de cada grupo. Ten en cuenta que hay más de una posibilidad.

TRASPAPELAR   DENEGAR
TRAMITAR   COMPULSAR   EXPEDIR
SOLICITAR   CUMPLIMENTAR   SELLAR
ACREDITAR   ADJUNTAR

UN IMPRESO   UN DOCUMENTO
UNA FOTOCOPIA   UNA SOLICITUD
UNA FOTOGRAFÍA   EL DNI
UN TÍTULO   UN CONTRATO DE TRABAJO
UN PERMISO

e. E En parejas, vais a elaborar un diccionario burocrático. Haced una ficha con cada una de las expresiones anteriores, escribid su significado, sinónimos y un ejemplo de su uso.

○ **Compulsar un título/una fotocopia...:** Cotejar una copia con el documento original para determinar su exactitud.
○ Sinónimos: Comparar, ...
○ ...

f. BLA BLA BLA Cs ¿En tu país hay algún documento nacional de identidad? ¿Qué características tiene? ¿Crees que es importante y necesario que exista este tipo de documentos? ¿Por qué? Coméntalo con tus compañeros.

5. Ciudadano de pleno derecho

a. 📖 V Lee el *blog* de Ernesto, un argentino que acaba de conseguir la nacionalidad española, y haz una lista con todas las palabras que estén relacionadas con las elecciones.

Mi primera votación
Fui, soy y siempre seré argentino. Pero entre 1985 y 2003 también era ciudadano norteamericano. En el año 2004 adopté la nacionalidad española y tuve que renunciar a mi ciudadanía norteamericana porque no me dejaban tener las tres. He votado solo en Estados Unidos, porque en Argentina era muy chico, y hoy voté por primera vez en España.
El sistema de votación me pareció un poquito primitivo. Las papeletas están a la vista de todos, si uno quiere votar en secreto, tiene que coger muchas papeletas, irse a las cabinas y meter en el sobre la lista del partido al que quiere votar y tirar las demás. Si no quieres ir a la cabina, hay un montón de gente que puede ver qué papeleta seleccionas. Además, a la hora de hacer el recuento de votos, alguien tiene que ir abriendo uno por uno los sobres con las votaciones. En otros países se usa el voto electrónico, que me parece mucho más cómodo y rápido.
Luego está el sistema en sí, las listas. Cuando uno vota no sabe por quién vota. Bueno, sí que sabes por quién votas, pero tú no puedes elegir al candidato de ese partido político que quieres que te represente, esto me sorprendió muchísimo. Le pedí a una persona de la mesa que me explicara cómo funciona el sistema electoral y me dijo que aquí las listas no son abiertas, sino que son creadas por cada uno de los partidos políticos y ellos son los que, mediante votación interna, deciden qué candidatos van a ir en las listas. Cuando ya me enteré bien de cómo funcionaba, metí en el sobre la lista del partido al que quería votar y me acerqué a la mesa donde la presidenta me pidió el DNI para que los vocales comprobaran que estaba en el censo electoral. Una vez comprobado, metí mi sobre en la urna.

b. BLA BLA BLA Cs ¿Qué diferencias y similitudes hay entre el sistema electoral español y el de tu país o el de otros países que conoces? Coméntalo con tus compañeros.

6. El sistema político de España y de México

a. [BLA BLA BLA] [Cs] ¿Qué sabes del sistema político de España y de México? Entre todos, anotad todos los datos que conozcáis.

- ¿Qué forma de estado tienen: monarquía o república?
- ¿Cómo están organizados territorialmente? ¿Son estados centralistas, federales o autonómicos?
- ¿Qué nombre recibe el jefe del gobierno?
- ¿Cómo funciona el sistema electoral?
- …

b. [📖] [V] En dos grupos. Estos textos tratan sobre el sistema político de España y de México. Lee el texto que te corresponde y aclara las posibles dudas de vocabulario que te surjan con los compañeros que tengan el mismo texto que tú.

Alumno A

Sistema político de España

España es un Estado social y democrático de Derecho. Se dice que es un Estado social porque este debe intervenir para conseguir una sociedad más justa; es democrático porque la soberanía nacional reside en el pueblo; y es un Estado de Derecho porque las leyes expresan la voluntad general y obligan a su cumplimiento a todos los españoles.

Principales instituciones del Estado:

- La Corona. El jefe del Estado español es el rey, porque la forma política del Estado español es la monarquía parlamentaria. Una de las funciones del monarca consiste en representar al país en el ámbito internacional.

- Las Cortes Generales o Parlamento. Representan al pueblo español y están formadas por dos cámaras: el Congreso de los Diputados y el Senado. Las Cortes ejercen el poder legislativo, es decir, elaboran las leyes; también aprueban los presupuestos del Estado, controlan la acción del Gobierno y eligen al presidente del Gobierno.

- El Gobierno. Ejerce el poder ejecutivo, es decir, gobierna de acuerdo con lo que establecen las leyes. El Gobierno está compuesto por el presidente, los vicepresidentes y los ministros.

- El poder judicial. Es el encargado de hacer cumplir las leyes; lo integran los jueces y magistrados. El Tribunal Supremo tiene jurisdicción en todo el territorio nacional. El Tribunal Constitucional interpreta la Constitución en el caso de que haya conflictos sobre su significado.

Actualmente, España se organiza en diecisiete Comunidades Autónomas y dos Ciudades Autónomas (Ceuta y Melilla) y estas tienen amplias competencias en materias de educación, sanidad o de gestión de las políticas medioambientales, entre otras.

Alumno B

Sistema político de México

La Constitución Política de los Estados Unidos Mexicanos, ordenamiento jurídico superior de la nación, establece como forma de organización política del Estado Mexicano la de una república representativa, democrática y federal.

El Estado Federal Mexicano se integra por 31 estados y un Distrito Federal (Ciudad de México), que funge como sede de los poderes federales.

Los 31 estados son autónomos en lo relativo a su régimen interior, el cual pueden modificar siempre y cuando no contravengan las disposiciones establecidas en la Constitución General.

- Poder ejecutivo. La Constitución mexicana deposita el ejercicio del supremo Poder Ejecutivo de la Unión en un solo individuo al que denomina Presidente de los Estados Unidos Mexicanos. En su artículo 83 se estipula que el ciudadano que haya desempeñado el cargo de Presidente con anterioridad, ya sea por elección popular, de manera interina o provisional, en ningún caso ni por ningún motivo podrá volver a desempeñar ese puesto.

- Poder legislativo. El Congreso de la Unión se encarga de elaborar las leyes, de discutir los problemas del país y vigilar las acciones de los otros poderes. Se denomina Congreso de la Unión o Poder Legislativo Nacional. El Congreso de la Unión está integrado por una Cámara de Diputados y una Cámara de Senadores, integradas por 500 diputados y 128 senadores, respectivamente.

- Poder judicial. El tribunal más alto de la República Mexicana es la Suprema Corte de Justicia, compuesta por 21 miembros designados por el presidente del país con el consentimiento del Senado. El Tribunal Superior de Justicia ejerce el poder judicial en cada uno de los 31 estados de la República.

ESTRATEGIAS [E]

Para confeccionar un esquema tienes que presentar las palabras con mayor carga conceptual organizadas en un cuadro sinóptico, por ejemplo. Dicho esquema no ha de ocupar más de una página. Una vez conseguido, dispondrás de la información reducida a su mínima expresión y que representa, de manera gráfica, las relaciones entre los conceptos.

c. [📖] [Cs] Ahora haz un esquema para explicar a un compañero del otro grupo la información de tu texto.

d. [BLA BLA BLA] [Cs] ¿Qué semejanzas y diferencias encontráis entre los dos sistemas políticos?

e. ◁ [Cs] ¿Cuál es el sistema político de tu país? Haz una presentación que sea original para explicárselo a tus compañeros. Te damos un ejemplo.

7. Declaraciones de políticos

a. [G] **Lee estas declaraciones de algunos políticos y transfórmalas teniendo en cuenta el cuadro de gramática.**

Los padres de la Constitución señalaron: «Las eventuales reformas del texto constitucional que el futuro pueda aconsejar deben acomodarse a las reglas del juego que la propia Constitución establece; y abordarse con idéntico o mayor consenso al que presidió su elaboración».

Mercè Pigem, diputada de CiU: «La Ley representa un mensaje muy fuerte. La igualdad pasa de ser un ideal de Justicia a una realidad».

A la pregunta de si la nueva ley educativa estará bien dotada económicamente para desarrollarla y si habrá un control de calidad sobre ella, el consejero contestó: «La educación es prioritaria y se hará un mayor esfuerzo en este ámbito. Está demostrado que por cada año más que una persona aprovecha el sistema educativo, sube en miles de euros su salario anual».

Carme Chacón, ministra de Vivienda: «Las tres administraciones tenemos la obligación de hacer que la vivienda deje de ser un sueño y pase a ser un derecho de todos».

Amparo Valcarce, secretaria de estado de Servicios Sociales, Familias y Discapacidad: «Las libertades y los derechos no solo se defienden individualmente, sino entre todos».

b. 📖 ¿Cuáles de las declaraciones anteriores están relacionadas con la política social? Coméntalo con tus compañeros.

c. (43) **Escucha una tertulia radiofónica en la que uno de los contertulios da su opinión sobre las medidas sociales y toma notas de lo que dice, de su tono, de su actitud… para después hacer un resumen.**

d. (43) [V] **Ahora, resume lo que ha dicho el contertulio. Ten en cuenta la intención del hablante porque es importante interpretar lo dicho. Estos verbos te pueden ayudar.**

opinar, considerar, juzgar	alabar, aplaudir, aprobar, celebrar, elogiar
criticar, reprochar, censurar	comunicar, señalar, mencionar, manifestar
pedir, solicitar, requerir	exclamar, preguntar, afirmar, insistir, repetir

e. 🗨 **Compara lo que has escrito con tu compañero. ¿Qué diferencias hay entre un texto y otro? ¿Quién ha hecho un resumen más detallado?**

GRAMÁTICA [G]

Estilo indirecto: cambios en los tiempos verbales

Dice/Ha dicho que…

verbo en indicativo → no cambia

verbo en subjuntivo → no cambia

verbo en imperativo → presente de subjuntivo

Dijo/Decía/Había dicho que…

Verbo en indicativo:

– presente → no cambia o imperfecto

– perfecto → pluscuamperfecto

– imperfecto → no cambia

– indefinido → no cambia o pluscuamperfecto

– pluscuamperfecto → no cambia

– futuro imperfecto → no cambia o condicional simple

– futuro perfecto → no cambia o condicional compuesto

– condicional simple o compuesto → no cambia

Verbo en subjuntivo:

– presente → imperfecto

– perfecto → pluscuamperfecto

– imperfecto → no cambia

El imperativo pasa a imperfecto de subjuntivo.

8. Pido la palabra

a. ☐ [Cs] Lee estas noticias relacionadas con algunas de las políticas sociales que se están llevando a cabo en España y ponle un título a cada una de ellas. ¿Cuál te parece más necesaria? Coméntalo con tus compañeros.

La Ley de Dependencia ha sido aprobada hoy en el Pleno del Congreso de los Diputados, con la oposición de CiU y PNV por entender que invade competencias autonómicas exclusivas en servicios sociales.

Después de numerosas reuniones, el grupo parlamentario popular y el socialista alcanzaron un principio de acuerdo en torno al proyecto, tras conseguir pactar alrededor de cuarenta enmiendas.

El objetivo de la futura ley, en la que el Estado prevé invertir más de 12 600 millones de euros, consiste en desplegar a partir del próximo año un sistema nacional de prestaciones y servicios para atender a las personas dependientes (que no se valen por sí mismas). ①

El Parlamento aprobó el jueves la Ley de Igualdad Efectiva de Mujeres y Hombres, que fija un permiso de paternidad de 15 días y la paridad en las listas electorales, y que transformará «para bien, radicalmente y para siempre» la sociedad, según el presidente del Gobierno.

La ley obliga a las empresas de más de 250 trabajadores a introducir en la negociación colectiva planes de igualdad y a las grandes compañías a incorporar un 40 % de mujeres en los consejos de administración en un plazo de ocho años. ②

La última medida que pretendía facilitar el acceso de la vivienda a los jóvenes la formuló el Presidente de la Comunidad andaluza mediante el proyecto de ley del Derecho a la Vivienda. Con esta normativa las administraciones garantizarían que el esfuerzo para comprar no supere un tercio de los ingresos familiares ni una cuarta parte en caso del alquiler.

La Ministra de Vivienda apoyó dicha iniciativa legislativa. Su ministerio ha decidido proponer la aplicación de desgravaciones fiscales al alquiler para arrendatarios e incluso ayudas directas. ④

El gobierno de Andalucía estudia incluir en su programa electoral el establecimiento de una beca para facilitar la continuidad de los alumnos en el sistema educativo. Esta iniciativa pretende evitar los abandonos en el Bachillerato. Las ayudas se modularán en función de las circunstancias económicas de cada familia. ③

b. 🗨 A veces este tipo de políticas sociales va acompañada de polémica. ¿Cuál de las medidas anteriores te parece que puede ser más controvertida? ¿Por qué?

c. ☐ Lee esta conversación que están teniendo un grupo de compañeros de trabajo. ¿Sobre cuál de las noticias anteriores crees que están opinando?

Me opongo completamente a este tipo de leyes. Lo único que hacen es denigrar aún más, pues incluso la persona más preparada podrá, como cualquier ser humano, tener en algún momento un mínimo fallo al tomar una decisión, y siempre se encontrará con el mismo comentario: «¡Qué se va a esperar! ¿No ves que fue elegida a dedo?».

¿Pero cómo puedes decir algo así? Está claro que con gente que piensa como tú no vamos a avanzar nunca.

En mi opinión, no tengo nada que objetar a esta ley. Creo que lamentablemente es necesaria y que hacía mucha falta. Aunque creo que todavía está muy lejos el día en que no se necesiten este tipo de leyes y el día en que sea natural que cualquier persona tenga acceso a las mismas oportunidades.

Yo comparto completamente tu punto de vista y parece que, en general, todo el mundo está de acuerdo con lo de que leyes de este tipo son necesarias, porque hoy ha salido publicada una encuesta y, extrañamente, no hay nadie en contra. Eso querrá decir que o vamos progresando en este tema o que todavía no han dado la cara los que están en contra, a pesar de los indecisos.

Pues yo no digo que no hiciera falta una ley de este tipo, pero creo que no se puede obligar por ley a que haya el mismo número de consejeras que de consejeros o de directores generales. Este debe ser el principio de igualdad de oportunidades. El puesto debe darse a quien tenga mejores aptitudes y actitudes y eso lo deciden los responsables de la empresa en defensa de los intereses de los accionistas.

Evidentemente esta ley es todo menos efectiva e igualitaria. El nuevo permiso de paternidad, de quince días (ampliable a un mes en un plazo de seis años) sigue siendo discriminatorio.
Mientras no exista la posibilidad de una baja por paternidad de la misma duración que la de la madre, habrá discriminación laboral; siempre será más rentable la contratación de hombres.

¿De verdad que no veis con buenos ojos que se aprueben iniciativas de este tipo?
Estoy de acuerdo con lo de que hay algunos puntos que pueden ser conflictivos y que hay que mejorar, pero creo que es un primer paso para mejorar la situación actual y yo creo que hay que valorarlo e intentar mejorarlo entre todos y no echarlo por tierra antes de tiempo, ¿no os parece?

d. C ¿Cómo intervendrías en la conversación anterior? Escribe tu intervención expresando tu opinión.

e. C Vuelve a leer las opiniones anteriores y anota todos los recursos que sirven para opinar.

f. ☐ ¿Cuáles de las noticias de 8. a. os interesan más? Elegid una y buscad en la prensa o en Internet más noticias relacionadas, cartas al director, foros de opinión… Si no os interesa ninguno de los temas que se tratan, podéis elegir uno que os resulte especialmente polémico.

g. ☰ Dividid la clase en dos grupos. Cada grupo debe elegir una postura, a favor o en contra del tema que hayáis elegido, y preparar sus argumentos para el debate.

COMUNICACIÓN C

Expresar aprobación y desaprobación
- ◆ *Haces bien/mal…*
- ◆ *No tengo nada que objetar.*
- ◆ *¡Así se hace!*
- ◆ *¡Así me gusta!*
- ◆ *Me opongo a…*
- ◆ *Me parece lamentable.*

Preguntar si se está de acuerdo
- ◆ *¿Ves con buenos ojos/bien/correcto/adecuado…?*
- ◆ *¿Me equivoco?*
- ◆ *¿Estoy en lo cierto?*
- ◆ *Declaración + ¿verdad que tengo razón?*
- ◆ *¿Verdad que esto (su argumento/declaración) no es ninguna tontería?*

Expresar acuerdo
- ◆ *(Yo) Comparto tu opinión/punto de vista/idea/postura.*
- ◆ *Estoy contigo/coincido (totalmente) con ello/en (lo de) + infinitivo/en (lo de) que el, en lo que…*
- ◆ *Estoy de acuerdo con/en lo de que…*
- ◆ *¡Así es!*
- ◆ *De eso no hay duda.*
- ◆ *Sí, sí (eso) es indiscutible/innegable.*
- ◆ *Estoy de acuerdo en todo, salvo en lo de…*
- ◆ *(Yo) No digo que no, pero + condicional*

Expresar desacuerdo
- ◆ *Yo no comparto tu postura/idea/punto de vista.*
- ◆ *(Yo) No lo veo así.*
- ◆ *Yo no coincido contigo en lo de + infinitivo/ en (lo de) que el/en lo que…*
- ◆ *No se puede decir que…*
- ◆ *¡Para nada!*
- ◆ *¿Pero cómo puedes decir una cosa así?*
- ◆ *Eso no tiene ningún sentido.*
- ◆ *Eso no tiene ni pies ni cabeza.*

Presentar un contraargumento
- ◆ *No te falta razón, pero/sin embargo/ahora bien/por el contrario…*
- ◆ *No hay duda de que… a no ser que…*
- ◆ *Yo no digo que (no)… pero/sin embargo/ahora bien…*
- ◆ *En eso me has convencido, pero/sin embargo/ahora bien…*

COMUNICACIÓN

Responder a una orden, petición o ruego

Accediendo a su cumplimiento

◆ *(Por mi parte) No hay inconveniente; (Eso) Está hecho; Faltaría más; ¡Sin problemas!*

Eludiendo el compromiso

◆ *Veré lo que puedo hacer.*

Negándose a su cumplimiento

◆ *Me temo que es imposible/que no va poder ser…; Sintiéndolo mucho, me es/resulta imposible; Se ponga como se ponga, eso no lo pienso hacer.*

Expresar aprobación y desaprobación

◆ *Haces bien/mal…; No tengo nada que objetar; Me opongo a…; Me parece lamentable.*

Preguntar si se está de acuerdo

◆ *¿Ves con buenos ojos/bien/correcto/adecuado…?; ¿Me equivoco?; ¿Estoy en lo cierto?*

Invitar al acuerdo

◆ *¿Verdad que tengo razón?; ¿Verdad que esto (su argumento/declaración) no es ninguna tontería?*

Expresar acuerdo

◆ *(Yo) Comparto tu opinión/punto de vista/idea/postura; Estoy contigo/coincido (totalmente) con ello/en (lo de) + infinitivo/en (lo de) que…*

Expresar desacuerdo

◆ *Yo no comparto tu postura/idea/punto de vista; (Yo) No lo veo así; Yo no coincido contigo en lo de + infinitivo/en (lo de) que el/en lo que…; (Yo) No estoy de acuerdo con/en lo que…*

Presentar un contraargumento

◆ *No te falta razón, pero sin embargo/ahora bien/por el contrario…; No hay duda de que… a no ser que…; Yo no digo que (no) pero/sin embargo/ahora bien…; En eso me has convencido, pero/sin embargo/ahora bien…*

GRAMÁTICA

Adverbios en -mente

Para reforzar una afirmación: realmente, indudablemente, efectivamente…

Para señalar evidencia: naturalmente, evidentemente, obviamente…

Para destacar o concretar: fundamentalmente, especialmente, principalmente…

Para introducir un punto de vista: personalmente, técnicamente, políticamente…

Para introducir valoraciones: afortunadamente, desgraciadamente…

Para destacar excluyendo otros elementos: únicamente, exclusivamente…

Para intensificar una cualidad: especialmente, particularmente, absolutamente, totalmente, realmente…

Estilo indirecto: cambios en los tiempos verbales

Dice/Ha dicho que…

verbo en indicativo ⟶ no cambia

verbo en subjuntivo ⟶ no cambia

verbo en imperativo ⟶ presente de subjuntivo

Dijo/Decía/Había dicho que…

Verbo en indicativo:

– presente ⟶ no cambia* o imperfecto

– perfecto ⟶ pluscuamperfecto

– imperfecto ⟶ no cambia

– indefinido ⟶ no cambia o pluscuamperfecto

– pluscuamperfecto ⟶ no cambia

– futuro imperfecto ⟶ no cambia** o condicional simple

– futuro perfecto ⟶ no cambia o condicional compuesto

– condicional simple o compuesto ⟶ no cambia

Verbo en subjuntivo:

– presente ⟶ imperfecto

– perfecto ⟶ pluscuamperfecto

– imperfecto ⟶ no cambia

El imperativo pasa a imperfecto de subjuntivo.

*El verbo en presente de indicativo no cambia cuando:

– enuncia una verdad absoluta o una cualidad que permanece.

– se refiere a una opinión que se comparte y con la que el hablante se compromete al repetirla en estilo indirecto.

**El verbo que expresa una acción futura no cambia cuando los hechos que se repiten no han ocurrido en el momento en que reproduce el enunciado.

VOCABULARIO

Campañas de concienciación

Mantener la distancia de seguridad, uso del cinturón de seguridad y de sistemas infantiles de retención…

Infracciones

Saltarse un semáforo/un ceda el paso, aparcar en doble fila…

Incidentes

Derrapar, pinchar, frenar en seco…

Acciones relacionadas con la burocracia

Expedir, comparecer, acreditar, compulsar, cumplimentar…

Instituciones políticas

Congreso de los Diputados, Cortes generales, Tribunal Constitucional…

Cargos públicos

Presidente del gobierno/electo/en funciones…

Verbos que interpretan y resumen enunciados e intenciones

Opinar, considerar…; criticar, reprochar…; pedir, solicitar…; alabar, aplaudir…; comunicar, señalar…

Amigos del arte 12

En esta unidad vas a aprender:

- A dar tu opinión sobre lo que se puede considerar arte
- A describir y valorar la obra de un artista
- A hablar de tu experiencia de aprendizaje
- Información sobre algunos artistas españoles e hispanoamericanos

COMUNICACIÓN

Citar

Introducir un nuevo tema

Destacar un elemento

Interrumpir

Pedir información

Corregir una información previa

GRAMÁTICA

Presente histórico

Pretérito imperfecto con marcador temporal de presente o futuro

Futuro imperfecto con valor de objeción o rechazo

Condicional simple con valor de objeción o rechazo en el pasado

Futuro perfecto con valor de objeción o rechazo en el pasado

Oraciones consecutivas: *de tal modo que*, *así que*, *por lo tanto…*

Las preposiciones *por* y *para*

VOCABULARIO

Valoraciones de obras artísticas

Estilos artísticos

Música

CULTURA Y SOCIOCULTURA

La feria ARCO

La pintura de Antonio Saura, Cristóbal Toral y Remedios Varo

La música de Bebo Valdés y de Manu Chao

TEXTOS

Textos informativos

Entrevistas a un crítico musical y a varios músicos

Biografía

Canción *Clandestino*, de Manu Chao

Mensaje de un foro sobre el compromiso social de los escritores

Poema *La poesía es un arma cargada de futuro*, de Gabriel Celaya

Testimonios de estudiantes sobre su aprendizaje

1. En una feria de arte

a. 📖 Cs ¿Conoces la Feria ARCO? Lee este texto. ¿Qué tipo de feria crees que es? ¿Qué tipo de arte crees que se expone? Coméntalo con tus compañeros.

La feria ARCO celebra su 25 cumpleaños

Cuando Alicia entró en el País de las Maravillas se encontró con un mundo asombroso completamente desconocido donde la imaginación era la brújula que guiaba todo. Algo así se siente al entrar en ARCO, que desde hoy y hasta el próximo lunes, 13 de febrero, sorprenderá a miles de personas.

Además, este año será más especial pues la famosa Feria celebra sus bodas de plata. Para festejarlo a lo grande, han llegado a Madrid 278 galerías procedentes de 35 países, 193 extranjeras y 85 españolas. El invitado de honor es Austria, que contará con 22 galerías. En total… nada más y nada menos que 3000 artistas que derrochan creatividad, nuevos conceptos, ilusión y diseño.

Por cierto, en esta edición la Feria ha vuelto a romper fronteras, y no solo imaginativas. ARCO cuenta con artistas de Malí, Angola y Mozambique gracias a una nueva iniciativa que han bautizado como Arte Invisible y que promueve la cultura de los países africanos que no poseen recursos para exponer.

Arte en estado… ¿impuro? Arte en todas sus facetas: pintura, fotografía, instalación, vídeo, escultura... Arte polémico, arte crítico, arte discutible, arte que para algunos no es arte, arte sorprendente, arte inverosímil, increíble, asombroso…

Se vea como se vea, se entienda o no, se disfrute o se deteste, lo mejor de ARCO es que no hay lugar, entre tanta obra, para una pizca de indiferencia.

(Texto escrito por Beatriz Meseguer para www.TopMadrid.com)

b. 44 Ahora escucha un programa de radio en el que entrevistan a tres artistas que presentarán su obra en ARCO. Marca como verdaderas o falsas las siguientes afirmaciones y corrígelas cuando sea necesario.

	V	F	Lo cierto es…
1. Según lo que afirma el locutor del programa, para la mayoría de la gente el grafiti es fundamentalmente ensuciar las paredes de las ciudades.	☐	☐	
2. En la grabación se dice que para algunos galeristas el grafiti es un arte y han llevado ese arte de la calle a las galerías.	☐	☐	
3. Los tres invitados al programa prefieren ser llamados grafiteros o expertos en inutilidades.	☐	☐	
4. Uno de los invitados comenta que les gusta que les clasifiquen como grafiteros, ya que es lo que son y lo que han hecho durante muchos años.	☐	☐	
5. En relación con el trabajo que hacían antes en la calle y el que ahora realizan en el estudio, dos de los grafiteros coinciden en que en el estudio tienen más medios y posibilidades para hacer proyectos.	☐	☐	

c. 44 V ¿Puedes explicar el significado de las siguientes palabras y expresiones que han aparecido en la grabación y dar un ejemplo en el que ese significado quede claro? Vuelve a escuchar la grabación, si es necesario.

tener una idea remota	ser un artista cotizado	galeristas	tapia
emborronar paredes	ser un buscavidas	quedarse corto	encasillar

d. ¿Qué opinión tienes sobre los grafitis? ¿Crees que se pueden considerar arte? Coméntalo con tus compañeros.

2. En una exposición de pintura

a. [Cs] Fíjate en los siguientes cuadros de famosos artistas contemporáneos. ¿Cómo los describirías? ¿Cuál te gusta más? ¿Cuál te resulta más extraño? ¿Cuál más inquietante? ¿Cuál colgarías en el salón de tu casa? Coméntalo con tus compañeros.

Ciencia inútil o El Alquimista (1958).   El grito (1959).   La nueva inquilina (1982).

b. [Cs] Lee estos textos referidos a los pintores anteriores. Relaciónalos con su cuadro correspondiente y subraya las palabras o expresiones que te han ayudado a resolver la actividad.

Antonio Saura entró en París en contacto con las vanguardias de la época, con el informalismo francés y con el arte americano de Pollock y De Kooning. Su obra evolucionó desde un inicial surrealismo hacia una pintura de trazos enérgicos y paleta reducida, hacia lo abstracto y el arte gestual. Cuando regresa a España, se convierte en el teórico de la introducción del informalismo en España. En 1957 funda en Madrid el grupo El Paso junto con otros artistas españoles como Canogar, Feito, Millares, que utilizaban un nuevo lenguaje cercano a la estética del informalismo. La obra de Antonio Saura toma del surrealismo lo negativo, lo monstruoso, lo natural, lo violento y lo intuitivo; del Action Painting, toma el carácter gestual del proceso creativo y del informalismo, la abstracción.

A Cristóbal Toral se le considera uno de los grandes referentes del realismo mágico español del siglo XX. Es uno de los pocos pintores que ha entendido la vanguardia a su manera. Y por eso, además, es reconocido como uno de los artistas españoles más singulares y de mayor responsabilidad.

Su obra, que mezcla una figuración realista con imágenes oníricas, habla de viajes y trayectos, reales o imaginativos, porque según él «nunca como en el siglo que vivimos se ha viajado tanto y se ha visto tanto equipaje».

En toda su trayectoria el pintor se ha manifestado a través de diferentes actividades como: óleos, dibujos, acuarelas y esculturas. En ellas ha trabajado sus temas predilectos, como el desnudo de la mujer, los bodegones y las maletas.

De estilo narrativo con conciencia feminista, Remedios Varo compagina el mundo del artista entre la ciencia y el arte en una tentativa para revelar el orden interno del mundo; basada en sus propias experiencias, en la exploración de lo racional en un mundo de la fantasía, la naturaleza, la alquimia, lo sobrenatural, y la mujer como fuente de sensibilidad y poderes regenerativos, Varo logra la reconciliación de dos mundos: el científico y el mítico, dando origen así a la trascendencia y a la reencarnación.

> **VOCABULARIO** V
> Valoraciones de obras artísticas
>
> Tener arte/estilo.
> No estar nada mal/mal del todo.
> Ser pasable/pésimo/fascinante/ alucinante/desagradable…

c. ¿Cuál es tu pintor favorito? Tomando como modelo los textos anteriores, escribe un texto que describa su obra, pero no pongas su nombre.

d. Lee el texto de tu compañero e intenta averiguar de qué artista está hablando.

> **VOCABULARIO** V
> Estilos artísticos
>
> Arte figurativo/conceptual/ minimalista/vanguardista

3. Un crítico de música

a. ⬜ Lee esta entrevista a un crítico musical, ¿estás de acuerdo con su opinión? Señala los aspectos en los que estés de acuerdo y en los que no y escribe al lado tus argumentos. Después, coméntalo con tus compañeros.

Pregunta: Muy buenas noches. Tengo el placer de presentarles hoy a Jordi Vilar, periodista, crítico musical, bueno, y otras muchas cosas, ¿verdad?

Respuesta: Bueno, no sé, sí, supongo que sí.

P.: Jordi, tus crónicas sobre artistas son ya famosas por lo mucho que te metes con algunos de ellos, sobre todo cantantes. Supongo que nos quieres hacer reflexionar sobre la cantidad de mala música o fraudes vocales que venden muchísimo, ¿no es eso?

R.: Efectivamente. _____, yo diría sin temor a equivocarme que el 80 por ciento de la música y de los cantantes actuales no valen la pena.

P.: ¿_____ le guste tanto a la gente?

R.: Por la misma razón que leen *best sellers*, ven telebasura o acuden a películas comerciales, porque no tienen una educación o una cultura artística desarrollada.

P.: _____ educación y de cultura. ¿No crees que las escuelas son responsables de ese estado de cosas que describes?

R.: Bueno, no estaría tan seguro. _____ quizá en las escuelas se debería poner más énfasis en estos temas, _____ responsabilizarlas plenamente.

P.: En definitiva, que tenemos mucho que mejorar, ¿no?

R.: Desde luego que sí.

P.: _____, ¿crees que el negocio del disco está amenazado por la crisis?

R.: Bueno, yo creo que está muy tocado. Entre la piratería, los avances tecnológicos y las descargas de canciones de una red P2P, el mercado de las grandes compañías no gana para sustos y...

P.: _____, pero tengo entendido que hay muchos artistas que se están desvinculando de sus discográficas.

R.: Sí, ya hay muchos artistas que han apostado por nuevas vías como, por ejemplo, poner su último trabajo en Internet a precios muy bajos. _____, el caso más reciente es el de Radiohead, que ha puesto su último álbum al precio de «la voluntad». El artista debería obtener sus ingresos de los conciertos. Los CD se están convirtiendo en un instrumento de promoción.

b. ⬜ [C] Vuelve a leer la entrevista y complétala. Fíjate en el cuadro de comunicación.

c. [BLA BLA] En la entrevista se mencionan la piratería y las descargas en Internet. Lee este texto aparecido en un anuncio televisivo, ¿cuál es tu opinión al respecto? Coméntalo con tus compañeros.

> **«Cuando nos descargamos una copia pirata,** cuando compramos en el top manta **cerramos el círculo de la piratería.** Rompamos el círculo vicioso de la piratería. Somos parte del problema.»

COMUNICACIÓN
Estructurar el discurso   [C]

Citar

◆ Ya en su obra… indica/señala/sugiere /nos quiere hacer reflexionar/se pregunta cómo «+ cita».

Introducir un nuevo tema

◆ En otro orden de cosas…

◆ A propósito de…

◆ Ahora que comentas eso…

Destacar un elemento

◆ Sin ir más lejos…

◆ De hecho…

◆ Lo que es más importante…

Interrumpir

◆ Disculpe la interrupción, pero…

◆ Disculpe que te interrumpa, pero…

◆ Lamento interrumpir, pero…

Pedir información

◆ ¿Cómo es que…?

◆ ¿Cómo se explica (entonces) el hecho de que…?

◆ ¿A qué se debe el hecho de que…?

◆ ¿Me permite/acepta una pregunta?

◆ ¿Verdad que sí/no?

◆ No he entendido bien si…

◆ ¿Se refiere a que…?

◆ He sabido (por…) que…

◆ Tengo entendido que…

Corregir una información previa

◆ (Yo) No diría que…

◆ ¡¿Cómo que (no) + enunciado previo?! Pero si…

◆ Una cosa es que… y otra muy distinta es…

4. La música de Bebo Valdés

a. ⧉ V Lee esta biografía del famoso músico cubano Bebo Valdés y complétala con las palabras del cuadro. Algunas se repiten.

> ORQUESTA   SÍNTESIS   CONCIERTO
>
> INTÉRPRETES   GIRA
>
> ARREGLISTA   GRABAR
>
> CONTRABAJO   CAUTIVAR   RITMO

Nace el 9 de octubre de 1918 en el Pueblo de Quivicán, Cuba. Comienza su carrera profesional como pianista de la popular _____ de los años cuarenta, la de Julio Cueva, luego se suma a la de Armando Romeo en Tropicana, de la que llega a ser director en 1948. En 1952, el éxito del *jazz* afrocubano en Nueva York lleva al productor Norman Granz a contratar a Bebo para _____ por primera vez en la isla una sesión improvisada de *jazz* latino. A comienzos de los años sesenta, Valdés se instala en México y crea un nuevo _____ denominado *batanga*. Durante una _____ europea en 1963, se casa en Estocolmo y se instala definitivamente en la capital sueca hasta que, en 1994, recibe una llamada telefónica de Paquito D'Rivera para invitarlo a _____ un disco en Alemania. A los 76 años, Valdés comienza una nueva etapa en su vida musical. En el 2001 participa en la película *Lágrimas negras* con Ismael López al _____. En ese año, Bebo Valdés sorprende al público de la Plaza de la Trinidad de San Sebastián durante el extraordinario _____ de *jazz* titulado *Las Estrellas de Calle 54*. En el 2003, el Festival de *Jazz* de San Sebastián vuelve a _____ al público con el proyecto de Bebo Valdés y Diego el Cigala, titulado *Lágrimas negras*, con el cual ambos _____ logran una exitosa _____ entre el *jazz* y el flamenco. Finalizada aquella _____, graba el doble álbum *Bebo de Cuba*, demostrando todo su talento como pianista, _____, compositor y director musical.

b. ㊺ Escucha un fragmento de una entrevista a Bebo Valdés y a su hijo, Chucho Valdés, y contesta a las preguntas.

1. ¿Cómo es posible que se entendieran tan bien El Cigala y Bebo Valdés siendo tan diferentes?
2. ¿Cuál es la tradición en la música cubana según Chucho Valdés?
3. ¿Cuál fue la aportación de los indios cubanos?
4. ¿Qué tienen en común el flamenco y la música cubana?

c. G Vuelve a fijarte en la biografía de Bebo Valdés, ¿en qué tiempo verbal está escrita? ¿En qué tiempo la habrías escrito tú?

d. G Lee estos diálogos y escribe el verbo entre paréntesis en la forma correcta. Fíjate en el cuadro de gramática.

- ◆ *Bebo Valdés es muy mayor.*
- ◆ *(Ser) _____ muy mayor, pero sigue tocando de maravilla.*
- ◆ *Bebo Valdés no fue muy conocido durante mucho tiempo.*
- ◆ *No (ser) _____ muy conocido entonces, pero lo que es ahora…*
- ◆ *Esa obra marcó un antes y un después en su trayectoria.*
- ◆ *(Marcar) _____ un hito, sin duda, pero yo prefiero otras.*
- ◆ *¿Sabes algo de Juan?*
- ◆ *Sí, me dijo que este fin de semana (irse) _____ a San Sebastián a un concierto de Bebo Valdés.*
- ◆ *Con este nuevo disco ha intentado volver a sus orígenes.*
- ◆ *Pues lo (intentar) _____, pero no lo ha conseguido porque suena exactamente igual que el anterior.*

GRAMÁTICA G

Presente histórico

◆ *Cervantes **nace** en Alcalá de Henares en 1547.*

Pretérito imperfecto con marcador temporal de presente o futuro

◆ *Al parecer hoy **daba** un concierto en el salón de actos.*

Futuro imperfecto con valor de objeción o rechazo

◆ ***Será** muy famoso, pero yo no entiendo por qué.*

Condicional simple con valor de objeción o rechazo en el pasado

◆ ***Sería** muy poco valorado en su época, pero ahora mucha gente mataría por tener una escultura suya.*

Futuro perfecto con valor de objeción o rechazo en el pasado

◆ ***Habrá intentado** hacer una fotografía artística, pero en mi opinión no lo ha conseguido.*

5. *Clandestino* de Manu Chao

a. ¿Qué sabes de la canción protesta? ¿Conoces algún grupo o cantante que haga canción protesta? ¿Qué tipo de música es? ¿Sobre qué temas tratan sus canciones? Coméntalo con tus compañeros.

b. A continuación tienes, desordenado, un fragmento de una entrevista con el cantante Manu Chao. Ordénala.

Tras varios años sin editar discos de estudio, Manu Chao (París, 1961) vuelve con nuevas canciones. *La Radiolina*, que sale a la venta el próximo lunes, es el título de su nuevo disco, «probablemente el último que edite,…

Precisamente, la brevedad de muchos de los cortes del disco hace pensar tanto en la estructura textual del *hip-hop* –frases autoconclusivas y breves– como en la sensación de que Manu Chao solo ha compuesto una canción a lo largo de su vida, una canción sin fin a la que va añadiendo trozos a medida que compone nuevos títulos. «En cierto sentido, este disco se llama *La Radiolina*, pensando en cosas así.

nunca para de trabajar y sigue contemplando sus discos como «el único sistema» que tiene «a mano para vaciar de canciones» su cabeza «y así hacer espacio para otras nuevas».

lo bastante siempre puedo volver a grabar separándolas. Ya tengo muy claro que en el actual entorno tecnológico no hay nada definitivo, todo se puede revisar».

Pero en un artista que compone en cualquier lado; graba donde lo desea porque la moderna tecnología así lo permite; despieza canciones del cuerpo principal de la improvisación que establece con sus músicos, y carece de obligaciones contractuales para editar discos en plazos determinados, ¿qué es lo que le dice que ya hay material que merece la pena ser publicado? «Actualmente, el verdadero reto artístico está precisamente ahí, en ese acto artesanal, en esa decisión que solo puede tomar el artista y en la cual no puede recibir ayuda de las máquinas. Solo tú sabes cuándo tienes las canciones preparadas». ¿Y qué es lo que se pretende con un disco que tiene 21 canciones, cinco de las cuales son extras?

La Radiolina es una continuación de su peculiar estilo mundialista, construido a base de retazos que conforman un inmenso *collage*, el que, de hecho, plasma toda su producción artística. Su forma de trabajar determina los resultados estéticos. «Cuando trabajo no sé cuánto van a durar las canciones o si servirán o no. Sobre una idea muy básica nos ponemos a tocar, a hacer una *jam*, y si la pesca es buena igual puedes tener tres o cuatro temas nuevos. En las *jams* los temas suelen durar cinco o seis minutos, pero en este disco hay muchas canciones que apenas llegan a dos. Ya no le tengo miedo a la tijera».

Esta falta de prejuicios derivados de considerar toda la obra como una sola pieza permite que en el disco, como en casi todos los suyos, se repita algún tema con textos diferentes (*13 días*, una versión de J. J. Cale, y *Besoin de la lune*). Se dan otros casos. «En principio, *Panik* y *El hoyo* eran una sola canción que duraba bastantes minutos, pero al final decidí partirla y hacer dos. Si dentro de unos meses no me gusta la idea…

pues si sigo trabajando a este ritmo cuando tenga nuevas canciones para grabar probablemente ya habrá desaparecido el compacto y se edite de otra manera», afirma para matizar unas declaraciones que en Francia hicieron pensar que este álbum sería la antesala de su retirada. Pero no, Manu Chao está tan activo que

«Pues yo veía el disco como un viajecito, con sus subes y bajas, con sus momentos para el remanso y para la energía. Ese viajecito duraba para mí 16 canciones, no más. Ocurre que en un compacto cabe más música y, aunque solo fuera por prurito ecologista, quería llenarlo para no desaprovechar espacio. Por eso incluí más canciones separadas por el primer blanco que hay en mi discografía. Igual el público no lo entiende, pero así señalo lo que es mi viaje propiamente dicho».

De ahí que las canciones vayan unidas como si en realidad se tratase solo de una, que además tiene las letras intercambiables, porque una letra puede servir para más de una canción».

(Fuente: Luis Hidalgo, El País, S. L., http://www.elpais.com/articulo/cultura/le/tengo/miedo/tijera/elpepicul/2007090/elpepicul_6/Tes)

c. [V] Estas son algunas palabras extraídas de la entrevista.
Localízalas en el texto e intenta definirlas teniendo en cuenta el contexto.
Puedes consultar con tus compañeros.

editar

prurito

estudio

corte

compacto

blanco

peculiar

letra

plasmar

componer

producción

improvisación

GRAMÁTICA [G]
Oraciones consecutivas

Con intensificación:
tanto/a/os/as + sustantivo + *que*, *tan* + adjetivo/adverbio + *que*, *tal/tales* + sustantivo + *que*, *de tal modo/manera/forma que*, *de un modo/manera/forma que*, cuantificador + *como para*: *Canta tan bien que le han dado una oportunidad en un programa de radio.*

Para confirmar o reafirmar lo dicho: *cómo*, *qué*, *cuánto*, *cuándo* + futuro o condicional.

Sin intensificación: *así que, por lo tanto, por consiguiente, por eso, luego, de ahí que*: *Sé que ha tenido problemas, por eso no ha sacado un nuevo álbum.*

---

d. [G] Completa estas oraciones con alguno de los conectores que aparecen
en el cuadro de gramática.

1. Manu Chao tiene _____ éxito _____ ha vendido millones de discos.

2. Ahora sabemos que estaba en un concierto, _____ no pudo ser él.

3. Las discográficas llevan algunos años con pérdidas, _____ se estén planteando nuevas formas de hacer negocio con la música.

4. No cantó _____ mal _____ para que no le dieran otra oportunidad.

5. La prueba aportada no se ajustaba a la ley y, _____, fue anulada.

6. El resultado es: 8 votos a favor y 11 en contra. _____ queda desestimada la moción.

7. Hay _____ gente haciendo cola _____ posiblemente no encontremos entradas para el concierto.

8. _____ será de especial que antes de una actuación no le puede hablar nadie.

e. [G] Vuelve a leer las oraciones anteriores y haz un esquema del uso
de los modos en este tipo de oraciones.

f. (46) *Clandestino* es una de las canciones más famosas de Manu Chao.
Lee este fragmento e intenta colocar los versos que faltan.

Clandestino

Solo voy con mi pena

_____

Correr es mi destino

_____

Perdido en el corazón
De la grande Babilón

Me dicen el clandestino

_____

Pa' una ciudad del norte

_____

Entre Ceuta y Gibraltar

SOLA VA MI CONDENA

MI VIDA LA DEJÉ

YO ME FUI A TRABAJAR

PARA BURLAR LA LEY

POR NO LLEVAR EL PAPEL

(Álbum: *Clandestino*. Canción: «Clandestino». Letra y música: Manu Chao)

g. (46) Ahora escucha la canción de nuevo y comprueba tu respuesta.

h. [📖] Vuelve a leer la canción y contesta estas preguntas.

1. ¿Quién es el protagonista de la canción?
2. ¿De dónde es?
3. ¿Qué describe la canción?
4. ¿Cómo se siente el protagonista?

i. [BLA BLA BLA] Imagina que tienes que dedicar una canción a tus compañeros.
Piensa en el curso y elige una canción que refleje cómo te has sentido.

6. Escritores comprometidos

a. Lee este texto extraído de un foro. ¿Cuál es tu opinión al respecto? Coméntalo con tus compañeros.

> **Harto**
> *Enviado 10-abril 13:00*
>
> He estado siguiendo el foro y me parece que aún no se ha profundizado en lo que creo es el centro de toda la cuestión: ¿un escritor, desde el punto de vista de su profesionalidad, tiene el deber de ser comprometido con la sociedad que lo rodea?
>
> Si dentro del código deontológico de un periodista podemos encontrar el deber de informar con objetividad, y en el del médico el de mantener la privacidad de todo lo relativo a sus pacientes, ¿no sería indicado que un escritor tuviese en cuenta el compromiso con la sociedad como un deber? Al fin y al cabo, son los escritores (entre otros profesionales) los que marcan tendencias de pensamiento y fomentan la crítica social a través de sus obras.

b. Lee un fragmento de un poema de Gabriel Celaya, ¿qué opina el poeta sobre este tema? ¿Dónde ves reflejada más claramente su opinión? Coméntalo con tu compañero.

«La poesía es un arma cargada de futuro», de *Cantos iberos*, de Gabriel Celaya

Cuando ya nada se espera personalmente exaltante,
mas se palpita y se sigue más acá de la conciencia,
fieramente existiendo, ciegamente afirmando,
como un pulso que golpea las tinieblas,

cuando se miran de frente
los vertiginosos ojos claros de la muerte,
se dicen las verdades:
las bárbaras, terribles, amorosas crueldades.

Se dicen los poemas
que ensanchan los pulmones de cuantos, asfixiados,
piden ser, piden ritmo,
piden ley para aquello que sienten excesivo.

c. Algunos artistas además de reflejar en su obra su compromiso, llevan a cabo otro tipo de acciones. Lee el siguiente texto, ¿qué opinas de este tipo de iniciativas? ¿Conoces otras iniciativas de este tipo?

> **La nueva novela de Isabel Allende inicia el proyecto Libros Amigos de los Bosques**
>
> *El Bosque de los Pigmeos*, de Isabel Allende, ha sido el primer libro impreso en España en «papel amigo de los bosques primarios». Este título es el primer libro en España del proyecto de Greenpeace Libros Amigos de los Bosques, que pretende implicar a los escritores y a la industria editorial en la defensa de los bosques primarios a través de políticas de suministros de papel respetuosas con el medio ambiente.
>
> En España hay un importante grupo de escritores, entre los que se encuentran Manuel Rivas, José Luis Sampedro o el portugués José Saramago, que trabajan para implicar al sector editorial en la lucha por la preservación de nuestros recursos naturales gracias, en gran medida, a este proyecto.
>
> (Fuente: http://www.ecoestrategia.com/articulos/noticias/noticias13.html)

d. De los escritores que conoces, ¿quién dirías que es un artista comprometido? ¿Por qué? Busca un texto representativo de su obra y preséntaselo a tus compañeros.

7. Recuerdos del curso

a. G Un profesor ha pedido a sus estudiantes que escriban un poema, una canción, un cuento o un texto narrativo en el que cuenten cómo se han sentido durante el curso. Léelos y complétalos con *por* o *para*. Intenta hacerlo sin mirar el cuadro de gramática.

Me encanta colaborar en clase,
lo hago _____ mis compañeros
y _____ mí el primero.
Un consejo:
lo mejor _____ aprender es
no estar en clase como un florero.
Gracias a Frank, mi consejero,
_____ todo lo que ha hecho
_____ que el español
no fuera _____ mí un
quebradero. **(1)**

Al principio estaba perdida,
perdida _____ Madrid,
perdida con mi español,
perdida en mí.
Me perdía al venir a clase.
_____ venir tenía que
pasar _____ la plaza,
parece fácil, ¿no?
Pues me perdía.
Estaba perdida.
Aún sigo perdida con algunos
aspectos gramaticales, pero estoy
segura de que muy pronto me
encontraré. **(2)**

_____ mí, lo mejor del curso
han sido mis compañeros. Siento un
enorme cariño _____ ellos. La
verdad es que _____ ellos sería
capaz de hacer cualquier cosa. Ha
sido una experiencia fantástica. **(3)**

Al comienzo del curso, allá
_____ octubre, estaba
nerviosa, ansiosa.
Allá _____ noviembre,
estuve _____ abandonar,
estaba dudosa y soy muy
miedosa. Allá _____
diciembre, conocí mejor
a Katrin, que es muy graciosa.
Allá _____ enero,
la lengua me pareció fabulosa.
Ahora, en febrero, quiero
quedarme _____ mejorar
mi español, _____ mis
compañeros que son generosos,
graciosos, grandiosos
y _____ Ángela, que es
mi profesora. **(4)**

Creo que he aprendido muchísimo
_____ el tiempo que ha
durado el curso
que _____ mí ha sido
poquísimo.
Me ha gustado un montón,
he aprendido mogollón,
y he conocido gente a porrón.
Probablemente vuelva otra vez
_____ Navidad a ver
si _____ entonces,
mi novia me da su mano. **(5)**

A mí me han gustado mucho
las pequeñas salidas que hemos
hecho _____ la ciudad.
Recuerdo un día que íbamos
a hacer la ruta de los palacios.
Nos dijo la profesora que no
estaba _____ llover y
volvimos todos calados. Al día
siguiente estábamos todos
constipados y hablábamos
español con voz nasal. **(6)**

GRAMÁTICA G

Las preposiciones por y para

Usos de **por**:

– causa, motivo o razón:
  ◆ *Empecé a estudiar español **por** mi novio.*
– destinatario de un sentimiento:
  ◆ *Siente gran admiración **por** su padre.*
– «a favor de», «en beneficio de»:
  ◆ *Lo hago **por** ti, porque te aprecio un montón.*
– lugar poco determinado/movimiento a través de un lugar:
  ◆ *El restaurante estaba **por** aquí, ¿no?*
  ◆ *Voy a Sevilla **por** Madrid.*
– parte del día/tiempo aproximado (pasado y futuro):
  ◆ *Trabajo solo **por** la mañana.*
  ◆ *Se casó **por** enero./Vendrá **por** Navidad.*
– agente en la pasiva:
  ◆ *El libro fue escrito **por** Fernando Iwasaki.*
– «en lugar de»:
  ◆ *Si estás muy liada, voy yo **por** ti.*
– verbo de movimiento + **por** + sustantivo:
  ◆ *Voy **por** la niña al colegio.*
– **estar por** + infinitivo: expresa intención o acción inacabada, si el sujeto es inanimado:
  ◆ *Estoy **por** ir y decírselo.*
  ◆ *Estos ejercicios están **por** hacer todavía.*

Usos de **para**:

– finalidad, intención:
  ◆ *Esto sirve **para** tomar la tensión.*
– destinatario:
  ◆ *El libro fue escrito **para** alumnos con discapacidades.*
– dirección del movimiento:
  ◆ *Voy **para** Sevilla.*
– fecha tope o límite/tiempo aproximado (futuro):
  ◆ *El informe es **para** el lunes.*
  ◆ *Vendrá **para** Navidad.*
– opinión:
  ◆ ***Para** mí, es mucho mejor.*
– relación que guardan dos cosas:
  ◆ *Está muy alto **para** la edad que tiene.*
– **estar para** + infinitivo: expresa acción inminente:
  ◆ *Está **para** llover.*
– **no estar para** + infinitivo: expresa falta de disposición anímica:
  ◆ *No estoy **para** fiestas.*

b. G Escribe ahora un texto algo más extenso que los anteriores en el que cuentes cómo te has sentido durante el curso. Intenta utilizar las preposiciones *por* y *para*.

8. ¿Cuánto has aprendido en el curso?

a. E Completa esta tabla de autoevaluación para averiguar en qué medida has alcanzado los siguientes objetivos.

1: Lo he conseguido.

2: Lo he conseguido satisfactoriamente.

3: Mi profesor y compañeros creen que lo he conseguido.

		1	2	3
HABLAR	Puedo hacer descripciones claras y detalladas sobre diversos temas, integrando otros temas, desarrollando ideas concretas y terminando con una conclusión adecuada.			
	Puedo defender mi punto de vista, dando argumentos que apoyen mi postura.			
	Puedo hacer declaraciones con fluidez, casi sin esfuerzo, usando cierta entonación para transmitir matices sutiles.			
	Puedo hacer presentaciones claras y bien estructuradas sobre diversos temas, defendiendo mis puntos de vista con ideas complementarias y ejemplos.			
LEER	Puedo entender con todo detalle textos extensos y complejos siempre que pueda releer las partes más complicadas.			
	Puedo entender cualquier tipo de correspondencia haciendo un uso esporádico del diccionario.			
	Puedo captar con rapidez el contenido y la importancia de noticias, artículos e informes sobre diversos temas.			
	Puedo entender con todo detalle textos de diversos temas y soy capaz de identificar actitudes y opiniones tanto implícitas como explícitas.			
ESCRIBIR	Suelo escribir sin consultar prácticamente el diccionario y sin tener que hacer muchas correcciones, a menos que el texto sea importante.			
	Puedo escribir descripciones y textos de forma clara, detallada y bien estructurada y ajustándolos a quienes van dirigidos.			
	Puedo ampliar y defender puntos de vista extendiéndome y utilizando otros puntos de vista complementarios, razonamientos y ejemplos adecuados.			
	Puedo desarrollar una argumentación, poniendo el énfasis en los aspectos significativos y presentando detalles relevantes para defenderla.			
ENTENDER	Puedo seguir con facilidad conversaciones entre hablantes nativos.			
	Puedo extraer información específica de anuncios con una calidad de audición deficiente.			
	Puedo seguir con relativa facilidad la mayoría de las conferencias, discusiones y debates.			
	Puedo entender programas de radio y televisión y reconocer el tono, actitudes, el punto de vista del hablante y relaciones implícitas entre los hablantes.			
INTERACTUAR	Puedo participar casi sin esfuerzo en una conversación, expresando mi opinión, acuerdo y desacuerdo, dando consejos y sugerencias.			
	En una conversación informal, puedo intervenir en interacciones complejas sobre temas desconocidos, abstractos y complejos.			
	En una conversación formal y en reuniones de trabajo, puedo seguir el ritmo de un debate con facilidad, aunque el tema sea desconocido para mí.			
	Puedo iniciar, mantener y finalizar una conversación respetando los turnos de palabra, formulando y respondiendo preguntas en distintos contextos.			

b. E ¿Para qué vas a utilizar tus conocimientos de español en el futuro?
Anótalo. Teniendo en cuenta para qué vas a utilizar tu español,
¿qué vas a hacer para mejorarlo? Completa esta tabla.

¿PARA QUÉ VOY A USAR MI ESPAÑOL?	¿QUÉ VOY A HACER PARA MEJORARLO?

c. E En grupos de tres, leed las listas de vuestros compañeros y teniendo en
cuenta para qué van a utilizar su español, añadid otras cosas que se os ocurran.

d. E Lee lo que han apuntado tus compañeros en la lista y elige los aspectos
que más te apetezcan, que creas que más te van a ayudar… Escribe una
declaración de intenciones en la que reflejes tus compromisos personales
para llevar a cabo lo que has elegido.

COMPROMISOS PERSONALES	NOMBRE Y FIRMA

e. E Retomad la tabla que completasteis en la unidad 1 en la que recogíais
los objetivos que queríais conseguir en este curso y señalad cuáles habéis
conseguido. Si creéis que habéis conseguido otros logros, podéis añadirlos.

f. En grupos, elaborad un informe con los logros alcanzados
por la clase durante el curso. Tened en cuenta la información que figura
en el siguiente cuadro.

El informe es un documento de calidad académica en el que se da cuenta
de lo que se hizo, con qué criterios se hizo lo que se hizo (necesidades satisfechas,
problemas resueltos, objetivos u objetivos logrados), cómo se hizo y qué resultados
se obtuvieron.

Estructura del informe

Un informe se organiza a través de bloques de información.

Los bloques, generalmente, están definidos por los contenidos de los que se debe
dar cuenta en el informe, precedidos todos ellos por un primer bloque que
corresponde a la introducción. El informe debe presentar una secuencia de bloques
de información con una lógica que atiende al desarrollo temporal de las acciones
desde el momento de su concepción y planificación hasta su conclusión y una
apreciación crítica de los resultados.

Los bloques de información o de contenido son:

1. Introducción
2. Planteamiento y realización de la acción
3. Resultados y su valoración
4. Comentarios, análisis, interpretación y conclusiones

g. Comparad vuestro informe con el del resto de los grupos.
¿Coincide lo que habéis escrito?

COMUNICACIÓN

Estructurar el discurso

Citar

◆ *Ya en su obra… indica/señala/sugiere/nos quiere hacer reflexionar/se pregunta cómo «+ cita».*

Introducir un nuevo tema

◆ *En otro orden de cosas…; A propósito de…; Ahora que comentas eso…*

Destacar un elemento

◆ *Sin ir más lejos…; De hecho…; Lo que es más importante…*

Interrumpir

◆ *Disculpe la interrupción, pero…; Lamento interrumpir, pero…*

Pedir información

◆ *¿Cómo es que…?; ¿Cómo se explica (entonces) el hecho de que…?; ¿A qué se debe el hecho de que…?; ¿Me permite/acepta una pregunta?; ¿Verdad que sí/no?; No he entendido bien si…*

Corregir una información previa

◆ *(Yo) No diría que…; ¡¿Cómo que (no) + enunciado previo?! Pero si…; Una cosa es que… y otra muy distinta es que…*

VOCABULARIO

Valoraciones de obras artísticas

Tener arte/estilo, no estar nada mal/mal del todo, ser pasable/pésimo/fascinante/alucinante/desagradable…

Estilos artísticos

Estilo prerrománico/plateresco/florido…

Música

Gira, intérprete, arreglista, elepé…

GRAMÁTICA

Presente histórico

◆ *Cervantes **nace** en Alcalá de Henares en 1547.*

Pretérito imperfecto con marcador temporal de presente o futuro

◆ *Al parecer hoy **daba** un concierto en el salón de actos.*

Futuro imperfecto con valor de objeción o rechazo

◆ ***Será** muy famoso, pero yo no entiendo por qué.*

Condicional simple con valor de objeción o rechazo en el pasado

◆ ***Sería** muy poco valorado en su época, pero ahora mucha gente mataría por tener una escultura suya.*

Futuro perfecto con valor de objeción o rechazo en el pasado

◆ ***Habrá intentado** hacer una fotografía artística, pero en mi opinión no lo ha conseguido.*

Oraciones consecutivas

Con intensificación: *tanto/a/os/as* + sustantivo + *que*, *tan* + adjetivo/adverbio + *que*, *tal/tales* + sustantivo + *que*, *de tal modo/manera/forma que, de un modo/manera/ forma que*, cuantificador + *como para*: *Canta **tan** bien **que** le han dado una oportunidad en un programa de radio.*

Para confirmar o reafirmar lo dicho: *cómo, qué, cuánto, cuándo* + futuro o condicional.

Sin intensificación: *así que, por lo tanto, por consiguiente, por eso, luego, de ahí que: Sé que ha tenido problemas, **por eso** no ha sacado un nuevo álbum.*

Las preposiciones *por* y *para*

Usos de *por*:

– causa, motivo o razón:

◆ *Empecé a estudiar español **por** mi novio.*

– destinatario de un sentimiento:

◆ *Siente gran admiración **por** su padre.*

– «a favor de», «en beneficio de»:

◆ *Lo hago **por** ti, porque te aprecio un montón.*

– lugar poco determinado/movimiento a través de un lugar:

◆ *El restaurante estaba **por** aquí, ¿no?*

◆ *Voy a Sevilla **por** Madrid.*

– parte del día/tiempo aproximado (pasado y futuro):

◆ *Trabajo solo **por** la mañana.*

◆ *Se casó **por** enero./Vendrá **por** Navidad.*

– agente en la pasiva:

◆ *El libro fue escrito **por** Fernando Iwasaki.*

– «en lugar de»:

◆ *Si estás muy liada, voy yo **por** ti.*

– verbo de movimiento + *por* + sustantivo:

◆ *Voy **por** la niña al colegio.*

– *estar por* + infinitivo: expresa intención o acción inacabada, si el sujeto es inanimado:

◆ *Estoy **por** ir y decírselo.*

◆ *Estos ejercicios están **por** hacer todavía.*

Usos de *para*:

– finalidad, intención:

◆ *Esto sirve **para** tomar la tensión.*

– destinatario:

◆ *El libro fue escrito **para** alumnos con discapacidades.*

– dirección del movimiento:

◆ *Voy **para** Sevilla.*

– fecha tope o límite/tiempo aproximado (futuro):

◆ *El informe es **para** el lunes.*

◆ *Vendrá **para** Navidad.*

– opinión:

◆ ***Para** mí, es mucho mejor.*

– relación que guardan dos cosas:

◆ *Está muy alto **para** la edad que tiene.*

– *estar para* + infinitivo: expresa acción inminente:

◆ *Está **para** llover.*

– *no estar para* + infinitivo: expresa falta de disposición anímica:

◆ *No estoy **para** fiestas.*

Presentación

¡Felicidades! Habéis llegado al final del curso.
Para celebrarlo, vamos a realizar juntos un viaje por el libro.

Instrucciones

1. Formad grupos de tres o cuatro personas.
Elegid un nombre para vuestro equipo.

2. Cada grupo realizará las actividades propuestas.

3. Al final, cada grupo revisará las actividades de otro grupo
para averiguar quién ha ganado.

Vais a necesitar:

■ Rotuladores y lápices
de colores

■ Papel

¡Buena suerte!

Antes de empezar

a. Pensad qué aspectos os han resultado más fáciles, cuáles más difíciles,
cuáles más útiles… a lo largo de este curso y anotadlos.

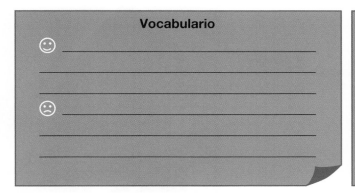

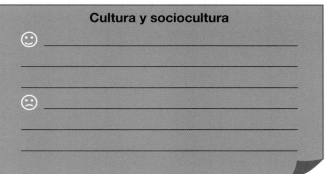

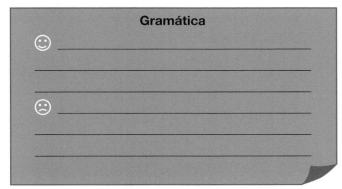

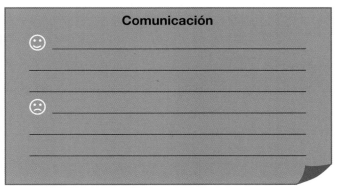

b. Ahora apuntad en un papel:

1. Lo que te haya parecido más importante y enriquecedor.
2. Algo positivo de tus compañeros y de tu profesor.
3. Algo positivo de ti como estudiante de español.
4. El recuerdo que quieres llevarte de este curso.

c. Poned lo que habéis escrito en la pizarra y leed lo que han puesto vuestros compañeros.

1. En sus marcas. Preparados, listos, ya...

a. 1.ª meta volante: Nuestros sentimientos

1. A lo largo del libro hemos visto muchos recursos para hablar de nuestros sentimientos. ¿Recordáis algunos de los recursos que sirven para expresar estos sentimientos?

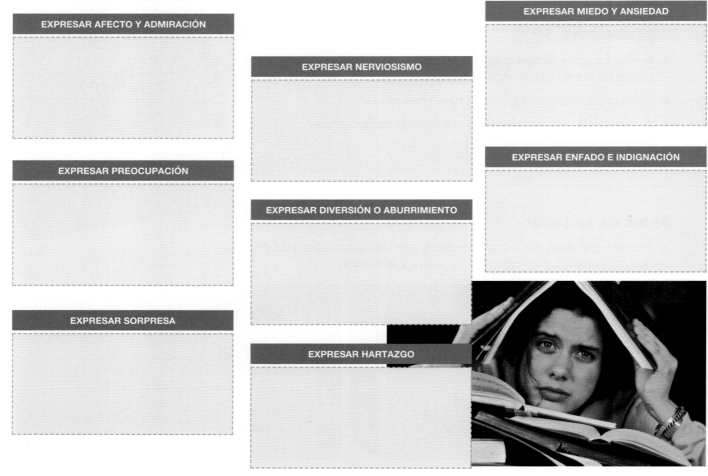

EXPRESAR AFECTO Y ADMIRACIÓN

EXPRESAR NERVIOSISMO

EXPRESAR MIEDO Y ANSIEDAD

EXPRESAR PREOCUPACIÓN

EXPRESAR ENFADO E INDIGNACIÓN

EXPRESAR DIVERSIÓN O ABURRIMIENTO

EXPRESAR SORPRESA

EXPRESAR HARTAZGO

2. Ahora haced un cartel con oraciones que expresen cómo os habéis sentido a lo largo del curso.

b. Puerto de montaña: ¡Qué lío de pronombres!

¿Os animáis a subir este escarpado puerto de montaña? Leed estas oraciones y corregid los errores que encontréis.

Se dice Le vi ayer o Lo vi ayer.

1. La explicó el problema.
2. Se venden libros de segunda mano.
3. La ayudó a hacer el ejercicio.
4. Lo di el recado a Juan.
5. Se vive bien en este barrio.
6. ¡Qué reloj tan bonito! Dejámele.

c. **2.ª meta volante: ¿Cómo vamos…?**

1. ¿Recordáis las expresiones y frases hechas relacionadas con la comida y la salud? Completad las siguientes en el menor tiempo posible.

Estar como un _____

Comer como una _____

Estar para _____ los dedos.

Ponerse _____ a comer.

Hacerse la boca _____

Ser un _____

Subirse el vino a _____

Estar en los _____

2. A lo largo del libro hemos visto muchas expresiones y frases hechas. ¿Podríais escribir un pequeño diálogo con cada una de estas?

estar a partir un piñón

estar como unas castañuelas

tumbarse a la bartola

estar como un flan

acabar como el rosario de la aurora

tirar la casa por la ventana

ser la pera

estar todo el día como el perro y el gato

no dar abasto

vivir del cuento

caérsele a uno la casa encima

d. **Otro puerto de montaña: Ánimo**

1. Vais a diseñar una prueba para repasar los contenidos gramaticales que habéis visto a lo largo del curso.

- Revisad los contenidos gramaticales que se han visto en las unidades y seleccionad aquellos que queráis incluir en vuestra prueba.

- Para preparar la prueba podéis fijaros en las actividades del libro del alumno y del cuaderno de actividades y coger ideas o inventarlas vosotros mismos.

- Intentad que no sean muy largas ni muy difíciles.

2. Ahora pasad la prueba que habéis realizado a los compañeros de otro grupo.

e. 3.ª meta volante: Estamos llegando al final

¿Qué dirías a estas personas en estas situaciones?

2. El *sprint* final

1. Revisad todos los contenidos culturales y socioculturales que hemos visto a lo largo del libro y elegid los que os parezcan más interesantes.

2. Después, elaborad siete preguntas y tres posibles respuestas para cada una de las preguntas. Escribid cada pregunta con sus opciones en una tarjeta.

> En la fiesta de quince años, ¿la quinceañera por primera vez...
>
> **a.** se pone un traje de color rosa?
>
> **b.** se pone unos zapatos de tacón?
>
> **c.** baila por primera vez un vals?

3. Pasad las preguntas a vuestros compañeros.

3. El pódium

1. Corregid las actividades de otro grupo. Cada actividad bien hecha, tiene cinco puntos.

2. ¿Qué equipo ha ganado esta vuelta al español?

Gramática

UNIDAD 1

Uso de los tiempos de pasado en la narración

Recuerda que en una narración en pasado, el hablante utiliza uno u otro tiempo dependiendo de sus intenciones o intereses. El **pretérito indefinido** (*estuve*) se usa para informar de un hecho sin describirlo ni relacionarlo con ninguna situación. Si el hablante quiere describir o evocar una situación que sirva de marco o escenario para situar otra acción, se usa el **pretérito imperfecto** (*estaba*). Por ejemplo, con la oración *Hacía un día estupendo...* el hablante prepara el contexto de lo que va a contar, pero este no es el hecho del que quiere hablar y el interlocutor está esperando la información que falta. En cambio, con *Hizo un día estupendo* el interlocutor interpreta esta oración como la información relevante.

El **pretérito perfecto** (*he estado*) se utiliza para hablar de acciones y experiencias pasadas que el hablante relaciona con el presente y dentro de un período de tiempo no concluido y el **pretérito pluscuamperfecto** (*había estado*) se usa para hablar de una acción pasada y acabada en el pasado, anterior a otra acción también pasada.

Usos de *ser* y *estar* (I)

■ El verbo *ser* se utiliza para:

- Definir: *El cuchillo es un utensilio con el que cortamos la carne.*
- Identificar: *Ana es la chica de la primera fila.*
- Describir: *Es alto, moreno y bastante delgado, La clase es amplia y luminosa.*
- Localizar sucesos o acontecimientos: *El examen será a las cuatro en el aula doce.*
- Valorar: *Mis compañeros son muy simpáticos, ¡Qué bonita es tu casa!*
- Indicar la materia de la que está hecho algo: *Este reloj es de oro.*
- Indicar el origen o la nacionalidad de personas y objetos: *Esta manta de lana es de Perú, Soy de Colombia.*
- Indicar la profesión: *Antonio Machado era profesor de francés.*
- Valorar, reaccionar o expresar sentimientos en construcciones tipo *es* + sustantivo o adjetivo + *que*: *Es una pena que no podamos vernos esta tarde.*
- Resaltar la acción y no al sujeto que la realiza en las construcciones pasivas del tipo *es* + participio (+ *por...*): *El gol fue anulado por el juez de línea.*

■ El verbo *estar* se utiliza para:

- Situar en el espacio a alguien o algo: *El aula doce está en el segundo piso.*
- Indicar el estado civil: *La profesora está casada.*
- Hablar de una acción en desarrollo (*estar* + gerundio): *Los alumnos están haciendo un examen.*
- Referirse a estados físicos o anímicos: *Pablo está bastante nervioso.*
- Describir las características de objetos y lugares: *El piso está completamente amueblado.*
- Construir algunas expresiones fijas: *estar de acuerdo, estar en paro, estar de moda,* etc.
- Anteponerlo a algunos adverbios y adjetivos: *bien, mal, fatal, permitido,* etc.

■ Adjetivos calificativos que pueden ir con *ser* o con *estar* en la descripción

- Usamos *ser* cuando entendemos que se trata de una cualidad inherente y permanente de aquello que describimos: *Marta es muy guapa.*
- Usamos *estar* cuando entendemos que se trata de una cualidad no permanente o el resultado de un proceso: *Marta está muy guapa hoy, ¿qué se habrá hecho?*

■ Otros adjetivos cambian de significado si van acompañados
del verbo *ser* o del verbo *estar*

- ser orgulloso ('prepotente')/estar orgulloso ('contento')
- ser listo ('inteligente')/estar listo ('preparado')
- ser despierto ('inteligente')/estar despierto ('sin dormir')
- ser parado ('tímido')/estar parado ('en paro')
- ser alegre ('simpático')/estar alegre ('borracho')

- ser bueno ('bondadoso')/estar bueno ('curado' o 'atractivo')
- ser malo ('mala persona')/estar malo ('enfermo')
- ser vivo ('listo')/estar vivo ('con vida')
- ser limpio ('amante de la limpieza')/estar limpio ('lavado')

Verbos de cambio

- **Ponerse** + adjetivo: Expresa una transformación rápida, que no suele ser permanente: *Cada vez que la veo me pongo nervioso.*

- **Volverse** + adjetivo/sustantivo: Expresa una transformación rápida que entendemos casi permanente: *Desde que tiene dinero se ha vuelto insoportable.*

- **Llegar a ser** + adjetivo/sustantivo: Se emplea para referirse a una transformación progresiva, que suele implicar un esfuerzo por parte del sujeto: *Con muchísimo esfuerzo y gran sacrificio ha llegado a ser uno de los mejores médicos del país.*

- **Hacerse** + adjetivo/sustantivo: Se refiere a cambios producto de la evolución natural o a cambios decididos por el propio sujeto: *Estudió Derecho y se hizo abogado.*

- **Transformarse/Convertirse en** + sustantivo: Suelen aludir a cambios totales, que normalmente se entienden como definitivos: *Nadie lo conocía, pero este año se ha convertido en uno de los jugadores más importantes del país.*

- **Quedarse** + adjetivo: Cambios de tipo físico, que pueden ser permanentes o transitorios: *Si ves a Luis no lo conoces. Se ha quedado calvo.*

Perífrasis verbales (I)

PERÍFRASIS		NOCIÓN O IDEA DE	EJEMPLOS
empezar/ comenzar a		acción que empieza	*Empecé a estudiar inglés el año pasado.*
ponerse a		acción que empieza (más coloquial)	*En cuanto salió del colegio se puso a trabajar.*
echar(se) a		acción que empieza de repente, de forma inesperada	*Cuando me vio, se echó a reír.*
romper a	+ infinitivo	acción que comienza de forma inesperada y un poco violenta	*Al leer su mensaje, rompió a llorar.*
llegar a		progreso, esfuerzo o acción extraña, sorprendente	*Ha llegado a ser una gran actriz. Estaba tan enfadado que llegó a decir que se iba para siempre.*
meterse a		empezar a hacer algo para lo que no se está preparado	*Si no entiendes de mecánica, no te metas a arreglar el coche, anda.*
andar		acción repetida; se considera negativa o poco importante	*Todo el día anda hablando mal de su jefe y seguro que va a tener problemas.*
ir	+ gerundio	actividad que avanza poco a poco	*Fueron pagando la hipoteca poco a poco.*
venir		actividad que se acumula poco a poco desde un momento no necesariamente preciso	*Desde hace un tiempo viene comportándose de forma muy extraña.*
terminar, acabar		acción terminada	*Después de muchas reuniones terminaron/ acabaron encontrando la solución al conflicto.*
tener, llevar	+ participio	acumulación, cantidad	*Tengo/Llevo leídos más de cuarenta libros sobre ese tema. Llevan casados cinco años.*
dejar		finalización	*Dejo preparada la comida, ¿vale?*

UNIDAD 2

El subjuntivo con expresiones que indican sentimientos y estados de ánimo

Las expresiones que sirven para expresar sentimientos o estados de ánimo (*dar pena, poner de los nervios, sacar de quicio*, etc.) funcionan con subjuntivo cuando el sujeto de la oración subordinada es distinto del de la principal: *Me saca de quicio ser tan benévolo, Me saca de quicio que la gente sea despistada.*

Cuando nos referimos al pasado, utilizamos el pretérito imperfecto de subjuntivo: *Me sacaba de quicio que mis padres no me dejaran ir al parque.*

El modo en las oraciones sustantivas: con verbos de ruego y petición

En las oraciones subordinadas sustantivas en las que el verbo principal indica ruego o petición (*pedir, rogar, suplicar, ordenar*, etc.) el verbo de la subordinada suele ir en subjuntivo: *Te pido que me dejes hablar.*

Sin embargo, con verbos como *ordenar* o *recomendar* es posible la construcción con infinitivo: *Me ordenó entrar.*

UNIDAD 3

Los relativos

RELATIVO	CARACTERÍSTICAS	EJEMPLOS
que	Es el relativo que más se usa. No puede ir detrás de preposición.	*Hay que proteger a los animales que están en vías de extinción.*
el que, la que, los que, las que, lo que	Se utilizan detrás de preposición. Pueden llevar o no antecedente.	*Hay que proteger los hábitats en los que habitan los animales en peligro.*
el cual, la cual, los cuales, las cuales, lo cual	Siempre llevan antecedente. Se usan sobre todo con preposición. Tienen cierto nivel culto. Se utilizan poco coloquialmente.	*La ciudadanía actuó antes que la Administración, lo cual demuestra la preocupación de los ciudadanos.*
quien, quienes	Se usan con antecedente de persona. Nunca llevan artículo. Tiene cierto nivel culto. Se utilizan poco coloquialmente. En su lugar se utiliza más: artículo + *que*. Su uso es obligatorio después del verbo *tener*.	*Quienes se encargan de la recuperación de estas especies están haciendo una labor muy importante.*
cuyo, cuya, cuyos, cuyas	Expresan posesión. Son de uso exclusivamente culto. Casi no se utilizan coloquialmente. Se suelen sustituir por: *que + tener*. Van entre dos nombres y concuerdan en género y número con el segundo.	*Los países cuyos hábitats están en peligro están empezando a tomar medidas para protegerlos.*
cuanto	Expresa cantidad. No lleva antecedente. Tiene cierto nivel culto. Se utiliza más su equivalente: *lo que*.	*Los ecologistas hacen cuanto pueden para proteger el medio ambiente.*
como	Expresa modo. Equivale a *de la manera que*.	*Solo con unas leyes más duras es como se evitarían catástrofes ecológicas como la del 2002.*
cuando	Expresa tiempo. Es obligatorio su uso en la estructura: *ser + expresión de tiempo + cuando*.	*En 2002 fue cuando ocurrió lo del Prestige.*
donde	Expresa lugar. Equivale a: preposición que indique lugar + *el/la/los/las que*.	*Los únicos lugares del mundo donde quedan linces ibéricos son Doñana y Sierra Morena.*

■ El modo en las oraciones de relativo

Recuerda que en las **oraciones de relativo especificativas** (las que precisan o limitan al sustantivo al que se refieren) el verbo va en:

- **Indicativo**: cuando describimos a personas, cosas o lugares identificados, que conocemos o que sabemos que existen: *Busco una organización que **se dedica** a defender los derechos de los animales, es que no recuerdo su nombre.*

- **Subjuntivo**: cuando nos referimos a personas, cosas o lugares cuya existencia se desconoce, no existe o se niega: *Busco una agencia que **se dedique** al ecoturismo, es que no conozco ninguna.*

- **Infinitivo**: cuando el antecedente no es específico (*un/una* + sustantivo, *algún*, *muchos*, *pocos*, etc.) y la oración subordinada se interpreta con cierto valor de posibilidad o necesidad: *Tenemos un problema que (debemos)* **resolver**, *No tengo ningún vestido que (pueda)* **ponerme**.

■ Las oraciones de relativo: construcciones especiales

- **Estructuras superpuestas**: podemos enlazar varias oraciones de relativo: *El pueblo **al que** llegamos, **que** está en una ruta de turismo ecológico, se llama Robledal del Camino.*

- **Estructuras discontinuas**: *Ese es el viaje **que** creo que hicieron Juan y Montse.*

- **Estructuras coordinadas**: en los casos en los que se coordinan dos oraciones de relativo con un mismo antecedente, no se suele repetir el relativo, a no ser que exista ambigüedad: *El que se adelantó y (**el que**) explicó todo fue el representante de Greenpeace.*

El modo en las oraciones sustantivas

- **Con verbos de opinión** (*pensar*, *creer*, *opinar*, etc.), **de lengua** (*decir*, *contar*, etc.) y **de percepción física o mental** (*notar*, *oír*, *imaginar*, etc.): si el verbo de la oración principal es afirmativo, el verbo de la subordinada va en indicativo: *Yo **creo** que los zoos **son** solo un negocio;* pero si el verbo de la oración principal es negativo, el de la subordinada va en subjuntivo: *Yo **no creo** que **sean** solo eso.*

- **Con expresiones que indican una valoración** con *ser/parecer* + *raro/bueno/una pena*, etc., y *estar* + *bien/mal*, etc. Cuando se generaliza, el verbo de la subordinada va en infinitivo: *Es lamentable encerrar a los animales;* pero si la valoración se hace sobre un sujeto específico, el verbo va en subjuntivo: *Es una pena que aún **haya** zoos.*

- **Con expresiones de certeza** (*ser/parecer* + *verdad*, *obvio*, etc., y *estar* + *claro*, etc.) se usa el indicativo si el verbo de la oración principal es afirmativo: *Está claro que los zoos **son** un puro espectáculo;* pero se usa el subjuntivo si el verbo de la oración principal es negativo: *No está claro que todos los zoos **hagan** una labor de conservación.*

UNIDAD 4

Oraciones causales

Expresan la causa por la que se realiza la oración principal. Pueden estar introducidas por los siguientes conectores:

- *Porque*: Suele ir pospuesto, salvo que queramos enfatizar la causa o que se repita la información ya dada o conocida: *Juan come estupendamente **porque** su madre le hace la comida, **Porque** tu madre te hace la comida que si no...*

Cuando usamos *porque* para presentar un hecho como explicación de otro, va pospuesto y separado por una coma: *Tiene que cuidarse y comer bien, **porque** me lo ha prometido.*

- ***Puesto que**, **ya que**, **dado que***: Aparecen pospuestos o antepuestos (si la información que introducen es conocida). Se utilizan en registro formal; *dado que* es el más culto: *Juan ha empezado a tener problemas digestivos **ya que** ha cambiado sus hábitos alimenticios.*

- ***Como***: Aparece antepuesto, aunque puede posponerse si se hace una fuerte pausa: ***Como** ahora vive solo, no cocina nada.*

- ***Por**, **a fuerza de**, **de tanto***: Van seguidos de infinitivo. Aparecen antepuestos o pospuestos: *Esto te pasa **por** comer tan mal. **A fuerza de** y **de tanto** tienen valor de insistencia; a fuerza de, además, expresa una causa positiva y lleva asociada la idea de esfuerzo y tesón: *Ha adelgazado **a fuerza de** hacer un régimen muy estricto.*

- ***Que***: Siempre va pospuesto. Se utiliza normalmente en lengua oral, en registro informal y tras una orden, consejo, recomendación o decisión personal: *Deja de comer comida precocinada **que** vas a engordar un montón.*

- ***Pues***: Va pospuesto y es de uso culto: *Van a unificar las tallas de la ropa, **pues** las actuales no se ajustan a la realidad.*

- ***A causa de (que)***: Puede ir pospuesto o antepuesto: ***A causa de** los malos hábitos alimenticios está habiendo muchos problemas de obesidad.*

- ***Gracias a (que)***: Solo se usa si queremos expresar la razón positiva o favorable de un hecho: *Conseguí adelgazar **gracias a** la ayuda de un nutricionista.*

- ***Por culpa de (que)***: Introduce siempre causas negativas: ***Por culpa de** las revistas y de la publicidad cada vez hay más casos de anorexia y bulimia.*

- ***Debido a (que)***: Suele introducir una causa no conocida y va pospuesto. Si se pone al principio, es porque la causa se presupone o conoce. Se suele usar en registros más cultos: *No ha ido al nutricionista **debido a que** ha decidido que no se va a poner a régimen.*

- ■ El modo en las oraciones causales

  - ***Por/a fuerza de/de tanto (no)*** y ***no por/a fuerza de/de tanto (no)*** + infinitivo

  - Cuando se niega la oración principal, pero no la causa, el verbo de la oración subordinada causal va en indicativo: *No se marcha porque **está** cansado.* En cambio, cuando también se niega la causa, el verbo de la subordinada va en subjuntivo: *No se marcha porque **esté** cansado.* Esto solo ocurre en aquellas oraciones en las que la subordinada está introducida por *porque*.

  - El resto de nexos y conectores causales van siempre con indicativo.

Oraciones comparativas

- **De igualdad:** *tan* + adjetivo/adverbio + *como*; *tanto/a/os/as* + sustantivo + *como*; *tanto… como*: *Come **tanta** verdura **como** yo, Come **tanto como** duerme.*

- **De superioridad:** *más* + sustantivo/adjetivo/adverbio + *que/de lo que/que lo que*; *más que* + verbo: *Come mucho **más** sano **que** tú y **que** yo.*

- **De inferioridad:** *menos* + sustantivo/adjetivo/adverbio + *que/de lo que/que lo que*; *menos que* + verbo: *Esta comida tiene **menos** calorías **de lo que** parece.*

- **De cantidad:** *(no) más/menos de lo que*; *como si/igual que si*: *Come mucho **más de lo que** crees, Físicamente está **como si** tuviera 10 años menos.*

- **Con valor consecutivo:** *como para*; *cuanto más/menos… más/menos*: *No está gordo **como para** ponerse a régimen, **Cuanto menos** comes **menos** hambre tienes.*

Usos de *ser* y *estar* (II)

- *Ser*

  - Con adjetivos valorativos que definen un comportamiento: *Has sido muy amable al invitarme a comer*.

  - Contraste con el uso de *estar* cuando la cualidad se atribuye como delimitada: *Ayer fuiste muy amable con Carmen*.

- *Estar*

  - Sin adjetivo con *para* con sentido final: *Sentaos a la mesa, la comida ya **está para** servir*.

  - *No estar para* para expresar falta de disposición anímica: ***No estoy para** fiestas*.

  - Sin adjetivo con *por* con valor de intención: *Estoy tan enfadada con él, que **estoy por** no invitarle a comer*.

  - Sin adjetivo con *por* para expresar que una acción está sin realizar: *No vengáis todavía, que la comida **está por** calentar*.

UNIDAD 5

Uso de los pronombres personales

- En función de sujeto (*yo*, *tú*, etc.)

  Aunque generalmente se omite en español, aparece si:

  - Deshace una ambigüedad: *Más quisiera **ella***.

  - Contrasta: *Lo rompió **él**, mamá; no fui **yo***.

  - Enfatiza: ***Tú** te callas*.

  - Va seguido de *solo* o *mismo*: ***Él solo** lo hizo, nadie le ayudó. **Tú mismo** puedes comprobarlo*.

- En función de objeto directo (*me*, *te*, *lo*, *la*, etc.)

  Con algunos verbos la presencia o ausencia del pronombre en función de objeto directo supone un cambio de matiz en el significado de la oración: *Si te apetece, coge* (se sobrentiende que algunos), *Si te apetece, cógelos* (se sobrentiende que todos).

- En función de objeto indirecto (*me*, *te*, *le*, *se*, etc.)

  Con algunos verbos de consumo (*comer*, *beber*, *comprar*, *leer*, etc.) la presencia o ausencia del pronombre en función de objeto indirecto supone un cambio de matiz en el significado de la oración: *Todos los días leo el periódico, Todos los días **me** leo el periódico* (se sobrentiende que se lo lee entero). Para poder utilizar el pronombre de objeto indirecto con esta intención, el objeto directo (*el periódico*) tiene que estar determinado por un artículo o determinante: *Hoy me he tomado tres cafés,* *Hoy me he tomado cafés*.

- Pronombres reflexivos (*me*, *te*, *se*, *nos*, *os*)

  Algunos verbos se conjugan siempre con el apoyo de un pronombre personal átono (*quejarse*); en otros casos la presencia o la ausencia del pronombre supone un cambio de significado: *ir (a un sitio)/irse (de un sitio), acordar (un trato)/acordarse (de algo)*, etc. Algunos verbos se hacen reflexivos cuando la acción va hacia el sujeto: *Me levanto a las siete y después levanto a los niños*.

■ Usos incorrectos de los pronombres: el leísmo, el laísmo y el loísmo

- El **leísmo** consiste en la utilización de los pronombres *le* y *les* en función de objeto directo, en lugar de *lo* y *los*: *Vi a Pedro y a Juan* ➙ **Les vi.* Debido a su extensión, se admite el uso de *le* en lugar de *lo* cuando el referente es una persona de sexo masculino. En cambio, se censura su uso cuando el objeto directo se refiere a una cosa o a una persona del sexo femenino: *Quiere ese libro* ➙ **Le quiere.*

- El **laísmo** consiste en el uso incorrecto del pronombre personal femenino de objeto directo *la* en lugar del correcto *le* de objeto indirecto: **La dieron un regalo a María.*

- El **loísmo** consiste en emplear incorrectamente los pronombres *lo, los* en función de objeto indirecto: **Lo pegó un puñetazo.*

■ Uso de los pronombres con las perífrasis verbales

En las perífrasis verbales con verbos modales y aspectuales es posible colocar el pronombre complemento tras el infinitivo o precediendo al verbo conjugado: *Quiero ver**lo** – **Lo** quiero ver*; *No debes permitir**lo** – No **lo** debes permitir.*

■ Usos del pronombre *se*

El pronombre *se* se usa:

- Para generalizar y cuando no se quiere nombrar al sujeto que realiza la acción en estructuras como *se* + verbo en 3.ª persona de singular o plural: *Se dice que es fácil hacerlo, En la televisión **se** gastan millones en anuncios.*

- En construcciones con los pronombres *me*, *te* y *le* cuando se quiere restar responsabilidad: *Se **me** rompió la radio.*

UNIDAD 6

Oraciones condicionales

Las oraciones condicionales sirven para expresar la condición necesaria para que se realice la acción de la oración principal.

- **Condicionales reales**: *Si* + indicativo, indicativo: se usa para hacer referencia a hechos que el hablante piensa que pueden suceder: *Si **sentimos** que somos parte de un grupo, todo nos **resulta** más fácil.*

- **Condicionales hipotéticas en presente o improbables en futuro**: *Si* + imperfecto de subjuntivo, condicional simple: se emplea para referirse a condiciones que no pueden darse (en el presente) o que es poco probable que se den (en el futuro): *Si me **ofreciesen** más sueldo, claro que **aceptaría**.*

  En la lengua coloquial, se puede usar en lugar del condicional el pretérito imperfecto de indicativo: *Si me tocase la lotería, me **cambiaba** de casa.*

- **Condicionales hipotéticas irreales**: *Si* + pluscuamperfecto de subjuntivo, pluscuamperfecto de subjuntivo/condicional compuesto: se usa para referirse a condiciones que no pudieron darse (en el pasado): *Si **hubiera nacido** en otra familia, seguro que mi vida **habría sido** completamente distinta.*

  En la lengua oral es más frecuente encontrar en la segunda parte de la oración condicional el pluscuamperfecto de subjuntivo. El condicional compuesto se usa más en la lengua escrita, preferentemente de carácter literario.

  Para expresar las consecuencias hipotéticas de esas condiciones en el presente o en el futuro, se emplea el condicional simple: *Si me **hubiera tocado** la lotería, ahora **estaría** viajando.*

  A veces, se usa el presente de indicativo en lugar del imperfecto y del pluscuamperfecto: *Si **llegas** un minuto antes, habrías visto la escena.*

Nexos y conectores condicionales

- Para expresar una condición podemos usar *si* + indicativo/subjuntivo y el gerundio: *Si hubiéramos nacido en otro país, defenderíamos las mismas ideas*, **Perteneciendo** *a un grupo, nos sentimos más seguros.*

- Para expresar una condición imprescindible para que otra acción pueda realizarse podemos usar: *con tal (de) que*, *siempre que*, *siempre y cuando*, *mientras* y *con la condición de que* + subjuntivo: **Siempre que** *formemos parte de un grupo, todo en nuestra vida será mucho más fácil.*

  Con tal de + infinitivo y *con tal de que* + subjuntivo se usan más en la lengua oral.

- Para presentar la única condición por la que dejaría de cumplirse la acción principal, podemos usar: *a no ser que*, *a menos que*, *excepto que*, *a excepción de que*, *salvo que* + subjuntivo y *salvo si*, *excepto si* y *menos si* + indicativo/subjuntivo (imperfecto o pluscuamperfecto): *No estamos completos,* *a menos que* *formemos parte de una cultura que nos identifique.*

- Para presentar una condición con valor de advertencia, consejo o amenaza, podemos usar *como* + subjuntivo: *Como me echen del grupo de teatro, la monto.* También puede tener valor de deseo.

- Para presentar una condición como una promesa, se puede usar imperativo + *y*: *Haz todos los deberes y esta tarde podrás chatear con tus amigos.* También puede tener el valor de amenaza, pero este uso es más raro: *Deja la cena y verás.*

- Para expresar una condición remota, podemos usar *en caso de* + infinitivo/sustantivo y *en (el) caso de que* + subjuntivo: *En caso de darte de baja de la comunidad virtual, te vas a otra y ya está.*

UNIDAD 7

Perífrasis verbales (II)

PERÍFRASIS		NOCIÓN O IDEA DE	EJEMPLOS
acabar/ terminar por (no)		acción finalmente realizada	*El pueblo al que iba de vacaciones de pequeño cambió tanto que* **acabé por no ir.**
(no) alcanzar a	+ infinitivo	logro o consecución	**No alcanzo a entender** *por qué lo ha hecho.*
venir a		aproximación o culminación de un hecho	*No lo he entendido bien, pero creo que* **ha venido a decir que** *no quiere ser nuestro socio. El tiempo* **vino a darles** *la razón.*

Oraciones temporales

■ Conectores

- **Anterioridad:** *antes de (que), antes que*
- **Posterioridad:** *después de (que), después que, nada más, en cuanto, tan pronto como, apenas, en el momento (en) que, tras*
- **Simultaneidad:** *cuando, mientras, al, en el mismo momento (en) que, al mismo tiempo que, mientras tanto, entretanto, en lo que, a medida que, conforme, según, gerundio*
- **Inicio o límite de una acción:** *desde que, hasta que, hasta hace* + tiempo

■ Modo en las oraciones temporales

- *Antes de, después de, nada más, tras, al* + infinitivo
- *Antes (de) que, después (de) que* + subjuntivo

- El resto de los marcadores temporales (*cuando, hasta que, desde que, mientras, en cuanto...*) pueden llevar el verbo en **indicativo** o en **subjuntivo**.

  En oraciones referidas al presente o al pasado, introducen verbos subordinados en indicativo: *En cuanto finalizó la carrera, comenzó a trabajar en una empresa.*

  En oraciones referidas al futuro, introducen verbos subordinados en subjuntivo: *Tan pronto como acabe con este informe, empezaré a salir a mi hora.*

UNIDAD 8

Oraciones concesivas

Las oraciones concesivas indican siempre un obstáculo, un inconveniente o una objeción a lo que expresa la otra oración, sin que ello impida su cumplimiento.

- Se construyen con indicativo las oraciones concesivas introducidas por *(aun) a sabiendas de que*, *si bien*, *y eso que*, *(con) el/la/la de*: *Aun a sabiendas de que esta medida no va a ser bien recibida, están dispuestos a llevarla a cabo*, *Con la de dinero que tiene y dice que no se puede comprar una casa.*

- Se construyen con subjuntivo las oraciones concesivas que están introducidas por *por mucho (a/os/as)* (+ sustantivo) + *que*, *por (muy)* + adjetivo o adverbio + *que* y *aun a riesgo de (que)*: *Aun a riesgo de que me destrocen el piso, lo voy a alquilar porque necesito el dinero.*

- Se construyen con gerundio las oraciones introducidas por *aun* e *incluso*: *Aun queriendo alquilar, muchos dueños de pisos no lo hacen porque temen los riesgos del mercado.* Estos dos conectores permiten en ocasiones eliminar el gerundio, sobre todo, cuando van con los verbos *ser*, *estar* y *tener*: *Aun (estando) fuera de su país, ha llegado a triunfar.*

- Se construyen con indicativo o subjuntivo las oraciones introducidas por *aunque*, *a pesar de (que)*, *pese a (que)*, *por más* (+ sustantivo) + *que*, *aun si*, *aun cuando*, *incluso cuando*: *A pesar de que muchos sectores de la población ven con desconfianza esta medida, los jóvenes han recibido esta noticia con gran alegría*, *Rechazaron mi expediente aun cuando cumplía los requisitos.*

■ **Modo en las oraciones concesivas que admiten indicativo y subjuntivo**

Si la construcción concesiva remite a una información ya conocida por el interlocutor o que ya se ha mencionado antes o cuando el hablante no se compromete con la verdad de la información porque no está seguro, su verbo va en subjuntivo. Suele ir delante de la oración a la que complementan: *Aunque digas eso, no te creo.*

Si la construcción concesiva suministra una información que el hablante considera que es nueva para el interlocutor, el verbo va en indicativo: *Tengo que dejar el piso, aunque todavía no he encontrado otro.*

■ **Otras construcciones concesivas**

- Estructuras reduplicadas del tipo *digan lo que digan*: *Digan lo que digan, pienso alquilar mi casa.*

- Oraciones introducidas por *con lo que* + indicativo: *Con lo que te ha costado comprar esta casa, ahora la vas a alquilar.*

UNIDAD 9

La concordancia *ad sensum* (según el sentido)

Los cuantificadores del tipo *la mayoría de, la mayor parte de, la mitad de, el resto de, el cinco por ciento de, un grupo de, un montón de*, etc., pueden concordar en singular o en plural con el verbo: *La mayoría de los españoles cree/creen que...*

Sin embargo, cuando el verbo de la oración es *ser* o *estar* la concordancia suele ser en plural: *La mayor parte de los españoles mayores de 30 años **están** casados.*

Los cuantificadores que no van precedidos de determinante, como *multitud de*, concuerdan obligatoriamente en plural: *Multitud de parejas **prefieren** no casarse.*

Con los nombres colectivos (*gente, familia, matrimonio*…) existen algunos usos incorrectos de concordancia *ad sensum* que se deben evitar: *La gente piensan…, La familia están…* Asimismo, es incorrecta la concordancia en plural del verbo impersonal *haber: Habían unas veinte personas.*

Asíndeton y polisíndeton

El polisíndeton es un recurso estilístico que consiste en el uso de más conjunciones (*y, o, ni, pero*…) de las necesarias para dar mayor lentitud al texto y que resulte más solemne. En cambio, el asíndeton es la omisión de conjunciones para dar al texto más movimiento y rapidez.

Al + infinitivo

Cuando el sujeto de la construcción *al* + infinitivo es distinto al de la oración principal, este se suele colocar después del infinitivo: *Al entrar la familia en la iglesia, todos se callaron.*

Variaciones en el orden oracional sujeto-verbo-objeto (SVO)

En español, el orden habitual de los elementos en una oración es sujeto-verbo-objeto (SVO). Sin embargo, en muchas ocasiones este orden se altera para dar más énfasis o importancia a otra información: ***A los invitados**, los novios les entregaron un recuerdo de la boda.*

Fíjate que cuando se antepone el objeto directo, hay que poner el pronombre objeto: ***Al novio lo** he visto encima de la mesa.*

UNIDAD 10

Oraciones finales

Las oraciones finales indican el propósito o finalidad con que se realiza la acción principal. Las oraciones finales pueden estar introducidas por los siguientes conectores:

* *Para (que)*: es de uso general: *Ella, **para** no variar, no ha dicho nada, Coméntaselo a Markus, **para que**, en cuanto tenga un rato, busque un hotel allí.*
* *A fin de (que), con el propósito de (que), con la finalidad de (que), con (la) idea de (que), con (la) intención de (que), con el fin de (que)*: son locuciones finales que pueden sustituir a *para que* tanto en la lengua escrita como en la lengua hablada, aunque se usan en registros formales: *Voy a hacer ese máster **con la intención de que** me asciendan en mi trabajo.*
* *A (que)*: se usa solo cuando el verbo de la oración principal es de movimiento, pero solo con aquellos que indican dirección (*ir, venir, entrar, salir, subir, bajar*): *Ha ido **a que** el jefe le explique lo del nuevo proyecto.*
* *Con* + sustantivo: *Mi jefe nos convocó a una reunión **con vistas a** que todos estemos al corriente, Me dijo que no lo había hecho **con ánimo de** ofenderte.*

■ El modo en las oraciones finales

Se usa el infinitivo cuando el sujeto de la oración principal y de la oración subordinada es el mismo, y el subjuntivo cuando son distintos: *Me contrataron con la intención de **cubrir** el puesto de una persona que estaba de baja, Voy a Recursos Humanos a que me **cuenten** los cambios en el horario.*

Pero si la oración está introducida con **para qué** el verbo va en indicativo: *¿Para qué* **has venido**? *Para hablar contigo y para que me contaras qué te pasa.*

Hay verbos que pueden construirse con infinitivo aunque los sujetos sean distintos. Esto ocurre solo en aquellos casos en los que el contexto deja claro que hay dos sujetos. Algunos de estos verbos son *elegir, seleccionar, nombrar, designar, proponer, llamar, escoger, llevar, traer*: *Eligieron a Rosa para* **hacer** *las entrevistas a los nuevos candidatos.*

■ Otros tipos de oraciones finales

- Complementarias de un adjetivo, con valor consecutivo: *No había que ser muy listo* **(como) para** *darse cuenta de que le estaba buscando las cosquillas.*
- Periféricas: suelen separarse del resto de la oración por comas, aunque se pueden omitir, ya que la entonación puede cumplir el mismo cometido: **Para que** *te enteres, estoy harta.*

Artículos definidos e indefinidos

■ Artículo definido

Usos:

- Enfático: **La** *cara que puso,* **Lo** *mal que lo hizo.*
- Sustantivador: **El** *trabajar así no es bueno, Me preocupa* **el** *que no hayamos recibido noticias.*

Distribución sintáctica:

- Con *poco* y *mucho*: *Se junta con* **los pocos** *compañeros con los que no se lleva mal del todo.*
- Casos especiales con *hay*: *Si es que en esta empresa* **hay el** *lío de siempre.*

■ Artículo indefinido

Usos:

- Enfático: acompañado de la entonación: *¡Es* **un** *señor!*; con significado consecutivo: *Tiene* **una** *forma de trabajar que yo no comparto*; con nombres no contables: *¡Hace* **un** *frío…!*

Distribución sintáctica:

- Con nombres propios: *Vino* **un** *tal José Durán,* **Un** *Bill Gates solo hay uno entre un millón.*

■ Ausencia de artículos

- Con complementos predicativos con verbos como *nombrar, declarar…*: *La han nombrado jefa de área.*
- Para categorizar (*ser* + sustantivo/adjetivo): *Cuando termine la universidad quiero ser médico.*
- Cuando nos referimos en singular al concepto o a la categoría: *Todavía no tengo ordenador.*
- Precedido de las preposiciones *en, a* y *con* para expresar medio o modo: *ir en tren; escribir a máquina/con bolígrafo.*
- En aposiciones: *Európolis, ciudad empresarial.*

UNIDAD 11

Adverbios en -*mente*

Muchos adverbios en -*mente* sirven para expresar cómo se realiza una acción (y significan lo mismo que el adjetivo del que proceden). Otros tienen significados diferentes o juegan un papel como organizadores discursivos. En el primer caso, suelen ir junto al verbo o junto al adjetivo al que modifican; no se separan por comas ni con pausas en la lengua oral. En el segundo caso, suelen ir al principio o al final de la oración, y separados por comas o por pausas entonativas.

- Para reforzar una afirmación: *realmente, indudablemente, efectivamente…*
- Para señalar evidencia: *naturalmente, evidentemente, obviamente…*
- Para destacar o concretar: *fundamentalmente, especialmente, principalmente…*
- Para introducir un punto de vista: *personalmente, técnicamente, políticamente…*
- Para introducir valoraciones: *afortunadamente, desgraciadamente…*
- Para destacar excluyendo otros elementos: *únicamente, exclusivamente…*
- Para intensificar una cualidad: *especialmente, particularmente, absolutamente, totalmente, realmente…*

El estilo indirecto

■ Transformaciones verbales

- Cuando el verbo *decir* está en presente o en pretérito perfecto (*dice/ha dicho que…*):
  - verbo en indicativo —> no cambia
  - verbo en subjuntivo —> no cambia
  - verbo en imperativo —> presente de subjuntivo
- Cuando el verbo *decir* está en indefinido, pretérito imperfecto o pluscuamperfecto (*dijo/decía/había dicho que…*):

VERBO EN INDICATIVO	VERBO EN SUBJUNTIVO
- presente —> no cambia* o imperfecto - pretérito perfecto —> pluscuamperfecto - imperfecto —> no cambia - indefinido —> no cambia o pluscuamperfecto - pluscuamperfecto —> no cambia - futuro imperfecto —> no cambia** o condicional simple - futuro perfecto —> no cambia o condicional compuesto - condicional simple o compuesto —> no cambia	- presente —> imperfecto - pretérito perfecto —> pluscuamperfecto - imperfecto —> no cambia

El imperativo pasa a imperfecto de subjuntivo.

* El verbo en presente de indicativo no cambia cuando enuncia una verdad absoluta o una cualidad que permanece o algo que sigue siendo válido: *Acertó la pregunta porque contestó que la capital de Colombia es Bogotá*; se refiere a una opinión que se comparte y con la que el hablante se compromete al repetirla en estilo indirecto: *Comentó que las medidas sociales son adecuadas.*

Si la opinión no se comparte o el hablante no se quiere comprometer con las palabras que reproduce y quiere marcar distancias, o si lo repetido no tiene validez, el presente pasa a imperfecto: *Comentó que las medidas sociales eran adecuadas.*

** El verbo que expresa una acción futura no cambia cuando los hechos que se repiten no han ocurrido en el momento en que se reproduce el enunciado: *«Mañana a las ocho estaré allí» Ayer dijo que hoy a las ocho estará aquí.* (El enunciado en estilo indirecto se produce antes de las ocho de la tarde.)

- A la hora de reproducir un enunciado en estilo indirecto es importante tener en cuenta la intención del hablante porque muchas veces no se transmiten las palabras literales, sino que se resume y se interpreta lo dicho así como su posible intención. Estos son algunos de los verbos que sirven para interpretar o resumir las palabras de otros y sus intenciones:

– Verbos de opinión: *opinar, considerar, juzgar.*

– Verbos de valoración positiva: *alabar, aplaudir, aprobar, celebrar, elogiar, felicitar.*

– Verbos de valoración negativa: *criticar, reprochar, censurar.*

– Verbos declarativos: *decir, comunicar, señalar, mencionar, manifestar, responder, contestar.*

– Verbos de manera de decir: *gritar, susurrar, balbucir, insistir, repetir.*

– Verbos de petición, orden o mandato: *pedir, solicitar, requerir, mandar, ordenar, encargar, prohibir.*

– Verbos declarativos que se refieren al futuro: *anunciar, pronosticar, prometer, augurar, predecir.*

Algunos de estos verbos rigen preposición: *advertir de, avisar de, felicitar por, disculparse por.*

UNIDAD 12

Presente histórico

A veces se utiliza el presente para referirse a hechos que han ocurrido en el pasado. Este uso del presente se conoce con el nombre de presente histórico y es un recurso que se usa cuando el hablante trae al presente hechos pasados para acercarlos al interlocutor: *Cervantes **nace** en Alcalá de Henares.*

Uso del pretérito imperfecto

El pretérito imperfecto puede usarse con marcadores temporales de presente o futuro cuando no nos comprometemos con la información: *Al parecer hoy **daba** un concierto en el salón de actos.*

Usos del futuro y del condicional

El futuro imperfecto puede usarse para indicar objeción o rechazo en el presente: ***Será** muy famoso, pero yo no entiendo por qué.*

El futuro perfecto, el condicional simple y el compuesto pueden usarse para indicar objeción o rechazo en el pasado: ***Habrá intentado** hacer una fotografía artística, pero en mi opinión no lo ha conseguido, **Sería** muy poco valorado en su época, pero ahora mucha gente mataría por tener una escultura suya, **Habría sido** muy valorada, pero ahora nadie se acuerda de ella.*

Construcciones consecutivas

Las construcciones consecutivas expresan siempre la consecuencia de una acción, circunstancia o cualidad indicada en la oración principal, que aparece en primer lugar. Hay dos tipos de construcciones consecutivas:

• Las consecutivas que únicamente expresan consecuencia. Se construyen con indicativo (excepto las oraciones introducidas por *de ahí que*, que se construyen con subjuntivo) y emplean lo siguientes nexos: ***así (es) que, así pues, (y) entonces, luego*** (más habitual en registro formal), ***por ello*** (registro formal), ***por eso, de ahí que, por ello*** (registro formal): *Sé que ha tenido problemas, **por eso** no ha dicho nada.*

Para presentar una consecuencia lógica o la consecuencia como conclusión final de una exposición pueden usarse: ***por consiguiente, por (lo) tanto, en consecuencia, por todo lo dicho anteriormente***: *Estudiando tan poco suspenderás, **por tanto** debes estudiar más.*

- Las consecutivas que expresan la consecuencia del grado, modo, cualidad, etc., en que se realiza lo expresado por la oración principal. Los conectores más usados son: *tanto/a/os/as* + sustantivo/verbo + *que*, *tan* + adjetivo/adverbio de modo + *que*, cuantificador + *como para*, *tal/tales* + sustantivo + *que*, *cada* + sustantivo + *que*, *de un* + sustantivo/adjetivo + *que*, *de (tal) modo/manera/forma que*, *de un modo/manera/forma que*: *Canta **tan** bien **que** le han dado una oportunidad en un programa de televisión.*

■ El modo en las oraciones consecutivas

Generalmente las oraciones consecutivas se construyen en indicativo, pero pueden construirse en subjuntivo en estos casos:

- Cuando el verbo de la oración principal va en subjuntivo: *Posiblemente le **pongan** unas condiciones tan exigentes que **diga** que no.*
- Cuando el verbo de la oración principal está en imperativo: ***Díselo** de forma que lo **entienda** a la primera.*
- Cuando el verbo principal está negado: ***No** lo escondas tanto que luego no lo **puedan** encontrar.*

Las preposiciones *por* y *para*

■ Usos de *por*:

- Causa, motivo o razón: *Empecé a estudiar español **por** mi novio.*
- Destinatario de un sentimiento: *Siente gran admiración **por** su padre.*
- Cuando significa 'a favor de', 'en beneficio de': *Lo hago **por** ti, porque te aprecio un montón.*
- Lugar poco determinado: *El restaurante estaba **por** aquí, ¿no?*
- Movimiento a través de un lugar: *Voy a Sevilla **por** Madrid.*
- Parte del día y tiempo aproximado (pasado y futuro): *Trabajo solo **por** la mañana, Se casó **por** enero, Vendrá **por** Navidad.*
- Agente en la pasiva: *El libro fue escrito **por** Fernando Iwasaki.*
- Cuando significa 'en lugar de': *Si estás muy liada, voy yo **por** ti.*
- Verbo de movimiento + *por* + sustantivo: *Voy **por** la niña al colegio.*
- *Estar por* + infinitivo: expresa intención o acción inacabada, si el sujeto es inanimado: *Estoy **por** ir y decírselo, Estos ejercicios están **por** hacer todavía.*

■ Usos de *para*:

- Finalidad, intención: *Esto sirve **para** tomar la tensión.*
- Destinatario: *El libro fue escrito **para** alumnos con discapacidades.*
- Dirección del movimiento: *Voy **para** Sevilla.*
- Fecha tope o límite y tiempo aproximado (futuro): *El informe es **para** el lunes, Vendrá **para** Navidad.*
- Opinión: ***Para** mí, es mucho mejor.*
- Relación que guardan dos cosas: *Está muy alto **para** la edad que tiene.*
- *Estar para* + infinitivo: expresa acción inminente: *Está **para** llover.*
- *No estar para*: expresa falta de disposición anímica: *No estoy **para** fiestas.*